Yoga
e imagen corporal

Melanie Klein y Anna Guest-Jelley

Yoga e imagen corporal

25 historias personales sobre belleza, valentía y sobre cómo amar a tu cuerpo

Traducción del inglés
Alma Alexandra García Martínez

 PAIDÓS.

Diseño de portada: Sergi Rucabado / Músicos del titanic
Diseño de interiores: Iván Castillo / Pulso.inc
Foto Melanie Klein: © Sarit Z. Rogers / Sarit Photography
Foto Anna Guest-Jelley: © Vivienne McMaster

Título original: *Yoga and Body Image: 25 Personal Stories About Beauty, Bravery & Loving Your Body* © 2014
Publicado por primera vez en inglés por Llewellyn Publications. A división of Llewellyn Worldwide Ltd.

© 2014, Melanie Klein and Anna Guest-Jelley

Esta obra se publica mediante acuerdo con Llewellyn Worldwide Ltd. Woodbury, MN 55125 USA. www.llewellyn.com

Traducción: Alma Alexandra García Martínez

Derechos reservados en español exclusivos para Latinoamérica y Norteamérica

© 2016, Ediciones Culturales Paidós, S.A. de C.V.
Bajo el sello editorial PAIDÓS M.R.
Avenida Presidente Masarik núm. 111, Piso 2
Colonia Polanco V Sección
Delegación Miguel Hidalgo
C.P. 11560, Ciudad de México
www.planetadelibros.com.mx
www.paidos.com.mx

Primera edición: julio de 2016
ISBN: 978-607-747-216-2

Impreso en los talleres de Litográfica Ingramex, S.A. de C.V.
Centeno núm. 162-1, colonia Granjas Esmeralda, Ciudad de México
Impreso y hecho en México – *Printed and made in Mexico*

Contenido

Melanie Klein

Por qué yoga e imagen corporal

Conocí en 2010 a mi coeditora, Anna Guest-Jelley. Supe de su trabajo a través de lo que publicaba en su blog, *Welcoming the Curvy Yogini* [Acogiendo a la yoguini con curvas], que trataba sobre cómo hacer un espacio en el yoga para las estudiantes más corpulentas de lo normal. De inmediato quedé fascinada. No solo me identifiqué con las palabras y la experiencia de Anna, sino que me atrapó su biografía, en la que se describía como "defensora de los derechos humanos de día e instructora de yoga de noche". Dada mi experiencia como profesora de Sociología y de Estudios sobre la Mujer, además de mi trabajo como activista y una práctica de yoga que se remontaba a mediados de la década de 1990, sabía que me había topado con un espíritu afín. Sentí el impulso de colaborar con ella.

Como académica experimentada y con un interés continuo en diversas modalidades de curación, a menudo me sentía fuera de lugar en ambos mundos. Había estado practicando yoga de forma regular desde 1996; obtuve la certificación como terapeuta de masaje en el año 2000 en el Institute of Psycho-Structural Balancing; completé mi entrenamiento avanzado como practicante de Terapia de Yoga Thai con Saul David Raye en 2001; tomé un entrenamiento para maestros de yoga con Ganga White y Tracy Rich en la White Lotus Foundation en 2002, y había desarrollado una práctica regular de meditación después de dos retiros de meditación Vipassana de diez días según la enseñanza de S.N. Goenka. No obstante, durante todo este tiempo con frecuencia parecía que mi riguroso entrenamiento académico y mis habilidades de pensamiento crítico eran vistos como un freno o un obstáculo en esta área. Basándome en diversas experiencias en las que escribí para la comunidad del yoga, se volvió evidente para mí que el pensamiento crítico no necesariamente era bien recibido o alentado.

Al mismo tiempo, me encontraba involucrada activamente en la política feminista, en movimientos de justicia social, alfabetización mediática y en labores de promoción, y en la finalización de dos títulos en Sociología con énfasis en la intersección entre el género, la raza y la clase. Para muchas personas que se desenvolvían en esas áreas, el yoga, la meditación y la sanación holística parecían algo *new age*, trivial; una actividad vacía donde te contemplabas el ombligo. De hecho, mis mentores académicos jamás pudieron descubrir qué tenía que ver mi práctica de yoga con mis metas educativas y profesionales.

Sin embargo, las conexiones entre mi imaginación sociológica, mi conciencia feminista y mi labor de promoción del yoga siempre han sido obvias para mí: todo representa la oportunidad de elevar nuestra conciencia, de adoptar una perspectiva holística para nuestros problemas individuales, de convertirnos en la mejor versión de nosotros mismos y de crear un mundo más equitativo y equilibrado.

Mundos mezclados

Comencé a fusionar estos antecedentes y áreas de interés mediante la aplicación de mi imaginación sociológica a una cultura del yoga que recién emergía. En 2000 y en 2005 llevé a cabo presentaciones sobre yoga, cultura popular y comodificación en cuatro distintas conferencias académicas: "La MacDonaldización y la Comodificación del Yoga: Pararse en la intersección de la tradición espiritual y la cultura del consumo", en la Pacifical Sociological Association; "El consumo de la espiritualidad y el consumismo espiritual:

Sacando el máximo provecho del yoga", en la California Sociological Association; "McYoga: La dieta espiritual para unos Estados Unidos de consumidores", en la Far West Popular Culture and American Culture Association, y "El yoga y la cultura popular", en la California Sociological Association. Anna fue la primera persona con la que me topé que compartía antecedentes similares. Obtuvo varios títulos y tenía una historia profesional como maestra de inglés; había dirigido un reconocido programa de prevención de violencia doméstica, administrado un centro universitario para mujeres, publicado ensayos, creado talleres y coordinado programas comunitarios sobre cuidados universales de la salud, derechos reproductivos, alfabetización para adultos, bienestar y resiliencia emocional. Acerca de los desórdenes alimenticios, el abuso, la autonegligencia y la ansiedad, por nombrar algunos temas, Anna había elaborado un plan de estudios, fotocopiado las hojas de trabajo y colgado el letrero de BIENVENIDOS en la puerta.

Necesitaba conectarme con esta mujer. En mi interior sabía que estábamos destinadas a colaborar y fusionar nuestros esfuerzos, talentos y habilidades en una conversación más amplia que tendiera un puente entre estos puntos aparentemente dispares. Estas dos esferas de influencia tenían mucho que enseñarse entre sí, y ese matrimonio solo beneficiaría y, con suerte, conectaría a los miembros de cada población.

Anna y yo tuvimos, finalmente, nuestra primera conversación telefónica durante la primavera de 2011, y la sinergia fue palpable de inmediato. Nos dimos cuenta de que no nos podíamos negar a emprender una actividad conjunta. Después de algunos meses de reflexión, pudimos entender que había una enorme lógica en colaborar en un libro que se enfocara en el yoga y la imagen corporal.

Ambas no solo hemos mantenido una práctica consistente de yoga y meditación desde mediados de los noventa, sino que participamos activamente y tenemos un papel activo en la comunidad más amplia del yoga. Aunque lo hicimos para diversas plataformas, mucho de lo que escribimos se edita específicamente en publicaciones que abogan por el bienestar de la mente y el cuerpo. En este sentido, las dos nos encontramos entre las pioneras y líderes que han abierto una línea de investigación en el tema de la conexión entre yoga e imagen corporal. Las conversaciones sobre el yoga y la imagen corporal en la blogósfera han aumentado en los últimos años, no obstante *Yoga from the Inside Out: Making Peace with Your Body Through Yoga,* de Christina Sell; *May I Be Happy: A Memoir of Love, Yoga, and Changing My Mind*, de Cyndi Lee; el capítulo que escribí acerca de la conexión entre feminismo, cultura pop, imagen corporal y yoga para el libro *21st Century Yoga: Culture, Politics and Practice* (editado por Carol Horton y Roseanne Harvey), y *Curvy Voices* -la colección de historias de Anna sobre yoga y aceptación corporal- se encuentran entre las primeras publicaciones del nuevo milenio que exploran *específicamente* el yoga y la imagen corporal en la cultura contemporánea del yoga.

Además de escribir y dar forma a conversaciones dentro de la comunidad del yoga, ambas hemos creado y facilitado talleres sobre bienestar, yoga e imagen corporal. Cada vez son más quienes acuden a mí para que dé discursos que traten específicamente el tema de la relación entre yoga, imagen corporal y cultura pop en los más importantes encuentros sobre imagen corporal, en conferencias cuyo objetivo es empoderar a niñas y mujeres, así como en pláticas y talleres para el Mes de la Historia de la Mujer, la Semana de Ama tu Cuerpo y la Semana Anual de Conciencia sobre Trastornos de la Alimentación de la Asociación Nacional de Trastornos Alimentarios. Anna ha estado impartiendo clases de yoga que crean un espacio para que las mujeres de cualquier talla desarrollen una práctica de yoga. También creó un plan de estudios para entrenar a los instructores de yoga de manera que estén más conscientes de los temas de imagen corporal y las diferencias en cuanto a talla, produciendo así maestros que cuentan con las herramientas, las técnicas y el lenguaje para guiar y enseñar a las estudiantes con curvas. Sus clases de Curvy Yoga se imparten ahora en diversos países y a lo largo de Estados Unidos.

Cómo surgió este libro

Decidimos abordar este tema porque nos apasiona a ambas y porque nuestro trabajo a través de los años refleja dicho interés. Las dos somos defensoras fervientes de la imagen corporal, con una larga historia de trabajo de defensa, de generación de planes de estudio e investigación, que combinan la reflexión y el análisis desarrollado en el ámbito académico, el entrenamiento en alfabetización mediática, el activismo social, los antecedentes yóguicos, diversas modalidades de curación y nuestras experiencias de vida.

Estamos comprometidas no solo con crear un diálogo sobre las formas en las que puede cultivarse el amor por uno mismo (y sobre la razón por la que es un paso necesario para maximizar nuestra propia experiencia de vida, permitiéndonos, de este modo, participar y contribuir de manera más plena a la cultura en general), sino también con ofrecer el yoga como una herramienta tangible que puede hacer que eso ocurra si la persona tiene una práctica consistente con una mentalidad y un nivel de conciencia específicos.

No es suficiente animar a las personas a que amen su cuerpo mediante eslogans y afirmaciones positivas del tipo "¡Ama tu cuerpo!". Si las personas supieran cómo hacerlo, ¡lo harían! Consideramos que es fundamental, en una cultura enfocada en el cuerpo y que perpetúa un estándar de belleza donde una sola talla NO le queda a todo el mundo, proporcionar una práctica que pueda ayudar a facilitar esa aceptación y ese amor por sí mismo. Sin embargo, también queríamos explorar la intersección del yoga y la imagen corporal porque es un campo que no vemos que se discuta lo suficiente en la comunidad del yoga. Aunque a menudo pongan tanto énfasis en el cuerpo mismo, las clases de yoga y las conversaciones que giran alrededor de esa práctica raras veces incluyen el tema de cómo nos *sentimos* en relación con nuestro cuerpo y cómo el yoga afecta nuestra imagen corporal, y viceversa.

Y para nosotras esa es una brecha importante en la conversación: no solo cómo la imagen corporal de los individuos puede beneficiarse con el yoga, sino cómo el yoga tiene un lugar complicado en la conversación sobre la imagen corporal, pues contribuye tanto a las percepciones negativas, a través de los estereotipos mediáticos del "cuerpo tipo yoga", como al cambio positivo, cuando la práctica se enfoca en la conexión con el propio cuerpo, como sucede en la actualidad.

El principal foco de atención de este libro son los beneficios transformadores de una *práctica* de yoga centrada en la mente y el cuerpo. Sin embargo, la conversación no estaría completa si no se mencionara la *cultura* del yoga que ha surgido, para bien o para mal, en la última década al lado de la *industria* del yoga. Es posible ser crítico y estar consciente de los cambios en la cultura al tiempo que se aclaman los muchos cambios positivos que la práctica ofrece. De hecho, creemos que si no se ven con ojos críticos las imágenes e ideas que influyen en nuestra imagen corporal, es casi imposible crear algún tipo de cambio sustancial. Tenemos que trabajar en los ámbitos micro y macro al mismo tiempo.

Aunque Anna y yo pudimos haber escrito un libro sobre yoga e imagen corporal basándonos en nuestras sólidas experiencias de transformación como resultado de una práctica regular, estábamos y estamos profundamente comprometidas en aglutinar una colección diversa de voces que abarcan todo el espectro de la experiencia humana.

Yoga e imagen corporal

La imagen corporal se refiere a la imagen ideal que uno tiene de su cuerpo; una imagen que es intelectual y subjetiva. Esta imagen psicológica del propio cuerpo se moldea con base en toda una vida de observaciones, experiencias y reacciones de otras personas, como los miembros de la familia, los amigos y los medios de comunicación. La raza y la etnicidad, la orientación sexual, el sexo, la identidad de género, la talla, la edad, la clase y la capacidad física, todo ello desempeña un significativo papel en la formación de la imagen corporal personal. Y con mucha frecuencia ocurre que el reflejo que vemos en el espejo es una imagen crudamente distorsionada de nosotros mismos, influenciada por nuestras experiencias, interpretaciones y expectativas. Como resultado, mucha de nuestra insatisfacción (y decepción) relacionada con nuestro cuerpo y nuestra autoestima comprometida es producto de una imagen que no está anclada en la realidad, sino que se basa en una ilusión.

Los practicantes de yoga y quienes tienen problemas con una imagen corporal distorsionada no fueron cortados por la misma tijera. Queríamos llegar a lectores con diferentes antecedentes; para ello hemos arrojado una amplia red que haga posible que las personas obtengan inspiración al menos del viaje de imagen corporal de cualquiera de los colaboradores y de la forma en que su práctica de yoga le facilitó esa transformación. Sentimos que el yoga y sus beneficios potenciales de curación son para todos. Nadie debería ser excluido del acceso a la práctica. Creemos en el poder de la práctica y en su capacidad de cambiar positivamente vidas y comunidades.

Aunque ninguna antología puede ser por completo representativa de cada comunidad, sentimos que nuestros esfuerzos por ser incluyentes están a la vista. Aunque las experiencias y los viajes de nuestros colaboradores a menudo corren en paralelo y se complementan entre sí, cada uno es único a la hora de explorar un sentido particular del yo y del cuerpo.

En la Parte Uno, Linda Sparrowe, la doctora Sara Gottfried, Marianne Elliott, la doctora Melody Moore y mi coeditora Anna abren el libro hablando de cómo el yoga nos permite expandir nuestras opciones y nuestras perspectivas. El yoga consiste, verdaderamente, en "Tomar decisiones y crear el cambio". De hecho, Anna y yo sentimos que esto se encuentra en el núcleo de la práctica del yoga: el potencial de crear cambios profundos. El yoga desarrolla nuestra capacidad de escuchar y eleva nuestra conciencia para estar más presentes en cada momento de nuestra vida.

En la Parte Dos, Vytas Baskauskas, Dianne Bondy, Carrie Barrepski, Teo Drake y Joni Yung comparten su experiencia de existir "En los márgenes": sentirse fuera de lugar y ser "el otro" en algún sentido; ser excluido de la cultura de amigos adolescentes, o no encajar en el ideal del cuerpo sin discapacidades, en el ideal eurocéntrico, de belleza talla 0, o en la expectativa del "cuerpo tipo yoga". A menudo, este sentimiento de marginación ha incluido a la cultura misma del yoga. Sin embargo, al final, cada persona se mueve hacia un punto de integración, y la práctica desempeña y sigue desempeñando un papel clave para llegar a un punto de integridad. Como Vytas admite sin reparos, es una obra en proceso, una práctica diaria de amor por sí mismo y de aceptación al lado del cambio en la perspectiva que se tiene de sí mismo.

En la Parte Tres exploro la "Cultura y los medios de comunicación" de la mano de Rolf Gates, Nita Rubio, Seane Corn, Chelsea Jackson y Alanis Morissette. No solo examinamos el papel de la cultura dominante y de los medios masivos de comunicación a la hora de enmarcar nuestras expectativas de la masculinidad y la feminidad ideales, sino que algunos examinamos los inconvenientes de la cultura del yoga y las formas en las que reproduce las imágenes idealizadas e imposibles de la belleza. Discutimos los caminos que sigue la práctica del yoga para reducir este ruido cultural, y argumentamos que la cultura es lo que hacemos de ella. La conclusión es que podemos crear un cambio que lleve a un estándar de belleza que le quede a todo el mundo.

En la Parte Cuatro, "La paternidad y los niños", Kate McIntyre Clere, Claire Mysko, la doctora Dawn M. Dalili y Shana Meyerson abordan la cultura del consumo, la industria procaz e implacable de los tabloides y la publicidad, y las imágenes corporales distorsionadas, los desórdenes alimenticios y el desafío de criar niños saludables y confiados —los cuales al mismo tiempo luchan con su propia autoestima— en una cultura de medios a menudo tóxica. Escriben acerca de las presiones de estar al pendiente de la panza de la embarazada, de la alegría de la creación y del valor de enseñar yoga a los niños, muchos de los cuales ya comenzaron a aprender a odiar sus cuerpos.

En la Parte Cinco, "Género y sexualidad", Rosie Molinary, la doctora Kerrie Kauer, Bryan Kest, Ryan McGraw y la doctora Audrey Bilger examinan cómo se relacionan con el yoga la orientación sexual, el sexo y la condición de género del cuerpo. Como grupo, nos animan a considerar las múltiples formas en las que el yoga puede transformar la relación con el cuerpo como un reflejo de la propia identidad de género y de la orientación sexual. Desde conceptos culturalmente aprobados de masculinidad violenta y de la forma "apropiada" de ser un "verdadero" hombre, hasta la sexualización, el sexismo, el heterosexismo y la homofobia, la práctica de yoga brinda paz, consuelo y curación a los colaboradores de esta sección.

En conjunto, ya sea que su disociación corporal fuera resultado de la cosificación, la raza, la clase, el sexo, la orientación sexual, la identidad de género, la discapacidad, la talla, la forma o el estatus de "extraño", el yoga dio la oportunidad a este grupo de escritores de conocerse y amarse de una nueva forma auténtica y extraordinaria.

Lo que el yoga puede hacer

A diferencia de muchas de las soluciones que se ofrecen en una cultura enraizada en la gratificación instantánea, el yoga no transformará nuestra imagen corporal de la noche a la mañana. Como Anna nos recuerda en la conclusión, crear una relación saludable con el yoga y sanar una imagen corporal fracturada constituyen una obra en curso, como es el caso en cualquier otra actividad significativa y duradera.

De forma similar, Anna nos alienta a utilizar el yoga como una herramienta junto con otras que pueden ser útiles de una forma única. Para algunos, eso puede significar que requieran el consejo de un doctor, terapeuta o nutriólogo paralelamente a nuestra práctica. En mi caso, mi conciencia feminista y mi entrenamiento académico me brindaron los cimientos intelectuales que apoyaron el autoanálisis y el crecimiento espiritual que fueron resultado de mi práctica de yoga. En el caso de Anna, el apoyo que recibió de la terapia, la meditación y el activismo feminista, y de sus amigos yoguis con una actitud positiva hacia el cuerpo, la ayudó a aprender a aceptar y amar su cuerpo. Para casi todo mundo, el yoga significa encontrar consuelo y apoyo en una comunidad de individuos afines.

Nuestra intención es inspirar a las personas que tienen interés en desarrollar una práctica para que comiencen a explorar sus opciones, especialmente quienes pensaban que el yoga no era para ellos. También queremos que los practicantes actuales comiencen el análisis o lo expandan en relación con la manera en que se entrecruzan el yoga y la imagen corporal en sus comunidades.

La práctica de yoga puede y debería estar disponible para todas las personas y para *todos* los cuerpos. Al principio deben probarse diferentes instructores y clases en persona o explorar el rango siempre creciente de opciones que hay en línea o en DVD. Se debe explorar y experimentar con instructores, clases y estilos hasta encontrar la práctica con la que se sienta una identificación y que aliente a ser amable, gentil y compasivo con el cuerpo.

También queremos que los instructores de yoga empiecen a cultivar un diálogo saludable en la clase que permita que la práctica del yoga nutra a los estudiantes en un ambiente no competitivo, y que se enfoque en la calidad de la mente y no en la estética del cuerpo en las posturas. No se necesita tener una imagen corporal perfecta ni todas las respuestas para comenzar a crear ese espacio en la clase. Los instructores de yoga también son humanos y tienen que llevar a cabo el trabajo como todos los demás.

Celebremos nuestra humanidad en toda su diversidad: en todas las formas, tallas, habilidades, edades y colores que hacen que la raza humana sea tan especial. Celebremos nuestro cuerpo, abramos nuestro corazón y expandamos nuestro espíritu en esta práctica. Elevemos nuestra conciencia y nuestra percepción. Debido a su enfoque en la unión (¡ya que esa es la definición!), las condiciones del yoga son únicas para facilitar ese proceso. Cuando participamos en él, podemos superar el caos, aprendemos a escuchar y tomamos decisiones auténticas acerca de la forma en que nos vemos a nosotros mismos y como nos movemos por el mundo.

Parte uno

Tomar decisiones y crear el cambio

Decidimos comenzar el libro con esta sección por la forma en que las autoras enmarcan la cuestión, el problema y la oportunidad inherentes al yoga como herramienta para trabajar la imagen corporal. Según se practica en Occidente en la actualidad, el yoga tiene la posibilidad de convertirse en un camino hacia una relación más profunda y positiva con el cuerpo, y también la de reescribir las normas limitantes relativas al cuerpo y la belleza.

Linda Sparrowe nos introduce en el tema justamente con esta pregunta: ¿Cómo puede el yoga ayudar —u obstaculizar— la relación que tenemos con nuestro cuerpo? A través de la reflexión y la conversación con otras personas, ella nos guía mediante una exploración acerca de cómo esta cuestión está presentándose actualmente en el contexto del yoga y la imagen corporal.

A continuación, Sara Gottfried nos lleva al mundo práctico del yoga para mostrarnos que esta disciplina va mucho más allá de ser un simple ejercicio, como muchas veces se representa. Desde su perspectiva de profesional educada en Harvard, la doctora Gottfried nos lleva por las muchas formas en las que el yoga puede apoyar a las personas, tanto en lo concerniente al cuerpo como en lo referente a la relación con él.

A partir de ahí, Marianne Elliot nos relata la historia sobre cómo surgió la vergüenza en su tapete de yoga y de lo que tuvo que hacer para modificar la situación. Con esta historia como trasfondo, Marianne nos va introduciendo en un llamado a la acción al convencernos de que el yoga puede ser, en primer lugar y primordialmente, una práctica de amabilidad hacia nosotros mismos.

Posteriormente, la doctora Melody Moore nos habla de la sensación que experimentaba mientras crecía de no ser la persona que quería ser o de no hacer lo suficiente al respecto, y cómo esa línea de expectativas, que siempre iba subiendo más y más, se manifestó en la relación que tenía con su cuerpo. Concluye con la convicción de que el yoga fue una salida y una puerta que la llevó a su actual trabajo de apoyar a las personas en lo referente a los desórdenes alimenticios y a la imagen corporal.

Finalmente, Anna Guest-Jelley comparte uno de sus más importantes momentos de inspiración: cuando se le ocurrió que tal vez la razón por la que no se sentía cómoda practicando yoga no tenía que ver con las dimensiones de su cuerpo, sino más bien con la forma en la que a menudo se enseñaba el yoga restringido a un tipo particular de cuerpo, pese a que el yoga tiene el potencial de dar la bienvenida a personas con cuerpos de cualquier forma y tamaño.

Linda Sparrowe

Regresar al cuerpo: ¿Puede el yoga ayudar al proceso o lo obstaculiza?

Varios años atrás, como parte de una promoción especial en la sección de deportes de Macy's, algunos nos vestimos con prendas Capezio que dejaban poco a la imaginación, llevamos a cabo demostraciones de yoga de 15 minutos, y luego hablamos a un pequeño grupo de espectadores curiosos sobre los beneficios de lo que seguíamos llamando "esta asombrosa práctica". Al final de la charla, una mujer se acercó a mí, escoltada por sus dos amigas, y dijo: "Entonces, ¿qué opinan? ¿Diez? ¿Quizá quince?". No tenía ni idea de a qué se refería. "Diez, quizá quince ¿qué?", pregunté. "Kilos", dijo. "¿Cuántos kilos debo bajar antes de poder inscribirme a yoga?". Cuando le dije que nadie tenía que bajar nada para asistir a una clase de yoga, la mujer me miró y dijo: "Sí, claro. Voy a ponerme ropa como la que tú traes puesta sobre unos muslos como los míos y voy a entrar en un salón lleno de hermosos cuerpos. ¿Para qué? ¿Para que pueda sentirme peor respecto a mí misma? No, gracias". Sus amigas asintieron deliberadamente, y nada de lo que dijimos pudo convencerlas de lo contrario.

Corromper la práctica

Estas mujeres tenían razón. Ciertamente, ¿por qué? Aunque la conversación ocurrió hace varios años, y no me he puesto ropa ajustada Capezio desde entonces, de vez en cuando pienso en ellas y me pregunto si alguna vez pusieron un pie en una clase de yoga.

Me gusta pensar que lo hicieron y que lo disfrutaron. Definitivamente, quiero creer que ahora el yoga ofrece una experiencia más consciente e incluyente que en aquel tiempo, pero no estoy segura de que así sea. El yoga ha ido evolucionando para satisfacer las necesidades de la cultura a la que sirve, y desafortunadamente hoy en día sirve a una cultura en la que solo quienes son delgados y jóvenes pueden considerarse saludables y perfectos. Como resultado, muchas clases de yoga ponen demasiado énfasis en lo físico y atraen a estudiantes que ya tienen cuerpos atléticos y flexibles. Así pues, no ha de sorprendernos que quienes no coinciden con esa descripción limitada se sientan excluidos. Como otra de las mujeres se preguntaba, ¿cómo podía ser que practicar de sesenta a noventa minutos de posturas de yoga, en las que te estiras, te flexionas y sudas con un montón de mujeres jóvenes, delgadas y flexibles, pueda hacerte sentir mejor si tu cuerpo ya es viejo, tieso y regordete?

Ciertamente, ¿cómo? Ahora que estoy llegando a mi sexta década lo entiendo. El simple hecho de entrar a alguna de las clases de yoga puede tener un efecto desmoralizante en cualquiera que se sienta acomplejado o avergonzado de su cuerpo (en el último conteo, al menos 90% de las mujeres respondieron a la encuesta). Sin embargo, honestamente, no puedo culpar al yoga en su totalidad, y tampoco insinúo que todos los maestros contemporáneos de yoga sean intercambiables con instructores de aeróbicos. No obstante, la ausencia de una práctica auténtica en algunas clases mantiene al yoga confinado al ámbito de las soluciones para adelgazar rápidamente. Los sabios de antaño jamás tuvieron la intención de que la palabra *asanas* —las posturas o posiciones que se utilizan en el yoga— representara la totalidad de este sendero espiritual. Pero, con mucha frecuencia, así es. Y cuando practicamos las *asanas* desprovistas de cualquier aspecto meditativo, nuestro foco de atención queda atrapado en el cuerpo físico —por lo regular, en las partes que odiamos—, y perdemos la conexión con nuestra respiración, nuestra intuición y nuestro ser más profundo. Esta "corrupción del yoga" —una frase acuñada por la doctora Melody Moore, psicóloga clínica especializada en tratar a mujeres con desórdenes alimenticios en Dallas— nos mantiene en un estado de "no ser suficientes" y atados a cualesquiera limitaciones que consideremos inaceptables.

Por supuesto, esas limitaciones pueden ser de cualquier tipo. Aunque para la mayoría de las mujeres se enfocan en que son demasiado gordas, otras odian verse demasiado viejas, demasiado rígidas, o débiles, o feas, o… miles de "demasiado esto o no lo suficientemente aquello". Moore me recordó que los instructores tienen la increíble oportunidad de crear un espacio seguro para que sus estudiantes dejen ir semejantes creencias. Ciertamente, como dice Donna Farhi, autora e instructora de yoga radicada en Nueva Zelanda: "Es mediante la búsqueda y el compromiso del instructor con su propia autenticidad como un estudiante puede sentirse autorizado para hacer que su ser innato brille".

Actuar a partir de la integridad

Desafortunadamente, estos instructores de yoga cuya enseñanza auténtica ayuda a otros a "brillar", algunas veces quedan atrapados en la obsesión de la cultura occidental por (y en la definición de) la perfección física. Hace no mucho tiempo, una amiga me escribió molesta porque una "instructora famosa" a cuyo taller se había inscrito la había representado de forma inadecuada al publicar una foto de, al menos, un par de décadas atrás. Si realmente somos yoguis, manifiesta, "no deberíamos tener miedo de que alguien no acuda a nuestro taller porque no tenemos 25 años y no somos talla 0". Le pareció que el engaño de la maestra era terrible y demostraba una vergüenza inherente hacia el proceso de envejecimiento de la mujer. Cuando las instructoras de yoga se sienten avergonzadas de sus cuerpos que van envejeciendo, envían un mensaje sumamente poderoso a sus estudiantes que dice que ser joven, delgada y estar a la última moda es lo único que importa. En lugar de ello, deben presentarse plenamente —con arrugas, cabello cano, líneas de expresión y todo— y cruzar el umbral hacia lo que son exactamente: sabias y hermosas. Veo lo difícil que es esto en un mundo en el que la belleza juvenil supera todo; para hacerlo, todas requerimos valor, fortaleza y tener buenos modelos.

Así pues, ¿cómo avanzamos —estudiantes e instructores— más allá de esta fijación con el cuerpo físico hacia un punto en el que podamos sentirnos mejor con nosotros mismos? En primer lugar, precisamos dejar de pensar en el yoga como algo que va a hacernos más delgados, más jóvenes o más ricos. Por tanto, necesitamos asumir la *asana* como parte de una práctica más profunda que incluya la manera en la que nos tratamos a nosotros mismos y a otras personas (los *yamas* y *niyamas*), técnicas de respiración (*pranayama*), aislamiento sensorial (*pratyahara*), concentración (*dharana*), meditación (*dhyana*) y liberación (*samadhi*). Una vez que eso ocurra, podremos experimentar los beneficios del yoga en cada nivel de nuestro ser —físico, mental, emocional y espiritual— y el yoga podrá convertirse en un poderoso antídoto contra el desprecio hacia uno mismo.

Por supuesto, no estoy insinuando que el yoga deba excluir al cuerpo físico y que vaya directamente a nuestro lado más espiritual y etéreo. Después de todo, el yoga es una práctica *que se basa en el cuerpo*, y jamás podremos sanar nuestra autoimagen herida si lo rehuimos. Necesitamos estar de acuerdo en estar ahí, y llegar a conocernos a nosotros mismos en un nivel musculoesquelético y celular. No siempre es fácil, pero si abordas el yoga con un sentimiento de autocompasión y curiosidad puedes descubrir que nada se compara con sentir la firmeza de tus pies plantados sobre el piso, sabiendo que esos muslos que has odiado toda tu vida tienen, de hecho, el tamaño, la forma y la fortaleza perfecta para sostenerte. Esos brazos que se tambalean cuando te ves en el espejo, te sostienen cuando te paras de manos, cuando te extiendes tan bellamente en la postura del Guerrero, o hacen posible que regreses a una postura casi cómoda, la del perro boca abajo, para hacer cinco respiraciones. Por ese momento, durante esas respiraciones, la relación con tu cuerpo cambia y tu mente se olvida de su letanía de quejas plagadas de juicios. Esas partes corporales tan tuyas siguen siendo las mismas –probablemente siguen meneándose, temblando y permanecen combadas–, pero la forma como las experimentas cambia radicalmente. Cualesquiera que sean los juicios que normalmente albergas respecto a tu cuerpo, se disipan y actúas con una sensación de integridad.

El yoga une la mente y el cuerpo en una meta común: guiarnos internamente y reconectarnos con nuestra verdadera naturaleza, con nuestra bondad innata. Esa naturaleza verdadera incluye todas las partes que nos conforman y no solo aquellas que nos gustan. La respiración, que actúa como un puente entre el cuerpo y la mente, crea una asociación que respalda nuestra capacidad de amarnos a nosotros mismos y de dejar ir lo que ya nos estorba. Así es como el yoga, finalmente, nos transforma. No de la manera como lo hace un plan dietético o un programa de ejercicio: el yoga no promete reducir el tamaño de tus muslos o suavizar tus arrugas. Sin embargo, puede cambiar radicalmente tu relación con esos muslos o impedir que te obsesiones con tu cuello. No obstante, para que eso ocurra necesitas pasar más tiempo aprendiendo a apreciar el cuerpo que tienes. ¿La mejor forma que conozco para hacerlo? Pararte sobre un tapete de yoga.

Sanar la ruptura

Si te pelearas con una amiga cercana y quisieras reconciliarte con ella, ¿cómo lo harías? ¿Te la pasarías repasando todas las horribles cosas que te dijo, haciendo un recuento de todos sus defectos con gran detalle? Probablemente, no. Lo más seguro es que pensarías con cierta nostalgia en los buenos momentos que compartieron, en todas las veces que ella estuvo apoyándote y en todas las cosas que te hicieron quererla desde el principio. Para arreglar las cosas necesitarías verla, hablar con ella, y quizá renovar tu compromiso de ser una amiga más amable y más atenta.

¿Puedes hacer eso con tu propio cuerpo? ¿Puedes acercarte a él con el mismo amor con el que te acercarías a tu mejor amiga, independientemente de cuánta separación haya habido en esa relación? Muy parecido a como sucede con una amistad dañada, entre más abuses de tu cuerpo o ignores sus necesidades, más sufrirás. Corrine Wainer, directora de YoGirls, un programa extraescolar de educación en yoga y bienestar de la ciudad de Nueva York, afirma que el yoga la ayudó a hacerse amiga de su hombro reciente y severamente dislocado. Aunque todo mundo en la clase se encontraba en la postura del perro boca abajo, Corrine tuvo que hacer la postura de la tabla, y levantar los brazos en la del Guerrero no era una opción en sus condiciones. Comenzó a sentirse un tanto afectada, pero se dio cuenta de que al moverse lentamente y con respeto —sin compararse con nadie más— estaba honrando lo que su cuerpo necesitaba en ese momento para sanar.

El yoga le permitió a Corrine explorar su cuerpo de dentro hacia fuera, y no desde una idea preconcebida de lo que debía ser capaz de hacer. Trabajó con su hombro tiernamente, tal como lo haría con una amiga que tuviera dolor, observando cómo respondía a determinados movimientos y descubriendo lo que necesitaba para sentirse mejor y, finalmente, para fortalecerse.

Silenciar al crítico interno

Estar pendiente del cuerpo como lo hizo Corrine requiere una gran fuerza de voluntad. En definitiva, algunos días serán más fáciles que otros. Trato de abordar mi práctica desde un punto de autoanálisis compasivo (lo que el yoga llama *svadhyaya*), llevando mi mente hacia mi cuerpo y dejando ir los estímulos externos. Cuando eso ocurre, no pienso ni en mi edad ni en la imagen que se refleja en el espejo. En mi tapete, permito que mi respiración me mueva de una postura a otra y me siento fuerte, conectada y en paz. Sin embargo, ¿qué pasa en esos días en los que parece imposible equilibrarme con los brazos para salvar mi vida o cuando tengo que salir de una posición de pie antes que todos los demás? Siento como si hubiera perdido el rumbo, y mi mente regresa inmediatamente a sus caminos de menospreciarse: ¿Cómo es que puedo llamarme a mí misma instructora de yoga cuando ni siquiera puedo hacer yoga? ¿Soy una farsa? ¿Y de quién son estos músculos flexores de la cadera tan rígidos? Obviamente, cambiar una autoimagen negativa requiere más que solo fuerza de voluntad u horas de práctica de *vinyasa*. Se requiere benevolencia, paciencia, generosidad y autorreflexión *desprovista de juicio*: lo que Swami Kripalu llamó la forma más elevada de la práctica espiritual.

Los problemas que tenemos con nuestro cuerpo están profundamente arraigados. De hecho, a los terapeutas les gusta decir que esos asuntos viven en nuestros tejidos. El trauma que hemos experimentado, el enojo o el dolor que almacenamos pueden manifestarse corporalmente de cualquier forma, desde una mandíbula apretada hasta un dolor de cadera o una contractura en los músculos del cuello, y de ello se deriva una sensación persistente de tristeza o una ansiedad flotante. Si no encontramos una manera de liberar nuestras emociones negativas, los dolores físicos que las acompañan podrían escalar a problemas más serios, como conductas autodestructivas (adicciones, desórdenes alimenticios), ataques de pánico, síndrome metabólico, desórdenes digestivos o, incluso, enfermedades autoinmunes.

Para liberar toda esa tensión del cuerpo necesitamos calmar la mente. Cuando la mente deja de reaccionar y llega a un punto de tranquilidad, el cuerpo también puede hacerlo. Y, por supuesto, como los investigadores lo han sabido desde hace mucho tiempo, un cuerpo relajado y una mente en calma reducen el estrés, lo cual disminuye los niveles de cortisol (la hormona del estrés), equilibra el sistema nervioso y sana o previene enfermedades relacionadas con la tensión. Incorporar la meditación y el *pratyahara* en tu práctica de las *asanas* te ayudará a desintonizarte de las distracciones externas que hacen que la mente gire sin control y a volcarte hacia tu interior. Observar, atenuar y dejar ir cualquier dolor o agitación te permitirá experimentar una sensación profunda de apacible aceptación. Esto le ocurrió a mi amiga Robin, y le vino de una forma totalmente sorpresiva.

Después de sufrir años de bulimia en su juventud, Robin tuvo una relación ligera, por decir lo menos, con su cuerpo. Sin embargo, no recurrió al yoga con la idea de cambiar esa conducta. Su motivación era estrictamente física. Necesitaba rehabilitarse después de una cirugía de rodilla, y su doctor le insistió en que probara con el yoga. "Los músculos de mi pierna se habían atrofiado como resultado de la cirugía", recuerda. "No tenía otra opción más que abrazar mis limitaciones, ya que la única razón por la que comencé a hacer yoga fue para aumentar la fuerza y agilidad de mi pierna". No obstante, algo curioso ocurrió en el camino del fortalecimiento de su pierna. Una vez que aceptó que no podía llevar las rodillas al piso desde la postura sentada y que su pierna se tambaleaba en la postura del Guerrero, se descubrió aceptando otras limitaciones e imperfecciones. Unos cuantos meses después, recuerda, "me sorprendí cuando me vi al espejo mientras me vestía y pensé: 'Hey, me veo bastante bien'. No podía recordar ni *una sola vez* haber pensado eso antes; ciertamente, no con convencimiento". Robin descubrió que el yoga nos pone en contacto con un yo nuestro que "se ve bastante bien" y nos ayuda a ver que, de hecho, tenemos un yo bastante *perfecto*, aun con una pierna atrofiada, un hombro separado, 15 kilos de más o un montón de líneas de expresión. Sin embargo, eso solo puede ocurrir cuando involucramos a la mente y al corazón y dejamos de obsesionarnos con lo que vemos en el espejo.

Involucrar a la mente

Vincular la práctica física de las *asanas* con el ámbito mental y emocional a través del *pranayama*, el *pratyahara* y la meditación resulta fundamental para nuestra curación. Aunque una práctica de yoga más atenta no necesariamente hará que nos deshagamos de nuestro crítico interno, sí puede señalar e incluso atemperar el incesante parloteo negativo al que con frecuencia recurre nuestra mente por defecto. La respiración consciente y la conciencia atenta alejan la mente de los juicios externos y la introducen de manera más profunda al cuerpo. Sé que cuando me desconecto de mi respiración o cuando mi mente se sale por una de sus tangentes plagadas de juicio, mi cuerpo se siente abandonado y se desequilibra. Trabajar con la respiración, conectarla con la *asana* o simplemente sentarme a meditar a menudo me permite hacer una pausa y escuchar profundamente. En esas pausas entre la inhalación y la exhalación (especialmente, la pausa justo después de la exhalación), algunas veces todo se fusiona y, en ese momento tranquilo de aceptación, toda la negatividad se disuelve.

Cuando me enfrento a pensamientos y sentimientos que se reproducen como un disco rayado, tengo que detenerme, regresar a mi cuerpo —mover mi conciencia hacia mis pies o exhalar hacia mi tensa cadera— y volver a comprometerme con mi bondad elemental. Este nuevo comienzo me ayuda a reemplazar cualquier culpa o vergüenza que sienta con un mantra carente de juicio: "Mira qué interesante".

Incluso sustituir el lenguaje insultante cotidiano por un lenguaje más amoroso marcará una enorme diferencia en la forma en la que te acercas a tu cuerpo y, a su vez, en la forma en que tu cuerpo responde al cuidado. El simple hecho de reemplazar el pensamiento "Odio mi cadera izquierda. Siempre está rígida. Nunca hace lo que quiero que haga" por "Necesito darle a mi cadera izquierda rígida un poco más de atención amorosa el día de hoy. No parece estar muy contenta en este momento", hace que tu cuerpo sienta amor en lugar de menosprecio. Cambiar nuestra negatividad por curiosidad permite silenciar al crítico interno con mayor frecuencia y elegir en su lugar el amor hacia ti mismo. Si abordas el yoga con la intención de aprender más acerca de ti —en lugar de para *cambiar* más de ti—, llegarás a confiar en sus propias capacidades y descubrirás lo que verdaderamente es mejor para ti.

Abraza el amor

Recientemente alguien me envió la campaña publicitaria de un jabón. Su eslogan decía: *¿Cuándo dejaste de pensar que eras hermosa?* Durante la campaña, cuando se enfrentaban al hecho de que iban a tomarles una fotografía, las mujeres adultas se escondían de la cámara y las chicas jóvenes reclamaban a gritos robarse los reflectores. Eso, ciertamente, me hizo reflexionar. De verdad, ¿cuándo? ¿Cuándo dejamos de pensar que éramos hermosas?

¿Pudo ser cuando optamos por buscar fuera de nosotras mismas la validación, comparándonos con los atributos de alguien más, con los logros de alguien más, y nos olvidamos de reconocer los nuestros? Cuando perdemos la conexión con las partes más profundas de nuestro ser perdemos de vista nuestra bondad inherente y nuestra belleza interna (y externa).

Así pues, ¿cómo recuperamos esa conexión? Mediante la práctica diligente, haciéndonos visibles pase lo que pase –como lo hace un buen amigo– y dejando ir los pensamientos y conductas destructivas que nos alejan de la felicidad. En otras palabras, necesitamos trabajar duro, escuchar profundamente y permitir que la compasión guíe nuestras decisiones. Cuando surja un pensamiento durante una clase (o en tu vida diaria), pregúntate: "¿Es esto amable? ¿Apoya esto mi intención de amarme a mí misma?". Si la respuesta es no, déjalo ir.

Este cambio no ocurre de la noche a la mañana. Algunas veces me pongo un poco nerviosa cuando escucho a las maestras decir a sus estudiantes que el yoga las transformará radicalmente. No quiero que las personas piensen que el yoga es la "gran solución" en su vida. ¿Qué tal si al inicio no sienten un cambio? ¿Acaso eso te hará ser una mayor perdedora que lo que piensas que eres? No. Algunas veces este cambio es sutil. A veces una sola exhalación te libera de tus pensamientos negativos habituales. Eso es, de hecho, un enorme cambio; pero cuando has pasado toda una vida en un cuerpo al que menosprecias, puede que ni siquiera lo notes. Y aun si lo notas, esos pensamientos negativos (u otros) pueden volver a surgir y tendrás que reemplazarlos por otros más amorosos una y otra vez.

Por esa razón se dice que el yoga es una *práctica*. Entre más experimentes estos exquisitos momentos de amor por ti misma y entre más vivas en el deleite, en mayor medida tus acciones, pensamientos y sentimientos negativos comenzarán a disiparse. Y a medida que esto suceda puedes descubrir que lo que queda es el cuerpo del que te enamoraste hace varios años y al que has regresado una vez más.

Linda Sparrowe es autora de diversos libros sobre yoga y exeditora tanto de *Yoga International* como de *Yoga Journal*. Ella da clases de yoga sensible al trauma para que las mujeres se sientan nuevamente a gusto con su cuerpo y despierten con gozo a su verdadera naturaleza.

www.lindasparrowe.com

Foto de la autora por Sarah Forbes Keough.

Dra. Sara Gottfried

El yoga es más que solo un ejercicio

Difícilmente puedo pensar en alguna mujer que conozca que no se queje de la cubierta de un panecillo, o de las arrugas, o del menú restringido de su última dieta de moda (la cual, casi con toda seguridad, fracasará). A las mujeres les preocupa de forma neurótica la imagen corporal distorsionada, el peso y la gordura. Yo soy una de esas mujeres que perpetuamente está recuperándose de su obsesión con el peso.

Desafortunadamente, pocas estamos armadas con las herramientas y los recursos necesarios para reclamar el cuerpo que queremos, la correspondiente imagen corporal y la autoconfianza que necesitamos para vivir una larga vida de satisfacción y vitalidad. Deseo cambiar eso. Mi meta consiste en cambiar la conversación sobre el peso y la imagen corporal y llevarnos a una forma *wabi sabi* de ver al cuerpo femenino. El yoga es uno de los vehículos más poderosos que nos ayudan a ver el mundo a través de la lente del wabi sabi. No soy la primera en señalar esto: la más reciente forma de abordar la curación de tu cuerpo e imagen corporal también resulta ser una de las formas más antiguas.

Entra en el wabi sabi

Dicho de una forma muy sencilla, el wabi sabi es el arte japonés de encontrar belleza y sabiduría en la imperfección, como se encuentra en una hermosa tetera con grietas y desportilladuras que ha envejecido de forma única. Todos somos imperfectos y tenemos defectos, y existe una enorme belleza no solo en aceptarlo como algo cierto, sino en disfrutar y honrar la imperfección.

El wabi sabi es un antídoto para el falso ideal de la forma femenina perfecta.

Cualquier persona —hombre o mujer— que vive en el actual mundo saturado por los medios de comunicación es bombardeada con imágenes de perfección corporal y de lo que considero el ideal glorificado de la adolescente anoréxica. Los anuncios en línea muestran modelos sumamente delgadas (la mayoría de las cuales son casos genéticos excepcionales); los boletines que se envían por correo electrónico promocionan las dietas de las celebridades, y los comerciales y las películas exhiben a personas esbeltas, bronceadas y de cabello brillante. Desafortunadamente, en lugar de ser una sociedad enfocada en alcanzar una salud vibrante y la longevidad, nos hemos convertido en una comunidad de personas obsesionadas con verse delgadas y jóvenes a cualquier costo.

Cómo nos daña la perfección

La epidemia de mujeres insatisfechas y con una imagen corporal negativa se revela en distintas formas.

Estrés

La presión de verse de determinada manera se suma a los nervios ya de por sí exhaustos y a los horarios apretados de la mayoría de las mujeres modernas. Tratamientos de bronceado, sesiones en el gimnasio, bótox, comprar los jeans de la talla correcta… ¿Quién tiene tiempo para todo ello? Además, nuestra búsqueda tenaz de la belleza perfecta —que a menudo raya en la violencia hacia uno mismo— eleva el cortisol, la principal hormona del estrés. El cortisol se encuentra en el nivel más alto y los desequilibrios hormonales están, como resultado, fuera de control. Esto no es solo algo teórico: las investigaciones del laboratorio de Elizabeth Blackburn, de la Universidad de California en San Francisco, ganadora del Premio

Nobel, muestran que las mujeres premenopáusicas con un estrés elevado envejecen diez años más rápido que las mujeres con niveles normales de estrés. Ella documentó el envejecimiento acelerado midiendo los telómeros —que son los extremos de los cromosomas que rastrean el envejecimiento biológico en comparación con el envejecimiento cronológico— en mujeres estresadas versus grupos de control.

Falta de conciencia corporal

En lugar de ver hacia dentro y escuchar lo que nuestro cuerpo necesita (más sueño, vitamina D, quizás algo de acupuntura), seguimos lo que la publicidad nos dice que hagamos, consumamos o nos pongamos. En lugar de cultivar hábitos saludables, constantemente estamos a la caza de la píldora mágica que habrá de resolver todos nuestros problemas. Un estilo de vida de cubículos, televisión y escapismo generalizado implica que ya no conocemos nuestro cuerpo.

Estilo de vida tóxico

Lo que muchas personas no entienden es que un estilo de vida que sigue las sugerencias de nuestra sociedad actual no favorece al cuerpo humano. Los cosméticos, los alimentos procesados y los textiles sintéticos, de hecho, aceleran el proceso de envejecimiento, ¡justo el problema que se supone que deben resolver!

Nos enfrentamos a una epidemia silenciosa de agobio: nos enfadamos, estamos obesos y no tenemos deseo sexual porque el estrés ha secuestrado nuestro equilibrio hormonal. La mayoría de las mujeres van de una actividad a otra, y no se dan cuenta de cómo la principal hormona del estrés (el cortisol) está agotando los químicos cerebrales de la felicidad, como la serotonina y la dopamina, en la antesala de presentar problemas de memoria y, quizás, la enfermedad de Alzheimer. Sin embargo, el cortisol es una hormona completamente tangible que puedes manejar como si entrenaras a un cachorro o llevaras un registro de tu plan de jubilación.

Miedo a la gordura

Aunque la mayoría de nosotros no tiene un "trastorno alimenticio" diagnosticable, muchísimas personas sufren de una imagen corporal distorsionada, Anomalía a la que, a falta de un nombre científico, me gusta llamarle Miedo a la Gordura (MAG), basándome en un maravilloso ensayo de la analista junguiana Anne Ulenov. Como doctora certificada en todo lo que puede ir mal en el cuerpo femenino, yo aplicaría esta etiqueta casi a cualquier mujer que entra por la puerta de mi consultorio. Una vez que comenzamos a repasar sus puntos de dolor, salta a la superficie: el ojo de águila puesto en los cambios diarios en el peso, la depresión por la angustia después de "comer demasiado", los planes de ejercicio con una obsesión por los objetivos, las interminables estrategias para regresar al peso previo al embarazo.

Y puedo verme reflejada. Yo pertenezco al 90% de mujeres que están insatisfechas con su cuerpo, pensando constantemente en mi peso y en cómo se ve mi cuerpo hora tras hora. Tristemente, la forma como percibo mi apariencia puede dictar mi estado de ánimo durante todo el día. Estoy segura de que estoy desperdiciando un porcentaje demasiado alto de mi actividad neuronal y de mi energía biohackeando mi plan alimenticio, mi ejercicio y mi masa corporal magra. Para mí y para millones de personas como yo, no se trata de anorexia o bulimia, ni de una psicosis precisamente, sino más bien es "normal" que una mujer en esta cultura se obsesione con su cuerpo.

Como médica y científica, la siguiente pregunta que me hago es: ¿Por qué? Aunque el condicionamiento cultural ciertamente es un factor, ¿puedo verdaderamente culpar a los medios por todos estos problemas de imagen corporal? No. Culpo a mi frágil conexión con una base espiritual más profunda. Es más fácil enfocarme en mi imagen corporal distorsionada que en el verdadero trabajo que necesito hacer con mi yo interno. Lo cierto es que una aceptación absoluta y cultivar una conexión espiritual secular requieren un esfuerzo dedicado. Y eso precisa mucho más tiempo y esfuerzo que la Dieta South Beach.

El yoga es más que solo un ejercicio

La maravillosa noticia es que existe una solución para esta desconexión. No es costosa, todo mundo puede llevarla a cabo y está científicamente probado que aborda los asuntos que se describen más arriba.

Estoy hablando del yoga, amigas mías.

Cómo el yoga cambió mi camino

Cuando me encontraba en mi tercera década de vida, trabajaba arduamente. No voy a decirles que trabajaba muy duro, pero estaba haciéndolo sin el equilibrio suficiente. Mi trabajo diurno era como médica en una organización para el mantenimiento de la salud (HMO, por sus siglas en inglés), que yo considero que es como haber estado en McMedicine. Implicaba ver a docenas de pacientes todos los días como si estuvieran en una línea de ensamble, sin detenerme para tener mi hora de comida, y metiendo por la fuerza horas extra de papeleo en la semana cada vez que me era posible. Muy seguido me sentía estresada, enojada y resentida.

Tenía 11 kilos de sobrepeso y pensaba que las siglas SPM (síndrome premenstrual) significaban "simplemente pásenme la metralleta". Prefería una copa de vino a tener relaciones sexuales con mi esposo, no pasaba mucho tiempo con mis amigas, me encontraba en un nivel extremadamente bajo de oxitocina (la hormona del amor, de la intimidad y de la pertenencia social), y puedo decir que muchas mujeres modernas (y hombres) se sienten de la misma forma. Jamás había estado menos saludable en toda mi vida. Y fue entonces cuando encontré el yoga. Más bien, redescubrí el yoga, porque ya estaba en mis genes. El yoga había formado parte de mi vida anteriormente, pero se requirió cierto grado de agobio antes de abrazarlo con plenitud. Resulta que era la prescripción óptima para mi estresada vida.

Mud: mi bisabuela milagrosa

Durante mi infancia tuve una bisabuela excéntrica a la que llamaban Mud (mi abuelo no podía pronunciar la palabra completa en alemán que significa 'madre', y fue así como se le quedó ese nombre). Mud adoraba los alimentos integrales. Jamás tocó el alcohol ("Amo el vino, pero el vino no me ama a mí"), dormía sobre una tabla ("es bueno para la postura, querida") y era una yogui consumada varias décadas antes de que el yoga se convirtiera en moda. Se veía mucho más joven que sus contemporáneos, vivió más que sus cuatro maridos y llevó una vida vigorosa y alegre hasta que murió plácidamente mientras dormía, a la edad de 97 años. Mud plantó en mi mente a temprana edad la semilla de que la salud óptima podía alcanzarse a través del estilo de vida y el ejercicio, y por lo común sin necesidad de medicamentos.

Vitamina Y

Cuando comencé a investigar sobre estrategias naturales para solucionar mi estrés, mi aumento de peso y mis sentimientos de indiferencia, todo un mundo de desequilibrios emocionales (y sus impresionantemente sencillas estrategias preventivas) se abrió delante de mí. El tratamiento más efectivo que encontré fue una fuerza motriz absoluta en lo que se refiere a reducir el estrés, perder peso, acelerar el metabolismo y aumentar la longevidad. Sí: el yoga.

No adopté simplemente una práctica regular de yoga: me certifiqué como instructora de yoga, y ahora comparto los beneficios de salud del yoga con cualquiera que esté dispuesto a escuchar (enseñamos lo que más necesitamos aprender). Afortunadamente, cuando la charla sobre el yoga está respaldada por datos científicos duros, puedes mantener la atención incluso de los médicos y pacientes más escépticos.

No es justo, pero es un hecho: las mujeres somos mucho más vulnerables al desequilibrio hormonal que los hombres. Los problemas hormonales son la principal razón que encuentro para el envejecimiento acelerado. Las hormonas son mensajeros químicos, como el correo postal en el cuerpo. Influyen en la conducta, las emociones, los químicos cerebrales, el sistema inmunológico, y la forma en la que convertimos los alimentos en energía. Cuando tus hormonas se encuentran en equilibrio, ni demasiado altas ni demasiado bajas, te ves y te sientes muy bien. Sin embargo, cuando están desequilibradas, se convierten en las chicas malas de la preparatoria, haciéndote la vida miserable. Puedes sentirte aletargada, irritable, llorona, gruñona, no apreciada, ansiosa y deprimida. El yoga es una de las formas más confiables para equilibrar tus hormonas (especialmente su líder, el cortisol) y aporta una gran cantidad de beneficios rejuvenecedores que alargan la vida. A continuación presento nueve formas inesperadas en las que el yoga mejora tu imagen corporal y la inteligencia innata de tu cuerpo.

1 *El yoga disminuye el estrés (y el cortisol)*

Después de décadas de equilibrar las hormonas de miles de mujeres, puedo decir con confianza que el estrés crónico y los niveles elevados de cortisol causan estragos en el peso, la memoria, el estado de ánimo y el deseo sexual de millones de ellas. Nuestro estilo de vida moderno nos ha convertido en estuches pletóricos de estrés que prefieren meterse a Facebook que tener relaciones sexuales con su pareja. La peor parte es que el cortisol tiene el poder de desajustar las otras hormonas principales: estrógeno, testosterona, hormonas tiroideas.

2 *El yoga vence los antojos*

Quizás te sorprenda saber que la forma de acabar con los antojos de comida no es consumir bocadillos raquíticos de 100 calorías o la más reciente barra de cereal para perder peso. De hecho, la mejor forma es manejar el estrés y los niveles de cortisol, con el beneficio asociado de tener menores antojos de carbohidratos durante el día.

Disminuye el cortisol, maneja el estrés, disminuye los niveles de glucosa, y verás cómo desaparecen tus antojos. Se ha demostrado que el masaje y la acupuntura disminuyen el estrés, lo mismo que los ejercicios de bajo impacto como el yoga. Aunque el estrés puede mantenerte ahora despierta por la noche, tener al menos siete horas de sueño corrido cada noche también te ayudará a regular los niveles de cortisol y a permanecer en el horario correcto de cortisol: un impulso en la mañana para levantarte, y luego una disminución gradual a lo largo del día que ayuda a la relajación.

3 *El yoga es un ejercicio extraordinario*

A diferencia de un ejercicio de alto impacto como correr —que aumenta el cortisol—, el yoga lo disminuye. He sido corredora durante toda mi vida, pero después de añadir el yoga a mi rutina perdí peso, gané energía y, de hecho, me sentí rejuvenecida en lugar de exhausta después de mis sesiones de ejercicio. A las personas estresadas el yoga les brinda una forma de ejercicio que impide que las hormonas se descontrolen y mantiene el cortisol a raya.

4 *El yoga hace que tu respiración sea hermosa*

La atención sobre la respiración y el carácter meditativo del yoga también ayudan a cambiar la forma en la que tu mente interpreta el estrés, generando niveles de cortisol más bajos y un día a día más calmado. El yoga puede ser un ejercicio serio, sí, pero también puede ser un momento tranquilo para estar contigo mismo. *Ahhh-ommm.*

5 *El yoga eleva la conciencia*

En mi opinión, la conciencia corporal se encuentra en su punto más bajo. Es más probable que las mujeres cedan frente a un antojo de azúcar y no que se duerman más temprano, y eso debido a que jamás han tenido la oportunidad de llegar a conocer sus necesidades y ritmos personales. Familiarizarte íntimamente con la flexibilidad de tu cuerpo, con tu respiración y con tu tranquilidad mental (o con la falta de ella) es un beneficio del yoga desafortunadamente poco reconocido.

Uno de los tipos más importantes de conciencia en el que el yoga pone énfasis es en la conciencia de tu respiración. El *pranayama* es la técnica de respiración del yoga que, se dice, aumenta el desempeño físico y psicológico. La respiración profunda, por sí sola, ha probado reducir el estrés y mejorar la variabilidad de la frecuencia cardiaca, pero ¿qué pasa cuando la combinas con estiramiento profundo, equilibrio y la construcción de músculo? Es una excelente receta.

6   *El yoga amplifica los químicos cerebrales de la felicidad*

¿Alguna vez has hablado con alguien que practica yoga? Apuesto a que lo has oído decir algo como "Me siento muy bien después de hacer yoga". No solo está hablando del orgullo que viene de completar noventa minutos de Bikram yoga. Se ha demostrado que el yoga eleva tus niveles de serotonina, el químico cerebral de la felicidad responsable de los estados de ánimo, del sueño y del apetito. Las mujeres tienen 52% menos serotonina que los hombres, de acuerdo con mi amigo Daniel Amen, así que esta puede ser solo una de las razones por las que vemos menos chicos sobre el tapete de yoga: las mujeres necesitan el yoga para equilibrar su serotonina, sentirse llenas de vida, dormir bien y hacer a un lado el tenedor.

Cuando aumentas tu conciencia corporal, uno de los mayores beneficios es el conocimiento de cómo tus acciones afectan tu salud. En lugar de comer de más, recuerda lo mal que te sentiste la última vez que te diste un atracón de helado. El yoga también nos enseña a reconocer y a perdonarnos por los malos hábitos. En lugar del ciclo depresivo de comer-sentir culpa-comer, aprendemos a dejar ir nuestras transgresiones pasadas y despejamos el camino para decisiones de vida mejores y más saludables.

7   *El yoga renueva tu sangre y tus órganos*

Las torsiones, las flexiones y los microajustes del yoga mantienen tu columna vertebral y tus articulaciones fuertes y flexibles. ¿Puedes tocarte los dedos de los pies? Llegar a conocer tu flexibilidad y tus límites físicos puede propiciar ciertas reflexiones reveladoras acerca de tu propia salud física. B.K.S. Iyengar nos dice que el yoga exprime tus órganos como si fueran una esponja, al eliminar la sangre vieja de modo que sangre fresca y oxigenada pueda fluir por tu cuerpo al terminar cada torsión. Mantener tu energía, flexibilidad y fuerza utilizando movimientos como estos hace que este ejercicio siga siendo una opción incluso en la edad avanzada.

8 *El yoga es una buena medicina*

El *Ayurveda* es un sistema médico antiguo de la India que se basa en el uso de alimentos, productos botánicos, meditación y movimientos tales como el yoga. El término en sánscrito literalmente se traduce como 'escritura para la longevidad'. Para mí, el Ayurveda es la *verdadera* fuente de la juventud.

Promueve un estilo de vida diseñado no solo para una vida larga, sino para una vida feliz. Aunque comenzar una práctica de yoga no significa que tienes que vestirte con ropa suelta y dejarte crecer rastas, a menudo trae como resultado nuevas formas de pensar en lo que se refiere a ti mismo, al medioambiente y a la relación entre ambos.

9 *El yoga es amor por uno mismo*

Existen ciertos hábitos y prácticas entrelazadas en el estilo de vida de un yogui que promueven la longevidad y la felicidad, como comer alimentos integrales y estacionales, vestirse con ropa cómoda hecha de fibras naturales y complementar el estilo de vida con productos de origen botánico que te hacen sentir mejor, más ligero y más feliz. Hacer cosas por ti mismo que crean esos efectos positivos —desde perder peso hasta un estado de ánimo más alegre— resulta adictivo, en el mejor sentido de la palabra. Si pudiera, prescribiría el "amor hacia uno mismo" de esta naturaleza a cada una de las personas que conozco.

Naciste con un conocimiento intrínseco sobre cómo sanar. De algún modo, las distorsiones culturales y el condicionamiento te descarrilaron. La autoaceptación y el amor absoluto por ti mismo son tu derecho de nacimiento, y puedes reclamarlos.

Saludable y hormonalmente equilibrada: Tu enfoque wabi sabi

Durante muchos años luché por sanar mis problemas hormonales de forma natural mediante el uso de los mejores conocimientos científicos, y después llevé mis protocolos cuidadosamente diseñados a las mujeres a las que servía. Como ginecóloga, maestra, esposa, madre, científica e instructora de yoga, pasé años formulando, sintetizando y poniendo a prueba un extenso plan para resolver los problemas hormonales. Es mi misión de vida: entregar los frutos de mi estudio, investigación y obsesión por la optimización neuroendocrina para ayudar a otras personas a que vuelvan a sentirse equilibradas. Así como el desequilibrio hormonal puede convertirse en un ciclo vicioso que afecta directamente la imagen corporal, el equilibrio hormonal puede llegar a ser el maravilloso y exacto opuesto. El yoga es un ingrediente importante para mí, así como para cientos de mis pacientes, en nuestra búsqueda de la salud perfecta. Encaja en mis estrictos requisitos de un tratamiento recomendado: es natural, probado y efectivo. El yoga disminuye el cortisol, reduce la inflamación, mejora la flexibilidad y la circulación, eleva la conciencia y, cuando se sigue de manera apropiada, aumenta el perdón. Todo esto se traduce en una imagen corporal más positiva y en un vehículo más saludable para el cerebro, tan cargado de trabajo.

Con el paso del tiempo, con el yoga perfeccionamos la capacidad de observar simplemente nuestras acciones y reacciones sin involucrarnos demasiado. Desarrollamos una especie de caja espiritual de herramientas que nos prepara para lidiar con nuestro propio equipaje de imagen corporal. En lugar de pasar horas obsesionada con la grasa de los brazos, simplemente observas esto como un pensamiento y no te involucras. En lugar de odiarte por comer cinco galletas después de la cena, te perdonas. El ejercicio exagerado se vuelve innecesario simplemente porque estás tan sintonizada con tu cuerpo que no te sientes bien haciéndolo. El yoga proporciona herramientas específicas que nos anclan en un autoanálisis más significativo que el número que aparece en la báscula del baño. Es un camino alejado de la montaña rusa de la obsesión con la gordura femenina. Armadas con estas habilidades, el odio hacia sí misma, la obsesión con la gordura y la agresión desplazada pueden dejarse atrás. El yoga nos permite darle la dimensión adecuada al condicionamiento cultural que nos dice cómo deberíamos vernos. Tenemos un mayor conocimiento, y no porque lo viéramos en un infomercial. Este conocimiento viene de dentro. No es una cura milagrosa; sin embargo, es algo que funciona.

Actualmente, uso el yoga para vivir más, amar más, reír más fuerte, mantener mi mente despejada y prevenir las preocupaciones de salud más comunes que sé que todos enfrentamos. El yoga me brinda el equilibrio entre trabajo y diversión, entre la atención plena y el escape, y entre la relajación y los desafíos. También me ayuda a mantener una imagen corporal positiva y una perspectiva wabi sabi, porque sé que me veo y me siento más saludable cuando me apego a una práctica regular de yoga, y también porque sé que estar en contacto con mi cuerpo de una forma tan completa me mantiene en el camino del equilibrio y la alegría.

Referencias

[1] Banasik, J. *et al.*, "Effect of Iyengar Yoga Practice on Fatigue and Diurnal Salivary Cortisol Concentration in Breast Cancer Survivors", *Journal of the American Academy of Nurse Practitioners*, 23, 2, 2011, pp. 135-142.

[2] Bijlani, R.L. *et al.*, "A Brief but Comprehensive Lifestyle Education Program Based on Yoga Reduces the Risk Factors of Cardiovascular Disease and Diabetes Mellitus", *Journal of Alternative and Complementary Medicine*, 11, 2, 2005, pp. 267-274.

[3] Epel, E.S. *et al.*, "Accelerated Telomere Shortening in Response to Life Stress", *Proceedings of the National Academy of Sciences, USA*, 101, 49, 2004, pp. 17312-17315.

[4] Gopal, A. *et al.*, "Effect of Integrated Yoga Practices on Immune Responses in Examination Stress—A preliminary study", *International Journal of Yoga*, 4, 1, 2011, pp. 26-32.

5   Khalsa, D.S. *et al.*, "Cerebral Blood Flow Changes During Chanting Meditation", *Nuclear Medicine Communications*, 30, 12, 2009, pp. 956-961.

6   Kalyani, B.G. *et al.*, "Neurohemodynamic Correlates of 'OM' Chanting: A Pilot Functional Magnetic Resonance Imaging Study", *International Journey of Yoga*, 4, 1, 2011, pp. 3-6.

7   Nidhi, R. *et al.*, "Effect of a Yoga Program on Glucose Metabolism and Blood Lipid Levels in Adolescent Girls with Polycystic Ovary Syndrome", *International Journal of Gynaecology and Obstetrics*, 118, 1, 2012, pp. 37-41.

8   Smith, J.A. *et al.*, "Is There More to Yoga Than Exercise?", *Alternative Therapies in Health and Medicine*, 17, 3, 2011, pp. 22-29.

9   Upadhyay Dhungel, K. *et al.*, "Effect of Alternate Nostril Breathing Exercise on Cardiorespiratory Functions", *Nepal Medical College Journal*, 10, 1, 2008, pp. 25-27.

10   Telles, S. *et al.*, "Immediate Effect of Three Yoga Breathing Techniques on Performance on a Letter-Cancellation Task", *Perceptual and Motor Skills 04*, 3, Pt 2, 2007, pp. 1289-1296.

11   West, J. *et al.*, "Effects of Hatha Yoga and African Dance on Perceived Stress, Affect, and Salivary Cortisol", *Annals of Behavioral Medicine*, 28, 2, 2004, pp. 114-118.

La doctora **Sara Gottfried** es experta en hormonas naturales, médica educada en Harvard, oradora principal y autora del *bestseller* del New York Times, *The Hormone Cure: Reclaim Balance, Sleep, Sex Drive and Vitality Naturally with the Gottfried Protocol* (2013). Durante los últimos veinte años, la doctora Gottfried se ha dedicado a ayudar a hombres y mujeres a sentirse a gusto con su cuerpo mediante el equilibrio de hormonas naturales a través de su práctica médica virtual y su centro de aprendizaje en línea, el Instituto Gottfried.

www.SaraGottfriedMD.com

Marianne Elliott

Cómo me encontró la vergüenza en el tapete de yoga

¿Qué dicen mis caderas rígidas sobre mí? ¿Que estoy sexualmente reprimida? ¿Que mi segundo chakra está bloqueado? ¿Que no sé soltar? ¿Que no tengo condición para ser instructora de yoga? ¿Que soy defectuosa en cierto sentido fundamental? ¿Que no soy digna de amor y de pertenecer?

Eso es lo que la vergüenza quiere que yo crea.

Como instructora de yoga, algunas veces caigo en la trampa de creer que mi cuerpo debería ser perfecto. ¿Cómo se supone que las personas van a creer en los beneficios del yoga si yo lo he practicado durante todos estos años y todavía me da un resfriado común cada invierno o lucho por salir de la cama algunas mañanas debido a mis dolores de espalda?

Mi mente sensible y racional me dice que está en mi humanidad ser muy útil como instructora, que tengo más que ofrecer a las personas reales que asisten a mis cursos de yoga porque yo también me despierto con dolores o, algunos días, con resfriado. Y mi corazón sabe esto. Sin embargo, la necesidad de ser perfecta es persistente, y para mí dondequiera que hay perfeccionismo también hay vergüenza, y la vergüenza corporal está profundamente arraigada.

Perfeccionismo

Hace un par de años asistí a un taller de yoga dirigido por un instructor internacional visitante. Es bien conocido y altamente respetado, y varios de mis amigos yoguis me lo habían recomendado. Parecía la clase de instructor del que podía aprender mucho, así que, aunque enseñaba en un estilo que no practico regularmente, acepté.

La primera mañana, después de arrastrarme a mí misma fuera de la casa a las 5:30, me encontré en mi tapete en un escenario que, aunque resultaba de cierto modo familiar, en muchas otras formas era bastante extraño. Para comenzar, el instructor era hombre, a lo cual yo no estaba acostumbrada. Gritaba las instrucciones, que retumbaban por todo el salón.

—¡Estira esa pierna! —le espetó a la persona que estaba detrás de mí—. ¡Estira esa pierna!

Miré hacia atrás, y vi que la persona de atrás estaba en una posición en la que, según mi experiencia y mi entrenamiento, el estiramiento de la pierna antes de que el tendón de la corva esté listo puede dañar la espalda baja.

Mi mente repentinamente se ocupó en evaluar si, según mi opinión, cada una de las indicaciones que el instructor gritaba por todo el salón eran seguras para la estudiante a la que iban dirigidas. No lo estaba haciendo porque quisiera tener la razón, sino porque quería saber si podía confiar en el instructor: si podía entregarme a su cuidado y seguir sus instrucciones.

Las instrucciones vociferadas estaban dificultándome permanecer conectada con mi instructor interno. Sin embargo, al final pude soltar mi necesidad de cuidar de los que se encontraban en el salón y relajarme en mi propia respiración y en mi propio cuerpo. Las cosas iban bien hasta que el instructor decidió dirigirme su atención.

Se acercó a mi tapete mientras yo suavemente relajaba mi cuerpo para entrar en una compleja torsión con flexión hacia el frente, la cual exigía una apertura un poco mayor de las caderas de lo que yo podía hacer a las seis de la mañana.

—¿Por qué está tu rodilla ahí? —preguntó—. ¿Por qué no bajas la rodilla?

—No parece querer bajar esta mañana —contesté, todavía no tan desconcertada. Había estado en muchas clases en las que mi rodilla no se encontraba lista para bajar, y, en general, las instructoras la habían dejado allí.

Pero no este instructor. Se sentó a mi lado y sacudió mi rodilla con su mano.

—Dura —declaró—. Estás muy dura.

Por si existiera alguna ambigüedad, no estaba diciendo "dura" como si fuera un cumplido o, siquiera, como una observación neutral. Por su tono de voz y su expresión, quedaba claro que dura *no* era como se suponía que debía estar mi cadera. Le dio algunas manotadas a mi rodilla unas cuantas veces más en lo que parecía ser un intento por convencer a mi cadera de soltarse repentinamente y que la rodilla bajara.

El manoteo no produjo los resultados que él esperaba. En su lugar, sentí una oleada de calor en el rostro. Mi corazón comenzó a latir con mayor rapidez, y de repente me di cuenta de que estaba a punto de romper en llanto. Comencé a respirar de una manera todavía más profunda y cerré los ojos en un esfuerzo por contener las lágrimas. Sin embargo, quizá mis ojos cerrados y mi respiración profunda se veían ante sus ojos como un momento yóguico profundo, porque dijo: "Sí, sí. Muy bien. Sigue respirando y esa rigidez desaparecerá". Para alivio mío, en ese momento se fue. No obstante, la rigidez permaneció.

Luego vinieron las lágrimas, y a pesar de las muchas que había derramado sobre mi tapete de yoga, estas me sorprendieron. Algunas veces me brotan lágrimas mientras respiro para tener una mayor apertura en una posición, y mientras eso ocurre dejo ir las emociones que he estado conteniendo y cargando en mi cuerpo. He llorado lágrimas de frustración en mi tapete cuando me la paso chocando contra mí misma sin importar qué camino trate de tomar. Incluso, he llorado lágrimas de alegría cuando mi cuerpo y mi respiración se unen para llevarme a un nuevo espacio de libertad, claridad, belleza y amor. Dolor, miedo, frustración, alivio, alegría e incluso enojo: he llegado a reconocer todas esas lágrimas, y con el tiempo he llegado a darles la bienvenida.

Sin embargo, estas eran lágrimas de vergüenza.

La vergüenza: la sombra de la perfección

El trabajo de la doctora Brené Brown me ha ayudado a reconocer la vergüenza. La vergüenza, dice la doctora Brown, es "la sensación intensamente dolorosa de que no somos dignos de amor o de pertenecer".[1] Es la emoción humana más primitiva que todos sentimos, y —ella dice— si se le permite actuar libremente, la vergüenza puede destrozar vidas. Nos lleva a esconder las partes de nosotros que, tememos, pueden volvernos indignos de ser amados, y nos dice que somos los únicos que nos sentimos de esta manera.

Una vez que supe cómo reconocerla, me di cuenta de que la vergüenza se escondía en todos lados. Y como gran parte de la vergüenza se relaciona con nuestro cuerpo, inevitablemente aparece en el tapete de yoga.

Al igual que muchas personas, fui educada en una cultura repleta de mensajes de vergüenza sobre mi cuerpo. Apenas somos lo suficientemente grandes para ver por la ventana del auto o para ver televisión, nos bombardean con imágenes de cómo se supone que debe verse nuestro cuerpo y —el corolario— lo mal que está nuestro cuerpo. Demasiado gordo, demasiado flaco, demasiado moreno, demasiado blanco, con demasiadas cicatrices, demasiado real. En cierto punto de mi adolescencia, mi cuerpo era simultáneamente demasiado delgado (para mi gusto) y demasiado gordo (para el ballet).

El yoga: un sendero para poner al descubierto nuestra valía personal

Fue entonces cuando comencé a practicar yoga. Llegué a él porque estaba desesperada. Regresé de haber hecho un monitoreo de derechos humanos durante dos años en la Franja de Gaza, con un cuerpo agobiado por el pesar y el enojo que había acumulado ahí, y al no saber qué hacer con todo ello, lo llevé a casa en Nueva Zelanda. Así que ahí estábamos ambos, desarraigados y a la deriva; encontramos una casa junto al mar y nos mudamos juntos. No estábamos seguros de cómo respirar, en qué confiar y cómo encontrar nuestro camino de regreso a la luz del sol, en tierra seca.

Con el paso del tiempo, encontré una clase de yoga en un salón de una comunidad polvorienta en la playa. Encontré a una instructora amable, que todos los miércoles por la noche sacaba cobijas, almohadas, bloques y tiras de un armario de almacenaje y nos preparaba té después de la clase. Encontré posturas sencillas, sostenidas el tiempo suficiente como para sentir mi cuerpo y mi respiración, y posturas lentas, profundas y restauradoras en las cuales llorar calladamente.

En la década siguiente seguí explorando el yoga, aprendiendo a ser paciente y compasiva con mi propio cuerpo, y poco a poco comencé a apreciar mi cuerpo por lo que podía hacer. Podía mantenerme en una postura de equilibrio y llevarme por una secuencia fluida de posturas de pie. Mis brazos se volvieron más fuertes, y eso importaba más que si se veían bien o no en un vestido de noche, especialmente porque nunca me ponía vestidos de noche. Mis piernas se fortalecieron y eso era más importante que si mis muslos tenían celulitis o no.

Y, en un sentido todavía más profundo, el yoga me proporcionó una herramienta con la cual voltear hacia mis propias sombras y abrazar con amor lo que encontraba ahí, aun cuando no fuera lo que pensaba que "debía" encontrar. El yoga me dio una práctica para ver mi propia valía y abrazar mi ser entero. A medida que hice brillar la luz del yoga en los lugares que había ocultado durante mucho tiempo en mi cuerpo y en mi ser, me zafé de las garras de la vergüenza.

Capas de vergüenza

Sin embargo, la vergüenza puede ser insidiosa, y conforme comencé a quitarme algunos de mis sentimientos vergonzosos relacionados con mi cuerpo, acumulé otros nuevos. A pesar de mis excelentes instructoras —cuya sabiduría siempre iba en sentido contrario de todo lo que había aprendido antes de llegar a su clase—, adopté un conjunto totalmente nuevo de ideas acerca de lo que mi cuerpo debería ser capaz de hacer. Esas malditas caderas, que simplemente no se soltaban frente a la engañosamente llamada "postura fácil de piernas cruzadas", se convirtieron en una fuente de vergüenza para mí. Esto ocurría especialmente cuando las instructoras insinuaban que las caderas rígidas eran señal de una renuencia o una incapacidad emocional para soltar.

¡Y vaya que trataba de soltar!

Quizá lo que mis caderas "rígidas" dicen acerca de mí es que me gusta correr grandes distancias, hasta 50 kilómetros en una semana, y que camino de mi casa al trabajo todos los días, y luego, de regreso, subo por una larga colina una vez más por las tardes. Tal vez dicen que soy tanto escritora como instructora de yoga, y que paso más tiempo frente a mi escritorio que en mi tapete de yoga. Quizá mis caderas "rígidas" dicen algo sobre el ángulo de mi anteversión femoral, la orientación de mi acetábulo, la forma de mi cuello femoral o la elasticidad de mi ligamento iliofemoral. Puede ser que ninguna de esas cosas tenga nada de malo.

Quizá la "tensión" que estoy albergando en mis caderas no sea una señal de un fracaso emocional, espiritual y psicológico profundamente arraigado.

Actualmente considero fácil albergar esa posibilidad, pero cuando me encontré con don "está-usted-muy-dura" todavía estaba en las garras del perfeccionismo corporal y de su sombra: la vergüenza corporal.

Casi con toda seguridad, el instructor que me manoteó la rodilla y me dijo que parte de mí estaba muy tensa no tenía idea de que, en mi mente, tener caderas tensas estaba íntimamente correlacionado con la posibilidad de fracasar en ser emocional o espiritualmente evolucionada. Cada uno de nosotros carga sus propios bolsillos secretos de vergüenza corporal, algunos de ellos más difíciles de captar que otros. Así pues, ¿qué tanta responsabilidad puede tener un instructor de yoga de crear un espacio de yoga libre de vergüenza?

¿Es diferente la vergüenza?

Un instructor de yoga, amigo mío, en respuesta a mi historia sobre la vergüenza relacionada con las caderas y mis lágrimas sobre el tapete, encontró la diferencia entre un instructor que nos juzga y "nos hace sentir vergüenza", por una parte, y otro que "dispara una antigua vergüenza" al ponernos a prueba en situaciones incómodas, por la otra.

Si está bien o incluso si es bueno que las clases de yoga (y por extensión los instructores de yoga) disparen la liberación de otras emociones, entonces ¿por qué podría ser diferente disparar la liberación (o respuesta habitual) de una antigua vergüenza?

El yoga es el sendero mediante el cual superamos, y no evadimos, nuestras sombras. Por eso, entiendo el punto de vista de mi amigo. Si el estilo, el tono de voz, las palabras o las acciones de este instructor me reconectaron con una antigua vergüenza corporal, entonces él me ayudó a crear una poderosa oportunidad de aprendizaje. No hay duda de que con esa experiencia me hice más consciente de un patrón de vergüenza que creía superado.

Como le dije a este amigo, parecía que, a pesar de buscar instructores de yoga compasivos, todavía llevaba cargando al duro capataz, al crítico estridente, dentro de mí. No considero que este instructor me hubiera avergonzado. Simplemente disparó mi propio crítico interno, el que hace un excelente trabajo a la hora de decirme que no soy suficiente o que no soy digna, lo cual es, a grandes rasgos, mi definición de la vergüenza. En la actualidad este crítico interno recibe mucho menos tiempo al aire que en el pasado, pero en aquel momento me tomó fuera de guardia: ¡muy fuera de guardia! Sin embargo, fue una experiencia útil de aprendizaje.

Así pues, si estaba cargando todos esos antiguos sentimientos de vergüenza, y si necesitaban ser liberados, o al menos reconocidos, entonces, ¿acaso el instructor no hizo lo que todos los instructores de yoga aspiran a hacer: crear una oportunidad para que aprendiera y creciera y profundizara en mi yoga y en mi vida?

En cierto sentido, lo hizo. No obstante, la vergüenza es una emoción sumamente poderosa. Tiene la capacidad de paralizarnos, y ciertamente tiene el potencial de alejar de la clase a un estudiante de yoga nuevo y curioso con la convicción de ya nunca regresar.

Yoga libre de vergüenza: ¿es posible?

Por ello estoy muy consciente, como instructora de yoga y como ser humano, de los disparadores más comunes de la vergüenza. Tristemente, el cuerpo es uno de los puntos de vergüenza más comunes.

Estoy de acuerdo con mi amigo: cuando (y solo en ese caso) un instructor llega a conocer bien a un estudiante, y una vez que ese estudiante conoce y confía en el instructor, existe un espacio poderoso en el que un instructor puede alentar y apoyar gentilmente a un estudiante a que se estire más allá de su zona de confort. Un instructor sabio e intuitivo puede tener una buena percepción de lo que cada estudiante es capaz de hacer, que puede ser más de lo que el propio estudiante sospecha.

Ciertamente, ha habido instructores de yoga que me han alentado a probar posturas y a ir a lugares en mi práctica que yo consideraba que se encontraban más allá de mis capacidades. Cuando confío lo suficiente en esos instructores, voy incluso a lugares a los que creo que no puedo ir.

En mi caso, puede ser que el instructor tuviera una intuición tan desarrollada que viera que yo no solo cargaba un equipaje de vergüenza, sino que tenía la fuerza, la conciencia de mí misma y el apoyo para ser capaz de procesar esa vergüenza. Incluso pudo haber disparado conscientemente mi punto débil para mostrarme lo que se encontraba debajo de la superficie. Si lo hizo, seguramente me generó una profunda oportunidad de aprendizaje.

Sin embargo, se requiere un juicio cuidadoso para saber cuándo un estudiante tiene el apoyo y las herramientas para procesar una emoción guardada tan fuerte como la vergüenza sin crear una nueva vergüenza. Esto es especialmente cierto porque, por lo general, no sabemos lo que está ocurriendo en la vida de alguien fuera de la clase de yoga, y tampoco sabemos las experiencias que pudo haber tenido que podrían afectar profundamente la forma en la que recibe e interpreta nuestras palabras y acciones. En mi opinión, la línea de fondo es que antes de poder involucrarnos hábilmente con instructores externos necesitamos recuperar la relación esencial con nuestro instructor interno, esa parte de nosotros que sabe lo que es mejor para nuestro cuerpo. Esta relación se sana a través del amor y la confianza, así que mi meta primordial como instructora de yoga consiste en crear un ambiente en el que las personas puedan conocer con amor su propio cuerpo y aprender a confiar en la particular sabiduría corporal.

Hago todo lo posible por evitar alimentar o disparar la vergüenza corporal en mis clases. Entre otras acciones, empleo un lenguaje que dé la bienvenida y honre a cada cuerpo que se encuentra en el salón, evito palabras que privilegien un tipo de cuerpo o la experiencia de una postura sobre cualquier otra, recuerdo a los estudiantes que ellos saben mejor que nadie qué es lo mejor para ellos y para su cuerpo, y pido permiso antes de tocar a las personas.

Sin embargo, también acepto que, al final del día, no puedo controlar lo que surge en las personas mientras están practicando conmigo. Estoy segura de que algunas de las que han estado en mis clases podrían relatar una historia de cómo mi elección de palabras o de ajustes disparó sus propios sentimientos de vergüenza.

La vergüenza es una experiencia tan ampliamente compartida y puede dejar heridas tan profundas que probablemente todos los instructores y estudiantes de yoga se enfrentan con ella en algún momento. Solo espero poder crear un ambiente seguro y compasivo, en el que mis estudiantes puedan experimentar cualquier cosa que surja mientras practican yoga.

Como instructora de yoga, mi compromiso consiste en estar consciente de ese contexto cuando enseño. El compromiso es pedir permiso antes de tocar a un estudiante, y luego, cuando toco a alguien, hacerlo de forma que le dé la oportunidad de controlar el encuentro tanto como le sea posible.

Mi compromiso consiste en invitar a las personas a que tomen el control de su propia práctica y que se sientan libres de elegir cómo mover o no mover su cuerpo. Mi compromiso consiste en estar consciente de mis palabras y de las suposiciones que podría hacer sobre las personas basándome en la apariencia de su cuerpo.

Mi compromiso consiste en recordar que cada persona que entra a una clase de yoga o utiliza uno de mis videos de yoga tiene una larga historia propia donde le han dicho que su cuerpo necesita cambiar, ser diferente. Mi compromiso consiste en recordar el poder que tengo como instructora de yoga y utilizar ese poder de forma que honre el primer yama, ahimsa: no dañar.

Mi compromiso consiste en enseñar de una forma que refuerce, en la medida de lo posible, las experiencias y los mensajes positivos acerca de nuestro cuerpo. Mi compromiso consiste en enseñar sin vergüenza.

Referencias

[1]   Brené Brown, "Shame v. Guilt", www.brenebrown.com/ 2013/ 01/ 14/ 2013114shame-v-guilt.html/. Consultado en marzo de 2014.

Marianne Elliott es escritora, defensora de los derechos humanos e instructora de yoga. Es autora de *Zen Under Fire*, que trata sobre su trabajo con las Naciones Unidas en Afganistán y acerca de cómo encontró la paz (y el yoga) incluso en medio de la guerra. Sus cursos en línea de *30 Days of Yoga* ayudan a las personas a cuidar de sí mismas de modo que puedan llevar a cabo su buena obra en el mundo. Es la dirigente principal de Off the Mat, Into the World.

www.marianne-elliott.com

Foto de la autora por Luca Putnam.

Dra. Melody Moore

Demasiado no es suficiente

Crecí en una familia y en una cultura en las que llegué a percibir que lo que importaba y lo que era digno de ser amado en mí era cómo me veía. Creía que si era delgada y bonita sería amada y que si era gorda estaba en pecado. Sí, en pecado. Me enseñaron que la gula era una abominación para Dios, y a partir de ese aprendizaje esa idea sobre la apariencia llenó todos mis espacios. Por supuesto, llegué a estas conclusiones basándome en las percepciones e ilusiones erróneas de lo que era importante para mi papá en relación con mi mamá y para mi familia en relación conmigo. Es evidente que estaba equivocada, pero la idea de que mi valía se medía por mi peso estaba profundamente arraigada en mi psique. Se habría requerido un milagro para que llegara a la convicción de que en realidad quién soy y cómo me trato, y por lo tanto cómo trato a otras personas, es lo que importa. Tenía la certeza de que si no me veía hermosa no sería amada y de que si no era amada no sobreviviría. Irónicamente, casi eché a perder mi vida por estar tan preocupada por mi apariencia.

Esta lucha por aceptar mi cuerpo con toda seguridad iba a ser eterna. Jamás alcanzaría una forma física perfecta, y siempre que estuviera convencida de que no sería amada hasta ser perfecta, seguiría estando asediada por una creencia limitante acerca de mí misma. Yo era demasiado: demasiado gorda, demasiado grande, demasiado indigna.

El odio hacia mi cuerpo disminuyó después de que me fui de casa para ir a la universidad, lo cual me dio la oportunidad de liberarme de cualquier competencia autoinducida con mi madre y con mi hermana para ser más delgada que ellas. Mi hermana mayor libró una feroz batalla con la anorexia a principios de 1997. Jamás fue tratada clínicamente, y durante varios años sus síntomas me abrumaron con sensaciones de indefensión, enojo y miedo. Siempre he sido lo opuesto a ella; así que, en muchos sentidos, su diagnóstico me permitió tener una mayor aceptación de mi propio cuerpo, y no al revés. También me preparó en el camino de convencer a otras personas de que son dignas de tener una vida plena de propósitos, significado y conexión, comenzando con la mía.

Pura Vida

En 2001 mi madre escogió un retiro de yoga llamado Pura Vida, en Costa Rica, para las vacaciones anuales de nuestra familia. Ninguno de nosotros había puesto un solo pie en un tapete de yoga. ¿Quién logra tener su primera clase de yoga en las montañas de Costa Rica? Esta chica. Estaba fascinada con el yoga y al mismo tiempo le tenía un poco de miedo. Mi instructora parecía muy paciente, sincera y llena de alegría. Después de una inmersión de una semana y de la introducción a la práctica, invité a la instructora, Srutith, a que me llamara si alguna vez iba a Dallas. Unas semanas más tarde, me llamó para preguntarme si podía mudarse conmigo por un período de tres meses para ayudar a algunos amigos a abrir un estudio de yoga.

Así pues, fui introducida a la práctica, en realidad, gracias a que tuve una instructora de yoga en casa. Compartir mi hogar con Srutih significó que pudiera adentrarme en el yoga, en los cantos y en la meditación justo en mi propia sala de estar. Cuando Srutih se fue, yo continué mi práctica diaria de yoga en Sunstone, el estudio que ella ayudó a abrir. Iba todos los días, sin necesidad de mucha negociación interna. Claramente, seguía teniendo la idea de que debía hacer ejercicio todos los días, pase lo que pase.

Había integrado esta actitud no negociable de mi madre, quien priorizaba su ejercicio por encima, bueno, de todo.

Su mentalidad era que ella sería más fácil de tolerar después de permitir a su cuerpo liberar el estrés y la agresión acumulados. Mi interpretación de lo que parecía una obsesión por el ejercicio era que ella valoraba la delgadez y la hermosura por encima de todo lo demás. Y como yo era su hija, pensaba que ella no solo valoraba su propia delgadez sino también la mía. De hecho, yo caí completamente en el engaño de que lo que era digno de ser amado y valioso en mí era ser bonita, lo cual en mi mente significaba ser delgada. Estaba equivocada. El milagro del yoga fue su capacidad de transformar no solo mi cuerpo sino mis pensamientos.

Sin embargo, esto requirió algo de tiempo. Durante los primeros cinco años en los que practiqué, solo supe que el yoga era un ejercicio, y muy bueno. Me encantaba practicarlo hasta sudar. Me encantaba la sensación del savasana después de una larga desintoxicación física, y me fascinaba que mi cuerpo se viera más delgado y más tonificado. No estaba para nada consciente de que estaba más presente en lo referente a mi respiración; que era menos reactiva, más paciente y estaba más abierta a experimentar mis emociones.

La práctica hace la práctica

Con el tiempo, el yoga logró su cometido en mí. Fue necesario navegar por una serie de estilos, estudios e instructores y estar comprometida con una práctica diaria durante varios años para que me conectara con el hecho de que lo que se había convertido en mi forma de vida también se había vuelto mi forma de vivir. A lo largo de siete años de práctica, comprendí que el yoga era el instrumento a través del cual estaba encontrando libertad emocional, claridad espiritual y, ciertamente, la aceptación de mi cuerpo. Fue un proceso gradual y también sutil. Hubo momentos de angustia después de un proceso de gestación de cinco años de lo que ahora puedo llamar una lucha para alcanzar la perfección en las posturas.

Uno de ellos me embargó durante una clase impartida por una maestra de nombre Lisa Coyle, quien dejó caer esta pequeña perla durante una Salutación al Sol B de Vinyasa. "Cada exhalación es una oportunidad de perdonar". Aunque no me queda la menor duda de que había escuchado muchas iteraciones de este concepto durante lo que, en ese tiempo, habían sido cientos de horas sobre el tapete, ese día algo hizo clic. En ese momento el yoga se convirtió en una práctica espiritual. Se convirtió en una forma de vida que me permitió estar presente.

A través de esta práctica de prestar atención a la frecuencia y al ritmo de mis inhalaciones y exhalaciones aprendí a estar tan presente en el momento que no tenía otra opción más que dejar ir lo que había sido o lo que podía ser. En mi tapete, era imposible regresar en el tiempo al pasado o adelantarme al futuro cuando estaba tan viva y tan sintonizada con esa muy particular inhalación y exhalación que solo se daba una vez en la vida. Del mismo modo, comencé a prestar atención a qué otras cosas estaba ofreciéndome el yoga, a qué otro néctar había extraído de la práctica. Dediqué tiempo a aprender cómo podía trasladar lo que había cultivado en el tapete a mi vida fuera del mismo.

Me di cuenta de que el tiempo que había dedicado a estar sobre el tapete me había servido para liberar años de tensión, consciente e inconsciente, física y emocional. Mi práctica de yoga me ofreció herramientas para asentarme, centrarme y encontrar equilibrio. Por encima de todo, mi práctica me permitió reconocer las conexiones que tengo con todos los que me rodean y con el universo. Mi práctica se convirtió en el lugar en el que me sentía más cerca de Dios. No se trataba del concepto de Dios que previamente me habían presentado como alguien que castiga la gula —entre otros pecados—, sino un Dios que es la fuente del amor y la sabiduría, que crea y conecta y conspira a nuestro favor. A medida que mi práctica se volvió espiritual, me convertí en una buscadora. No solo busqué adentrarme más en las sutilezas del asana, sino que, también, comencé a buscar el propósito de mi vida. Integré la capacidad de depender de mi propia respiración para determinar cuándo modificarla, y si tenía o no que intensificarla tanto dentro como fuera del tapete de yoga. Después de una década de práctica diaria, había una fluidez en lo que era "dentro" y lo que era "fuera" del tapete. A medida que reconocí el placer de dejar ir el hecho de perfeccionar una postura para encontrar la sensación de que estaba dentro de ella, llegué a vivir alineada con esa comprensión. Luego, ocurrió: un entendimiento de que soy sagrada, conectada, apoyada y digna. No al año, ni a los cinco años, sino una década después, porque la práctica hace a la práctica.

Contemplad el templo corporal

En mi búsqueda descubrí que el yoga me había hecho sentir completa. Descubrí que a través de la conexión de mi mente con mi cuerpo por medio de la respiración había estado reparando los lazos dañados entre mi corazón, mi cabeza y mi intuición. Al buscar estar alineada en cada postura física, también había estado aprendiendo a encontrar una alineación entre lo que estaba sintiendo, haciendo, pensando y diciendo. El yoga me había llevado a mi integridad. No estaba fragmentada, no estaba en conflicto, no estaba creando tensión para mí misma, para mi psique o para mi cuerpo. De hecho, estaba en equilibrio. Al menos, podía utilizar mis recursos esenciales para regresar al equilibrio una y otra vez después de acercarme demasiado a las orillas o de estar demasiado incómoda con la desalineación. No solo estaba en equilibrio conmigo misma, sino que me esforzaba por estar en equilibrio con el flujo del universo, con la gracia de Dios. A medida que encontré la valentía para hacerlo, aprendí a entregarme a esta gracia.

El hecho de no ver mi cuerpo de forma negativa o de no poner demasiado énfasis —si es que ponía alguno— en mi apariencia externa era un efecto secundario, no un objetivo consciente. Como no veía mi apariencia como algo que necesitara transformarse, cambiarse, o que tuviera que ser más delgada o más hermosa, la progresión natural del amor hacia mí misma fue dejar ir la ilusión de que mi valía se medía por mi tamaño. No tomé la decisión a propósito, ni siquiera conscientemente, de crear una imagen corporal positiva a través del yoga; simplemente llegó como resultado de todos los demás dones que la práctica me otorgó. A medida que mi práctica de yoga se convirtió en una oración, mi cuerpo se convirtió en un templo. Comencé a honrarlo como el guardián de mi alma dulce, y como el protector de lo que se había convertido en un reconocimiento y en una celebración de la luz en mi interior.

Me di cuenta de que me sentía bien en relación con mi cuerpo después de ir a Hawái con mi mejor amigo, Chris, quien volteó a verme el último día y me dijo: "¿Sabes? Ha sido verdaderamente encantador y muy fácil estar con alguien que no dice nada negativo sobre su cuerpo. No creo haber estado nunca cerca de una mujer, especialmente vestida con traje de baño, que no fuera peyorativa respecto a su peso, talla, o acerca del cuerpo de otras mujeres". Mi amigo se dio cuenta de lo que yo ya sabía. Había abandonado por completo elegir mi apariencia. Utilizaba los espejos que se encontraban en algunos estudios de yoga para restablecer mi alineación de vez en cuando; pero más allá de eso, no me paraba frente a un espejo ni examinaba parte por parte lo que necesitaba reducir, agrandar o cambiar. Él tenía razón: lo que había atestiguado era mi verdad.

A través del yoga, descubrí que realmente me gustaba la persona en la que me había convertido, y al hacerlo había dejado de poner énfasis en mi apariencia. Reconocí, a través de mi práctica, que mis emociones servían como la mejor brújula de mi felicidad. Mi práctica de yoga literalmente había transformado la lente con la que me veía a mí misma, mis capacidades, el sentirme digna de ser amada y lo que valía. A través del yoga pude sentir cualquier emoción que surgiera en mi cuerpo sin querer deshacerme de ella de inmediato. Pude tolerar sentimientos e incluso darles la bienvenida. Probablemente por primera vez en mi vida, pude estar con cualquier sentimiento que surgiera sin el miedo de que pudiera matarme, y así aprendí a confiar en mí misma. Necesitaba esta confianza para sentirme segura. Necesitaba sentirme segura para poder sentir que podía sobrevivir. Necesitaba sobrevivir para confiar en que podía prosperar.

El yoga es una práctica; no es perfecta y no hay que perfeccionarla. Sin embargo, al dejar ir este intento me sobrevino lo que el instructor de yoga Tias Little ha denominado "una lucha por la imperfección". Al abandonar los resultados de las posturas, se abre una posibilidad de sentir, de florecer y de despertar. Tenía tantos años y capas y niveles de defensas construidas a mi alrededor desde la niñez, que me tomó una década derribarlas hasta poder sentirme plenamente viva a la conciencia de que podía respirar. No necesitaba ser reactiva; podía ser testigo de mi propia conducta. Podía dejar de compararme con otras personas y contenerme con tanta amabilidad y compasión, que no habría espacio para la vergüenza relacionada con mi cuerpo, con mis conductas pasadas o con cualquier otra cosa. El yoga me llevó a una sensación de estar conectada no solo conmigo misma sino con todo lo que me rodeaba también. Por encima de todo, el yoga me regresó a Dios.

Dar

"Que la belleza que amamos sea lo que hacemos.
Existen cientos de formas de arrodillarse y besar el suelo".

—Rumi

Estaba tan llena de gratitud por la práctica, que comencé a sentir como si estuviera fuera de equilibrio por no dar. Estaba tomando y tomando y no estaba dando, y finalmente tuve que encontrar una forma de compartir con otros cómo me había beneficiado la práctica del yoga. Era especialmente patético porque, como psicóloga especializada en el tratamiento de niñas y mujeres con desórdenes alimenticios y una imagen corporal negativa, había practicado la escucha profunda durante años. Había recibido un entrenamiento extraordinario y tenía un deseo sincero de ser útil. Sin embargo, sabía que ofrecer únicamente psicoterapia a un cliente que había roto los lazos entre su mente y su cuerpo, a menudo casi al punto de llegar a la muerte, no era suficiente para ayudarlo a progresar.

Si podía ayudarlo a salirse de su cabeza, de su pensamiento y de su cuerpo, y adentrarse en su sentimiento, construiría un contenedor para sí mismo que le hiciera posible confiar en lo que sentía. Esta confianza le permitiría depender de su sabiduría intuitiva para honrar sus emociones y responder a sus deseos. No todos los que libran una batalla con los desórdenes alimenticios están luchando por la idea de un cuerpo perfecto, pero todos aquellos que batallan con esos desórdenes actúan sobre sus emociones con la percepción que tienen de sí mismos o de su conducta alimenticia. Llevar el yoga al tratamiento permitiría una reconexión entre mente y cuerpo y entre cuerpo y respiración, y, a través de esta, entre los instintos y la intuición, en una forma que yo sabía que sería sanadora.

Mis clientes habían puesto demasiado énfasis en su apariencia como medida de su valor, al punto de estar, en muchos casos, al borde de la muerte. En un intento por ayudarlos a confiar en sí mismos lo suficiente como para experimentar verdaderamente la emoción —en el momento, según se dieron las cosas, y sí o sí—, tuve que encontrar una forma de incorporar el yoga, la práctica física de la asana. Las emociones son sensaciones físicas almacenadas como péptidos en las células del cuerpo. La mente y el cuerpo de quienes batallan con desórdenes alimenticios han quedado desconectados. Quienes sufren de anorexia no comen cuando tienen hambre; se mueren de hambre porque es una forma de escapar del sentimiento. Quienes padecen trastorno por atracón o bulimia no comen en exceso porque tengan hambre; lo hacen porque con ello tratan de tranquilizarse a través de lo que consideran no pueden tolerar sentir. Comer se convierte en una forma de tranquilizarse, y el odio hacia el cuerpo y la distorsión corporal es una forma de defenderse de la incomodidad. El yoga es una herramienta para desarrollar la capacidad de sentarnos con la incomodidad y superarla, y con el tiempo, incluso "recibirla en la puerta, riéndonos", parafraseando *La casa de huéspedes*, el poema de Rumi.

Con el fin de llevar a los pacientes de una manera más efectiva a su ser íntegro y para ayudarlos a dejar de verse a sí mismos como piezas individuales y como partes separadas que tenían que ser perfeccionadas, visualicé y creé una colaboración entre el yoga, la nutrición holística y la psicoterapia llamada el Embody Love Center (Centro para Encarnar el Amor). En nuestro centro de tratamiento holístico para quienes sufren de trastornos alimenticios y de una imagen corporal negativa, los pacientes experimentan tratamientos integrales que pueden llevarlos a lo que considero que es una posibilidad de autoaceptación y de verdadero respeto y amor por sí mismos. A través del yoga, los pacientes pueden sentir el piso debajo de sus pies y experimentar el apoyo. Pueden ser testigos de sí mismos y experimentarse como capaces y completos, como aceptables y valiosos. Pueden tolerar lo que sienten e integrar su respiración al movimiento. Una paciente (que es ahora instructora de yoga), después de una de sus primeras experiencias con el yoga, me comunicó que al sentir su respiración en su vientre pudo sentir hambre por primera vez en mucho tiempo. A ambas nos pareció un milagro su capacidad de sentir y honrar la señal de hambre de su cuerpo. El yoga había conectado su cuerpo con su mente, y a partir de ahí finalmente tuvo la oportunidad de sobrevivir y progresar.

El yoga nos ofrece la capacidad de ser, aceptar, permitir, hacer espacio, crecer, sentir, amar, dejar ir. En lo que me concierne, esta práctica de la imperfección me permite estar totalmente enamorada de los momentos que la vida ofrece y aceptar plenamente cualquiera que sea el camino que me lleve a ellos. El yoga ha hecho posible que viva en un templo corporal y que ofrezca la misma experiencia a otras personas. No puedo imaginar una práctica de vida más sagrada, más santa o más hermosa.

La doctora **Melody Moore** es psicóloga clínica y se especializa en el tratamiento de desórdenes alimenticios e imagen corporal negativa mediante un trabajo integrado de psicoterapia, nutrición holística, terapia familiar y la práctica sanadora del yoga. La doctora Moore fundó el Movimiento para Encarnar el Amor (Embody Love Movement), una organización sin fines de lucro cuya misión es crear un mundo donde todos se vean y se traten a sí mismos —y, por tanto, a los demás— como seres dignos de ser amados sin condición alguna.

www.embodylovemovement.org

Foto de la autora por Alayna MacPherson Photography.

Anna Guest-Jelley

Quizás el problema no es mi cuerpo

Cuando era niña, mis padres trataron de que me apegara a un deporte o de que un deporte se apegara a mí. Básicamente, aceptarían cualquier cosa que funcionara.

Pero nada funcionó.

En mi primer día de prácticas de softbol, alguien le pegó mal a una pelota y me golpeó la espalda muy fuerte. Que mi espalda estuviera de algún modo en el camino de la pelota en este escenario no viene al caso, pero, al mismo tiempo, es el caso en sí. Todo lo que recuerdo es que me sacó el aire y que me dejó un moretón enorme. Ese fue mi último día en el softbol.

No tenía la coordinación mano-ojo que el tenis requiere. Y aunque disfrutaba nadar, no tenía un espíritu lo suficientemente competitivo como para preocuparme por ganar o perder. Así fue como mi mamá y yo comenzamos a hacer aeróbicos. Ah, y también fue cuando comencé a ir con los Cuida Kilos.

Tenía 12 años de edad.

Las mujeres de mediana edad y yo

Ser la única niña tanto en el Firm Factor (porque, claro, ¿de qué otra manera podría llamarse un lugar de aeróbicos a principios de los años noventa?) como en los Cuida Kilos era una mezcla emocionante de orgullo (¡miren cómo puedo mejorar este movimiento, señoras!) y vergüenza (¡Por Dios! ¿Dónde están los demás niños?).

El día en que vi a mi maestra de Matemáticas de la secundaria en los Cuida Kilos resume bastante bien toda la experiencia. Estaba horrorizada de que ella me hubiera visto despojada de todo hasta quedar en licra (porque, por supuesto, no quieres que el peso inoportuno de los pantalones de mezclilla afecte de forma negativa los 100 gramos que perdiste esa semana). Como la única niña en un mar de mujeres de mediana edad, no era particularmente difícil detectar eso. Recuerdo haberla visto primero y tratar de esconderme detrás de mi mamá: sutilmente, por supuesto. Es decir, yo tenía 12 años. Tenía una dignidad que defender.

Me pesaron y llegué a un momento mágico: cinco kilos perdidos. Cuando llegas a esta marca en los Cuida Kilos te dan algo fantástico (probablemente lo es todavía más para una niña): una calcomanía, un separador de libros, algo que se ve como esos premios que te ganarías en un día de campo en la escuela (y que jamás habían adornado la palma de mi mano antes, por supuesto).

Naturalmente, mi madre quería que me quedara, aunque yo quise salir corriendo de ahí después de ver a mi maestra. Pienso que mi mamá esperaba que el orgullo de una estrella dorada, literal, me motivara a perder todavía más peso y a permanecer delgada por siempre. Ella sabía muy poco que casi no me motivan cosas como esa (o, quizás, lo sabía plenamente y tenía la esperanza de que aquella multitud obsesionada con la pérdida de peso me alentara).

Así, después de suplicarle de una forma por demás discreta que me permitiera irme, me senté en la parte posterior. Si nunca han asistido a una de esas reuniones, piensen en el avivamiento que hay en las iglesias, combinado con un infomercial y una reunión de AA (sin el bendito anonimato). Las mujeres (casi siempre son mujeres) se sientan en filas muy parecidas a los bancos que hay en las iglesias, escuchan un sermón de su "líder", y luego tienen la oportunidad de confesar sus pecados ("¡Me comí dos chocolates esta semana!"), arrepentirse (se comprometen a la pérdida de peso de la semana) y hacer un llamado al altar (deleitándose en su devoción a los alimentos o prometiendo reformarse comenzando el lunes).

Fue el llamado al altar lo que resultó particularmente atemorizante esa semana. Como alguien a quien le fue otorgado un reconocimiento por dejar atrás cinco kilos, yo quería mi reconocimiento. Sin embargo, también lo rechazaba y no quería llamar la atención hacia mí misma (ya que todavía tenía la vana esperanza de que mi maestra no me hubiera visto, aunque tendría que haber estado ciega para no ver a la única niña que se encontraba en el pequeño salón atestado de gente).

De todos modos, voy a admitirlo: una parte de mí quería que lo supiera. Es decir, ¡había perdido cinco kilos, caramba! ¿Qué otra niña de 12 años estaba haciendo un trabajo tan duro? Ciertamente, no había visto a otras niñas en el salón, ¿o sí? Simplemente, ponte a pensar: Si pude trabajar tanto aquí, ¡imagina lo que podría hacer en la escuela! ¿No es verdad, amiga maestra?

Así que, tentativamente, levanté la mano cuando nuestra líder pidió a los asistentes que compartieran sus éxitos de la semana. Y cuando proclamé mi pérdida de cinco kilos, intercambié miradas con mi maestra justo en el momento en el que me entregaban mi reconocimiento, el cual, si no veías lo que estaba escrito en la parte frontal, se veía como un listón azul correspondiente al primer lugar en una carrera de relevos (¡con una estrella dorada, para rematar!).

Todavía puedo ver su rostro: una mezcla de piedad, tristeza, vergüenza y, bueno, una alegría teñida de envidia por mí. Es decir, había perdido cinco kilos. ¿Quién no habría de celebrarlo?

El temido conteo

Aunque los Cuida Kilos no marcaron el inicio de mi viaje por la pérdida de peso (que era más un intento desesperado por terminarlo después de las advertencias apocalípticas de mi pediatra en cuanto a que me encontraba en el extremo equivocado del percentil de peso para niños, lo cual horrorizó a mi pequeña madre), fueron una parada particularmente notable en el camino. Notable, porque después de "fracasar" (esos cinco kilos fueron una de mis últimas insignias) no culpé a los Cuida Kilos. En su lugar, culpé a tres cosas: *1)* a mí, *2)* a mi cuerpo y *3)* al hecho de que todavía no había encontrado la dieta apropiada.

Simplemente sabía que debía de haber alguna que me funcionara tal y como se ve en la televisión o en las revistas. Antes/después. Pecador/santo. Así que seguí buscando. Durante los siguientes 15 años o más probé todo tipo de dietas. Hace no mucho tiempo, las sumé, y terminé con una lista de 65 dietas diferentes en las que había participado. Y algunas de ellas (por ejemplo, la de los Cuida Kilos) las llevé a cabo varias veces a lo largo de los años.

Ahí es cuando me di cuenta: quizás, solo quizás, una dieta número 66 tampoco funcionaría. Quizás, simplemente quizás, todas las demás las había hecho de la forma equivocada.

Principalmente, dudaba de esa pequeña idea porque así de insidiosa es la cultura de las dietas. No hay nada en el mundo en lo que las personas puedan fracasar más de 65 veces y por lo cual sigan culpándose. Es decir, si mi internet falla aunque sea una sola vez no me culpo a mí misma. Inmediatamente me quejo de lo terrible que es mi proveedor de internet, aunque funcione muy bien 99.99% de las veces. Sin embargo, ¿que las dietas sigan sin "funcionar"? ¿Durante veinte años? ¿Y en todas las variedades?

Obviamente, soy yo quien no está haciendo algo bien.

Cuando vino el dolor

Como trasfondo de todas estas dietas, yo tenía diversos problemas de salud. Durante la secundaria tuve un dolor de estómago crónico que no tenía explicación alguna. Me diagnosticaron síndrome del intestino irritable (SIR), pero eso es, básicamente, la forma en la que los doctores dicen "te duele el estómago pero en realidad no sabemos por qué". El dolor de estómago desapareció con el tiempo, y quedó rápidamente olvidado por dramas más grandes, que incluyeron mudarme a otro estado, y por tanto ir a otra escuela para iniciar el octavo grado.

Esto es, hasta que llegaron las migrañas.

En mi primer año de preparatoria comencé a tener migrañas verdaderamente fuertes. Del tipo de las que limitan tu visión al grado de que comienzas a preguntarte si alguna vez volverás a ver bien. De aquellas en las que el dolor no puede explicarse con palabras sino solo con quejidos. De esas en las que ves luces brillantes, tienes náuseas y no puedes estar cómoda en ninguna posición. La mayor parte de los días ni siquiera me molestaba en tomar una siesta porque estar ahí, en la oscuridad, sin poder dormir, era todavía más doloroso que permanecer despierta a la luz del día.

Esas migrañas rápidamente aumentaron en frecuencia al punto de que las tenía todos los días. Incluso, en este momento, con el solo hecho de pensar en ello se me parte el corazón. La cantidad de dolor que soporté ese año fue, y es, increíble.

Mis padres me llevaron a todos los doctores habidos y por haber, y probé todo tipo de medicamentos; me hice todo tipo de pruebas y tomé todo tipo de tratamientos disponibles, sin importar cuán improbables parecieran. Esto fue antes de que las preparatorias comenzaran a monitorear de manera estricta lo que los estudiantes llevan en sus mochilas, así que la mía siempre tenía una botella de Vicodín, la cual abría discretamente entre clases para poder continuar.

Ninguna de esas píldoras o pruebas funcionó nunca en realidad. Sin embargo, después de un año encontré un régimen que me ayudó: ya "solo" me daban las migrañas una o dos veces por semana, no todos los días. Y aunque eso implicaba una mejoría, no era suficiente. Era escéptica, estaba desilusionada y convencida de que siempre tendría dolor, y al mismo tiempo estaba decidida a no permitir que eso ocurriera.

Encontrar el yoga

Cuando fui a la universidad, tomé el asunto en mis propias manos. Sabía que tenía que encontrar algo, cualquier cosa que me ayudara. No quería vivir mis años de universidad –donde finalmente me había independizado como tanto había esperado– de la misma forma en la que lo había hecho durante los últimos dos años de preparatoria. Así que comencé a investigar y encontré la biorretroalimentación, que es una técnica que puede ayudar a las personas que sufren de dolor crónico. Las raíces de la biorretroalimentación se encuentran en la meditación, así que comencé a adentrarme más en ello.

Cuando leí libros sobre meditación y comencé a practicarla, supe que estaba en casa. Pude ser capaz de sentir cuando se aproximaba una migraña, detenerme y visualizar mi dolor (la imagen a la que recurría era siempre una pelota roja, enojada, toda aplastada), y disolverlo. No siempre desaparecía por completo, pero, definitivamente, disminuía de forma drástica. Ningún medicamento de prescripción me había dado semejante alivio, particularmente sin los inevitables efectos secundarios.

Estaba completamente convencida del poder de la meditación, y en poco tiempo mis lecturas me llevaron al yoga. Aunque seguía sin encontrar una forma de movimiento que realmente disfrutara, sabía que quería probar el yoga.

Por principio de cuentas, no era un deporte por equipos. Primer punto a favor del yoga.

En segundo lugar, podía hacerlo a solas, en la privacidad de mi dormitorio. Segundo punto a favor del yoga.

De algún modo, conseguí un tapete de yoga y una cinta VHS de Rodney Yee, que ponía cuando mi compañera de cuarto estaba en clases. A medida que fui pasando por las posturas fui sintiendo algo que no había sentido en un largo, largo tiempo: me sentí bien. Y aunque mi cuerpo no se veía para nada como el de Rodney Yee, sabía que había encontrado algo totalmente transformador para mí.

Hacer la conexión

A lo largo de la universidad y ya estando en posgrado, seguí sintiéndome la mayor parte del tiempo mejor. Tuve temporadas largas de migrañas crónicas dos veces más, pero jamás fueron tan malas como la primera. El yoga y la meditación ayudaron, y con el tiempo la acupuntura cambió todo para bien y a largo plazo (toco madera).

En medio de toda esa curación, comencé a anhelar también otra curación. Empecé a preguntarme si, después de todos estos años, alguna vez encontraría la dieta "correcta" para mí, con la que por fin perdería mágicamente todo ese peso que, ciertamente, había sido la única barrera que se interponía entre yo y una vida siempre perfecta, libre de dolor, porque eso es lo que tienen todas las personas delgadas, ¿cierto? Cierto...

A medida que me abrí paso entre la idea de que siempre tendría dolor, también comencé a abrirme paso entre la idea de que siempre tendría que estar a dieta. En un principio esto parecía como encontrar nuevas formas de hacer dieta: formas en apariencia más saludables, como las limpiezas intensas. Esto fue antes de que todo mundo comenzara a tomar jugos, así es que ya era algo bastante conocido.

Cuando eso no funcionó (perdía 5 kilos en una semana, y luego, a la semana siguiente, recuperaba 4.5 una vez que comenzaba a comer de nuevo), busqué a un nutriólogo. Después de observar el plato de comida plástica que tenía de muestra para ilustrar los tamaños de las porciones, me di cuenta de que necesitaba un enfoque que no me infantilizara por completo. Afortunadamente, encontré un terapeuta nutricional en mi ciudad que se especializaba en la alimentación intuitiva. Sus preguntas acerca de cómo sé cuándo tengo hambre y cuándo estoy llena me impactaron. Pasé meses observando mi saciedad en una escala del 1 al 10 cada vez que comía.

En la mayoría de las comidas y en la mayoría de los días parecía una adivinanza. Aunque este proceso fue difícil para mí —después de haberme entrenado durante casi veinte años para desligarme de mis indicios de hambre y de saciedad, y de comer a través de los lineamientos externos de una dieta—, sé que la única forma en la que pude involucrarme con todo ello fue acudir al yoga.

A través del yoga aprendí que cuando un instructor de yoga te pide que "sientas lo que ocurre en la pierna que tienes atrás en la postura del Guerrero I" no está hablando con metáforas, como originalmente había pensado. El yoga me enseñó que era posible sentir lo que ocurría en mi cuerpo: algo que jamás había experimentado con anterioridad porque había estado viviendo casi exclusivamente en mi cabeza. Y una vez que tuve un atisbo de lo que significa vivir en conexión con mi cuerpo, fue solo cuestión de tiempo para poder aplicar esas habilidades a otras áreas de mi vida, como percibir cuándo se acercaba una migraña o darme cuenta de cuándo tenía hambre o estaba llena.

Quizás el problema no es mi cuerpo

Mientras seguía trabajando en reconectarme con la sabiduría interna de mi cuerpo en relación con lo que era adecuado comer, comencé a jugar con el concepto de que tal vez mis ideas acerca de mi práctica de yoga también podían transformarse. Aunque me encantaba practicar, todo ese tiempo había estado pensando en secreto que finalmente podría entenderlo una vez que me convirtiera en una de esas personas delgadas y flexibles que por lo regular veía a mi lado sobre un tapete en las clases. Sin embargo, un día tuve este pensamiento: "Un momento… ¿Qué tal si el problema no es mi cuerpo? ¿Qué tal si el problema es, simplemente, que mis instructores no saben cómo enseñarme a mí o a otras personas corpulentas?".

Fue esta pregunta sencilla, pero verdaderamente profunda para mí, la que finalmente me ayudó a reunir el valor para convertirme en instructora de yoga (o, al menos, para asistir a un entrenamiento para instructores y esperar no incendiarme espontáneamente porque era por mucho la persona más corpulenta del salón).

Curvy Yoga

Después de mi entrenamiento inicial como instructora, supe que quería enseñar a otras personas con cuerpos voluptuosos como el mío. De forma lenta e informal, mi mensaje creció. Comencé enseñando a amigas, y luego escribí un blog que, en un buen día, solo dos personas leían. Mi percepción inicial resultó ser cierta: yo no era la única persona con curvas que quería practicar yoga. Nada más lejos de eso, en realidad.

Todas las semanas mi bandeja de entrada se llena con mensajes procedentes de personas que jamás pensaron que el yoga estaba disponible para ellas porque su cuerpo dista mucho de parecerse a los que vemos que practican yoga en televisión y en las portadas de las revistas. También se llena con mensajes de personas que han sido avergonzadas en las clases de yoga, tanto de forma implícita como explícita, por "no ser capaces de seguir el ritmo" o por "simplemente ser demasiado grandes para el yoga", y por muchos otros insultos y falsedades.

Sin embargo, afortunadamente mi bandeja de entrada también se llena cada vez más y más en estos días con mensajes procedentes de instructores apasionados y considerados que quieren que sus clases sean accesibles a personas de todos tamaños y tallas. Estos instructores quieren que sus clases sean lugares donde todo mundo se sienta seguro, bienvenido y capaz de participar en un medio ambiente no competitivo y positivo para el cuerpo.

Este parece ser el trabajo de mi vida: conectar a estos estudiantes e instructores y seguir abriendo la conversación alrededor de cómo el yoga puede apoyar a los muchos de nosotros que podemos beneficiarnos de reconectarnos con nuestro cuerpo tanto dentro como fuera del tapete.

Cómo el yoga apoya la imagen corporal

Muchos de nosotros, si no es que la mayoría, nos hemos desconectado de nuestro cuerpo por diversas razones. A las personas con cuerpos más grandes, casi todas las personas a las que acuden —los medios, amigos, familiares, doctores, políticas públicas— les dicen que la única relación que está bien tener con su cuerpo es aquella que tenga que ver con controlar y cambiar un cuerpo que todavía es considerado no lo suficientemente bueno.

Todos esos mensajes tienen que ver con avergonzar a las personas para que cambien, y esa no es una estrategia que funcione. La vergüenza lleva a las personas al aislamiento y les impide obtener el apoyo que necesitan. En otras palabras, hace lo opuesto a la motivación. Y ciertamente, no brinda a las personas las herramientas necesarias para determinar lo que, de hecho, necesita su cuerpo en particular.

El yoga que muestra a las personas que son expertas según su propia experiencia puede ayudarles a restablecer una conexión entre el cuerpo y la mente. Aunque alguien más podría ayudarte a abrir las puertas del empoderamiento, al final es un trabajo interno. Nadie más te empodera. Tú te empoderas a ti mismo. Y a medida que ese empoderamiento interno se desarrolla, vas dando pasos hacia la voluntad y puedes comenzar a emprender acciones compasivas a tu favor.

El yoga en acción. Tú en acción.

Libérate

Conforme fui aprendiendo lentamente a sentir lo que ocurría en mi cuerpo de dentro hacia fuera en mi tapete de yoga, comencé a trasladar eso fuera del tapete. Y entre más lo hacía, más claramente sabía lo que era correcto para mí y lo que no. Después de más de dos décadas, solté mi patrón de alimentación desordenada y de dietas crónicas. Abandoné un trabajo que no era apropiado para mí y me convertí en empresaria, y me dediqué a Curvy Yoga de tiempo completo. Me alejé de las amistades que no consideré adecuadas para mí. Establecí límites respecto a mi tiempo y lo que soy y lo que no estoy dispuesta a hacer con ello. Y, finalmente, me di permiso para cuidarme y amarme en el cuerpo que tengo actualmente.

Todo esto habría sido completamente improbable, si no es que imposible, sin el yoga. Es lo que me dio la confianza y el conocimiento para alejarme de la infinidad de mensajes que me llegaban todos los días para ser diferente y verme diferente a como me veo, y para hacerlo con toda la elegancia de la que soy capaz: sintiéndome bien en mi cuerpo a pesar de las adversidades.

Anna Guest-Jelley es fundadora y CEO (Curvy Executive Officer) de Curvy Yoga, un portal de entrenamiento e inspiración que ofrece clases, talleres, capacitación para instructores, retiros y mucho amor y apoyo a mujeres de toda talla, edad y capacidad en múltiples países y en la mayoría de los estados de la Unión Americana. Anna, que es autora de *Permission to Curve: Inspiring Poses for Curvy Yogis & Their Teachers*, ha sido presentada en línea y en la versión impresa del *Washington Post*, así como en *US News & World Report*, *Southern Living*, *Vogue Italia*, *Yoga International*, *Yoga Journal* y otras publicaciones.

www.curvyyoga.com

Fotografía de la autora: Vivienne McMaster.

Parte dos

En los márgenes

Muchos podemos identificarnos con el hecho de sentirnos fuera de lugar o diferentes en algún punto de nuestra vida. En esta sección exploramos el sentirse fuera de lugar o sentirse "el otro", ya sea por no formar parte de la cultura de nuestros pares, o por no encajar en los límites estrechos del ideal de belleza dominante o en la expectativa del "cuerpo tipo yoga". De hecho, a menudo ese estatus de "extraño" puede referirse a que nos encontramos en los márgenes de la cultura misma del yoga.

Los colaboradores de esta sección examinan su experiencia de estar en los márgenes, las raíces de su estatus de extraños, y cómo, mediante el cultivo de una práctica consistente de yoga, cada uno pudo sentirse cómodo consigo mismo. Aunque las raíces de sus sentimientos de marginación y aislamiento son diversas, lo que tienen en común es el papel clave que la práctica del yoga ha desempeñado y sigue desempeñando para llevarlos a un espacio de plenitud.

Vytas Baskauskas nos comunica los detalles íntimos y dolorosos de su adicción a la heroína, la falta de un hogar y su eventual encarcelamiento. Buscar solaz, consuelo y conexión en la comida, el sexo y las drogas jamás fue suficiente. Comparte cómo su práctica de yoga y meditación lo ha ayudado a llenar su fuente interna y cómo el proceso de desarrollar amor por sí mismo constituye una práctica diaria, un trabajo en curso.

La historia de Dianne Bondy es un relato de valentía y triunfo. De forma cándida y abierta expresa sus sentimientos de marginación en lo referente a su raza y tamaño. Como no tuvo modelos a seguir o imágenes con las cuales relacionarse, su sentido de inseguridad y aislamiento creció. El yoga le brindó un camino hacia la conciencia de sí misma y a la autoaceptación. Al final, le permitió crear una carrera para compartir estos dones enseñando yoga y desafiando los estereotipos del mismo.

El ensayo de Carrie Barrepski es una historia sorprendente sobre una mujer inspiradora y decidida que ha vencido obstáculo tras obstáculo, sin dejar jamás que sus discapacidades físicas la definan. Modificando posturas y escuchando a su cuerpo se embarcó en una práctica de yoga que le facilitó deshacerse de la vergüenza y el miedo, al igual que de los diálogos internos negativos, y florecer plenamente en el amor y en la autoaceptación.

Practicar yoga era algo totalmente improbable para Teo Drake, y por supuesto, no fue un amor a primera vista. La suya es una historia de hacer las paces con un cuerpo con el que había estado en guerra durante la mayor parte de su vida, así como con una cultura que le decía que su cuerpo estaba mal diseñado. Con el tiempo, el yoga se convirtió en un sendero hacia la compasión, la sensibilidad y la aceptación.

Como "mujer asiática de baja estatura, mediana edad y apariencia promedio", Joni Yung no parece modelo de portada de revista de yoga ni se asemeja a los innumerables estereotipos existentes de cómo se ve una practicante de yoga. Y aunque esto ha desafiado su imagen corporal, no le ha impedido practicar el yoga o compartir su pasión por él. Su historia es un relato sobre el rostro cambiante del yoga, sobre la cultura dominante del yoga y sobre el encuentro con su voz en medio de una crisis de identidad.

Vytas Baskauskas

Trabajo en curso

—Veinte minutos —me dice con un grueso acento oaxaqueño. Colgué el teléfono, tomé mis cosas y me subí al auto, esperando que esta vez su tiempo estimado fuera exacto, pero sabiendo en lo profundo que al menos pasaría una hora antes de sentir alivio.

Tener síndrome de abstinencia es la peor sensación que he tenido que soportar, y hoy no es la excepción. Tengo escurrimiento nasal, el estómago revuelto, las piernas encogidas, y la necesidad de vomitar raya en lo abrumador. Es esta horrible enfermedad la que me empuja al gueto de Los Ángeles para encontrarme con mi *dealer*. En este punto, he estado ahogado en heroína durante los últimos dos años y mi adicción ha progresado al grado de que no hago casi ninguna otra cosa. Casi todo en mi vida está dirigido a las drogas: obtenerlas, usarlas, y conseguir las formas y los medios para obtener más.

Mientras espero ansiosamente su llegada, siento que casi se me salen los ojos. Con cada minuto de espera, el síndrome de abstinencia empeora. Apenas puedo contener el vómito. Mi camisa está empapada en sudor. Han pasado cuarenta minutos y empieza a preocuparme que algo haya ocurrido. Si no aparece, estoy jodido. Finalmente, después de más de una hora, me recoge y vamos a dar una vuelta. Pocas veces tengo la cantidad exacta de dinero, pero hoy tiene piedad de mí y no me la pone difícil cuando le dejo 17 dólares por un globo de 20. Pone la droga en mi mano y me baja del auto. En este momento realmente estoy luchando. Doy unas cuantas arcadas tratando de no vomitar. No puedo correr porque voy a cagarme.

Cojeando hacia mi coche, me doy cuenta de que es preferible arreglar la situación aquí porque no alcanzaré a llegar a casa. Un buen yonqui jamás sale a ninguna parte sin sus suministros. Saco la cuchara, el algodón y la jeringa. Después de cocinarla un poco, la aguja está llena de un dulce líquido color café y estoy listo para sentir alivio. Cuando comencé a inyectarme, las venas de mi brazo eran protuberantes y fáciles de encontrar. Actualmente están enterradas y temerosas de recibir más castigo. Se requieren algunos minutos de exploración, pero finalmente encuentro una vena. Lo sé porque, cuando la retiro para probar, una oleada de sangre entra a la jeringa y se mezcla con mi droga. Saber que ya entré es un colocón mayor que el hecho de meterla en mi cuerpo. Una vez que mi pulgar empuja el émbolo y la aguja lanza la sustancia, todos mis problemas desaparecen de inmediato. En ese momento no importa lo solo que me siento, lo avergonzado que estoy, el mucho dinero que debo, o los muchos seres queridos a los que he jodido. Me siento en paz.

Ver desde fuera

Mi problema jamás fue la adicción a la heroína. Ese era solamente un síntoma. Las drogas me daban la tranquilidad y la serenidad que jamás podría encontrar por mí mismo. Siempre había querido sentirme cómodo en mi propio cuerpo, pero no sabía cómo llegar a ese punto. Mis miedos e inseguridades arraigados parecían siempre ganar la batalla. ¿Acaso nací inseguro y temeroso? Lo dudo. Sin embargo, a menudo trato de analizar en dónde se torció mi camino.

A los 14 años tenía el mejor grupo de amigos. Éramos rebeldes e inadaptados y fue la época más divertida. Pintábamos grafitis, fumábamos hierba e íbamos juntos a todos lados. Me sentía parte de algo. Nuestra banda tenía un nombre: DMT, abreviatura de dementes. Pintaba este nombre en todas las paredes que encontraba y lo garabateaba en cada hoja de papel que tenía. ¡Yo estaba DMT por la vida! Al menos, eso pensaba.

Un día recibí una llamada de la banda, y no solo de uno de sus miembros, sino de todos, nada menos que en altavoz. Aparentemente habían convocado a una reunión de la que yo no formaba parte. La reunión tenía que ver conmigo, y de forma unánime habían decidido sacarme de Dementes. Eran mis mejores amigos, ¿y estaban diciéndome eso? ¿Que ya no podría juntarme con ninguno de ellos? ¿Que el grupo que sentía tan cercano y con el que tenía tantos lazos estaba dándome una brusca patada? No lo vi venir. Cuando les pregunté por qué lo hacían, no pude recibir una respuesta lógica. Uno por uno, simplemente seguían diciendo: "Necesitas hacer nuevos amigos". Sin embargo, yo no quería. Pensaba que ya tenía el mejor grupo de amigos. Obviamente, ellos no sentían lo mismo. En noveno grado, no era nada fácil hacer nuevos amigos en una preparatoria grande. Mi único amigo era un vecino de 12 años de edad. Cuando los miembros de mi clase supieron que solo tenía un amigo y que estaba en séptimo grado, se rieron de mí. Ese fue el inicio de un enorme dolor interno. Me sentía rechazado y excluido. En una época en la que los componentes esenciales de la interacción social eran formados por nosotros, los novatos de primer año, yo estaba fuera, viendo hacia dentro. En mi mente joven, este acontecimiento formó un poderoso recuerdo de dolor que perduraría durante un largo tiempo.

Abrirse paso

El trauma de ser rechazado por mis compañeros hizo que me sintiera inseguro y ansioso en situaciones sociales. Con el tiempo, hice nuevos amigos y encontré un grupo del cual formar parte. Sin embargo, en el fondo tenía miedo de jamás ser parte de nada verdaderamente. Comencé a ingerir más drogas y a explorar nuevas formas de portarme mal. Entre más pudiera cambiar la forma como me sentía por dentro, más fácil era la vida.

Mi viaje por la adicción a las drogas abarcó muchos años, con muchos puntos altos pero, la mayoría de las veces, con puntos bajos. Culminó cuando tenía 19 años con un año en la cárcel del condado de Los Ángeles y sin más puentes que quemar. A diferencia de muchas de las personas con las que ingerí drogas a lo largo del camino, tuve la fortuna suficiente de permanecer limpio. Se lo adjudico a los 12 pasos y a los muchos compañeros adictos que me han ayudado a lo largo de los años. Sin embargo, estar limpio no era la solución porque el problema jamás fueron las drogas. El problema era yo. Solo utilizaba la heroína para poder escapar de mis miedos y de mi intranquilidad. En cuanto retiraba la aguja me enfrentaba a la realidad de mi situación. Era un hombre joven sin la más mínima idea de cómo lidiar con la vida en los términos de la vida misma.

De una adicción a otra

Desde la infancia, algo que siempre me ha dado consuelo y solaz es la comida. Una gran comida puede evocar los sentimientos de amor y calidez que mi madre me daba cuando me hacía de comer. Una barriga llena puede hacer que el vacío y la soledad interior desaparezcan por un instante. Cuando estuve limpio y las drogas ya no eran una opción para lidiar con mis problemas, la comida se convirtió en una solución fácil. Me fascinaba el adormecimiento que venía con una buena inyección en el brazo, pero me gustaba igualmente el entusiasmo que viene después de comer una sabrosa comida. Hay algo muy sensual en la forma como me hace sentir la comida. Me transporta a un lugar de alegría y satisfacción.

A medida que continué mi viaje de sobriedad, mi relación con la comida se transformó en una relación dañina. Mi conducta adictiva se transfirió a mi forma de comer. Los atracones se hicieron más frecuentes, pero resultaba vergonzoso, así que comencé a esconderme. Ordenar dos entradas en una cena con amigos provocaba reacciones extrañas, así que comía de forma normal con ellos y de camino a casa compraba comida rápida. Mi mente comenzó a estar cada vez más preocupada por lo que sería la siguiente comida, y comencé a hacer tratos conmigo mismo en relación con ella: justificaba los atracones prometiéndome un ayuno de jugos en un futuro cercano.

La comida no fue el único vicio al que recurrí cuando estuve sobrio. Cosas como el sexo, el amor, la validación y las compras son soluciones rápidas. Cuando me siento vacío o deprimido, mi mente fácilmente puede justificar el uso de un remedio superficial para sentirme mejor. No obstante, mi relación con las cosas que me hacen feliz siempre es desafiante. Es una línea muy delgada porque siempre ansío más. Desafortunadamente, correr tras los buenos sentimientos no es algo sostenible.

En el fondo lo que yace es el miedo a no ser suficiente, a no ser amado y a que algo esté mal en mí. Y no encaro ninguno de estos miedos cuando como de más, cuando tengo una noche de sexo apasionado con una nueva pareja, o cuando compro el más reciente *smartphone*. En cuanto acabo de comer, mi cama está vacía o mis juguetes pierden atractivo, mi mente cae en un remolino de diálogo interno negativo y me siento como el mayor trozo de mierda que alguna vez haya caminado sobre este planeta. En medio de ese pensamiento enfermizo, refuto mi propia realidad. Asistí a una escuela para niños superdotados cuando era chico, pero creo que soy estúpido. Tengo personas que me aman, pero creo que estoy solo. Tengo dinero en el banco y una carrera exitosa, pero creo que soy un fracaso. Y aunque no es verdad, creo que estoy gordo y que soy feo.

Puedo hablarme a mí mismo de una realidad de mi propia creación donde no valgo nada, y este es el meollo de mi problema. La comida, el sexo y las compras son soluciones temporales y superficiales, y con el tiempo tuve que encontrar algo en mi recuperación que me diera verdadera armonía y paz.

El yoga entra a escena

Me causa rechazo cualquier cosa cursi, así que rechazaba incluso la idea del yoga. Aunque había oído hablar y había leído sobre los beneficios espirituales de la práctica, para mis gustos parecía un tanto ñoña. Pensaba que no tenía nada que ofrecerme ni en lo físico ni en lo emocional. Sin embargo, cuando salí de la cárcel a los 20 años de edad, algunos viejos amigos de la preparatoria quisieron arrastrarme a su estudio de yoga favorito. Me resistí con todas mis fuerzas, pues tenía miedo a la cultura de la gente vestida con camisetas *tie-dye* y comedores de tofu que, pensaba yo, estarían contorsionando sus cuerpos junto al mío. Sin embargo, mis amigos no se dieron por vencidos, y al final cedí simplemente para aplacar su ansia.

Después de la primera clase de yoga de toda mi vida, esta no cambió. No vi a Dios ni hice ninguna proclamación grandilocuente sobre la nueva dirección que tomaría mi vida. Para ser honesto, simplemente me sentí bien, sorprendentemente bien. El yoga no era tan del estilo *new age* como yo pensé que sería, y solo parecía una herramienta saludable de la que podía valerme en aquel momento. Durante algunos años, lo practiqué una o dos veces por semana y disfruté los beneficios físicos que me dio.

No obstante, en algún punto del camino, decidí meterme de lleno al yoga y comencé a practicarlo casi todos los días. Finalmente, entendí de lo que hablaban las personas cuando decían que el yoga era más que algo físico. Comencé a notar que estaba más calmado en mi vida, que estaba más presente. No solo estaba poniéndome más fuerte y era más abierto en términos físicos, sino que estaba cada vez más despejado y era menos reactivo mentalmente. Mi práctica ya no tenía que ver solo con las posturas sino con la forma como estaba practicándolas.

Tuve la fortuna de tener grandes maestros que me enseñaron que el yoga es una experiencia mente/cuerpo. Una vez que lo entendí, mi tiempo sobre el tapete se convirtió en algo mucho más poderoso. Me permitió estar más consciente de mi experiencia y más consciente de la verdad. Y en lugar de ser un prisionero de esa verdad, ahora puedo hacer uso de mi mente de forma que puedo cambiarla. Los beneficios de la práctica son sencillos y directos. El yoga no eliminó mis miedos ni mis inseguridades de forma mágica e instantánea. Sin embargo, lo que sí hizo fue darme un poco más de fuerza para enfrentarlos diariamente. Todas las mañanas puedo tomar decisiones conscientes de cómo lidiar con mis problemas. Depende completamente de mí si elijo o no utilizar las herramientas que he aprendido con la práctica.

Transferido al cuerpo

Cuando despierto y salgo de la cama, camino a mi clóset, que cuenta con un espejo de cuerpo entero pegado a él. Por supuesto, como soy incapaz de no mirar, le echo un vistazo a mi cuerpo desnudo cuando voy pasando. ¿Adónde se va mi mente? Inmediatamente se dirige a las partes de mi cuerpo que no me gustan. Mi panza: es demasiado grande. Mis hombros: no son lo suficientemente anchos. Mis brazos: no son lo suficientemente musculosos. Mi rostro: feo. Mi pene: pequeño. Como un ritual, esto ocurre todas las mañanas. No puedo recordar la primera vez que odié mi cuerpo, pero sé que fue hace mucho tiempo. ¿Acaso fueron los medios de comunicación a los que estaba expuesto y que promovían un estándar inalcanzable de belleza masculina? ¿Acaso fue el hecho de haber crecido entre la progenie hipernarcisista del entretenimiento de Los Ángeles? ¿Acaso fueron aquellas chicas a las que escuché murmurando en octavo grado sobre qué muchachos eran feos y cuáles guapos?

Quizás no sepa cómo fue que aparecieron mis problemas de imagen corporal, pero sé que todavía andan merodeando. Es un resultado directo del miedo y la inseguridad que he estado cargando todos estos años, y no hay ninguna cantidad de validación externa que pueda arreglarlo. No importa cuántas mujeres (u hombres) me digan que soy atractivo, mi configuración predeterminada es que soy feo. No importa cuántas personas mencionen lo delgado que estoy, mi configuración predeterminada dice que estoy gordo. No importa cuántas parejas alaben con entusiasmo el calibre de mi pene: es pequeño.

Mi imagen corporal distorsionada está tan fija que no permito que otras personas me hagan cambiar de opinión. Pienso que simplemente están siendo amables y que cuando se van a casa por la noche realmente no creen las cosas que dijeron. La solución tiene que venir de mi interior. ¿Cómo puedo –utilizando esta misma mente retorcida que me dice las peores cosas posibles sobre mí– convencerme de lo contrario? ¿Cómo empiezo a superar el miedo y la inseguridad que han estado asediándome durante todos estos años?

Pequeños cambios

Comienza con mi práctica de yoga. Desde que el yoga me introdujo a la meditación, considero la meditación como mi yoga también. Una cosa que he observado es que si lo primero que hago al levantarme por la mañana es tomarme tan solo unos cinco minutos para meditar antes de comenzar mi día, me va mejor. Por supuesto, cuando camino junto al espejo, el diálogo interno negativo sigue estando ahí, pero en lugar de entrar a escena como odio hacia mí mismo, puedo estar presente y lo suficientemente consciente como para salirme de ese pensamiento. No es que las inseguridades se hayan desvanecido, pero puedo enfocar mi atención y mi energía donde yo quiera. Si quiero ser feliz, dirijo mi foco de atención hacia algo positivo. Cuando no medito en la mañana, no tengo tanto control sobre ello, y así mi paz mental queda al azar.

Mi práctica de yoga ha evolucionado a lo largo de los últimos 13 años, y me he convertido en instructor de yoga, que ha compartido la práctica con otras personas durante ocho años. A través de la enseñanza he descubierto que comunicar mi experiencia personal puede ayudar a otras personas. Jamás me he relacionado con personas que se sientan superiores por enseñar; siempre me acerco a aquellas que han pasado por experiencias similares. Por eso estoy contando mi historia.

Al ser instructor de yoga, la gente me percibe como una persona saludable, con buena condición física y en un estado constante de nirvana. Bueno, soy una obra en construcción igual que cualquier otra persona. Muchos estudiantes me hacen con frecuencia todo tipo de preguntas acerca de la vida y me piden que les brinde consejo. Algunas veces incluso me han hecho preguntas sobre los mismos asuntos con los que sigo batallando. Considero que es importante que mis estudiantes sepan que no soy mejor que ellos. También tengo mis demonios y disto mucho de ser perfecto. Los miedos e inseguridades que me han acosado desde mi adolescencia regresan a mi conciencia con regularidad. Mi buena condición espiritual se basa en el uso consistente de las herramientas que he adquirido.

No existe una línea de meta

Desde que comencé a practicar el yoga, la comunidad ha crecido hasta tener un alcance mundial. Para bien o para mal, el yoga es parte de una cultura dominante y el negocio está floreciendo. Entre más personas lo practiquen mejor le irá a nuestro planeta, ¿cierto? En general, estoy de acuerdo. Sin embargo, existen inconvenientes.

Con un negocio dominante viene una publicidad dominante. Puedo sacar el número más reciente de una revista de yoga, ver los cuerpos hermosos perfectamente alterados por Photoshop que se encuentran en los anuncios, y entrar inmediatamente en un diálogo interno negativo. A medida que nuestra comunidad de yoga crezca y que la industria del yoga crezca con ella, habrá un aumento constante de "perfección" digitalmente alterada e inalcanzable representada en la publicidad del yoga, y no me gusta lo que esto acarrea al mundo del yoga.

Para mí, y para muchas personas que conozco, el yoga no tiene nada que ver con alcanzar cierto ideal. No existe una línea de meta. No existe una postura que me dará la iluminación, y tampoco existe ningún tipo de modelo físico que esté tratando de alcanzar. La práctica física está ahí para que yo sea fuerte, flexible y saludable de una forma equilibrada y personal. Sin embargo, cuando veo en los anuncios esas imágenes de yoga prototípicas es fácil sentir que no estoy a la altura, y conozco a muchos hombres que se sienten igual que yo. Los hombres nos enfrentamos a las mismas preocupaciones que las mujeres, excepto que, en lugar de preocuparnos por nuestras piernas y traseros, nos preocupamos más por el abdomen y los brazos.

Aunque los cambios a la cultura del yoga que vienen con la comodificación no necesariamente están ayudándonos, sí están permitiéndonos tener esta conversación. No practicamos yoga en una burbuja. Ya sea que la comercialización del yoga haya llegado para quedarse o no, los problemas seguirán existiendo. Sin importar a dónde vaya, me bombardean con anuncios que me muestran conceptos de perfección. El capitalismo solo funciona sobre la premisa de que estamos incompletos y necesitamos algún producto o servicio para estar completos. Ya sea que el negocio del yoga elija utilizar este modelo o no, casi cualquier otro negocio lo hace.

¿Cómo voy a compararme con los hombres que veo idealizados en los comerciales? Es una tarea difícil no alimentarse de la desinformación que se perpetúa miles de veces al día. Mi práctica de yoga me permite tomar decisiones. No tengo que ser como esos hombres que están en los anuncios espectaculares para ser feliz. Puedo elegir ser feliz siendo yo. Suena como un cliché y como algo fácil, pero quienes combatimos nuestra imagen personal negativa todos los días sabemos que no lo es. Se requiere una práctica vigilante, y el yoga la facilita.

Cada momento de cada día tengo una elección. Algunas veces elijo ser positivo y aceptar exactamente quién soy. En otras caigo en el espacio intranquilo de la carencia y los deseos. El estar en este camino durante casi 15 años no me hace más iluminado hoy que alguien que quizá no ha estado practicando durante tanto tiempo. El alivio temporal que nos ofrece el yoga, la meditación y la práctica de los principios constituyen algo que únicamente se da día con día. No puedo permanecer limpio por la ducha que me di ayer, y en ese mismo sentido, no puedo ser positivo a partir del espacio mental en el que me encontraba hace 24 horas. Todos los días, y momento a momento, mi mente fluctúa. Puede llevarme a un mal lugar o a un buen lugar.

Lo que he aprendido en el tiempo que he pasado en este viaje es que tengo una elección. Puedo elegir ser feliz hoy, si quiero. La mayor parte de los días, lo hago. Algunos días, no. Se trata de progresar, no de ser perfecto, y con cada decisión consciente que tomo lo hago mejor. Lo que me ayuda es recordar verdades sencillas. Al final, ¿en verdad van a recordarme las personas por mis abdominales? ¿O van a recordarme por mi espíritu positivo y generoso? Actualmente hago mi mejor esfuerzo por invertir más energía en trabajar por lo último, pues eso es lo que me hace sentir mejor.

Vytas Baskauskas descubrió una conexión profunda con el yoga después de una batalla con las adicciones que lo llevó a la cárcel. Lo que comenzó como una forma de terapia evolucionó en una forma de vida y en una práctica altamente desarrollada que ahora comparte con otras personas como uno de los instructores de yoga más importantes de Los Ángeles. Imparte clases en Yoga Works y en Power Yoga East en Santa Mónica, California, y es profesor de Matemáticas en la Universidad de Santa Mónica.

www.VytasYoga.com

Fotografía del autor cortesía del propio autor.

Dianne Bondy

Confesiones de una instructora de yoga gorda y negra

"Mi misión en la vida no consiste meramente en sobrevivir, sino en prosperar, y hacerlo con algo de pasión, algo de compasión, algo de humor y algo de estilo".

—Maya Angelou

Soy una instructora de yoga gorda y negra. ¡Sí, lo dije! Que me llamen gorda es peor que recibir un insulto racial. He tenido que soportar ambos tratamientos, y lo que me salvó fue el yoga.

La sociedad establece un estándar imposible de alcanzar. Como ocurre con la mayoría de las mujeres, mis conflictos con el peso y la imagen corporal comenzaron cuando era joven, y he luchado con estos la mayor parte de mi vida. He sido verdaderamente delgada y con una excelente condición física, verdaderamente delgada y con una mala condición física, y he estado verdaderamente gorda y con una buena condición física. También he sido simplemente gorda. Lo he sido todo. Poco después de mi octavo cumpleaños, comencé a subir de peso. Para horror de mis padres, me estaba poniendo gorda. A sus ojos, nada podía ser peor que estar gordo. Mi padre, en especial, lo odiaba, y pensaba que podía avergonzarme para que adelgazara. Aprovechaba cada oportunidad para humillarme y burlarse de mi peso. De hecho, cuando tenía aproximadamente 10 años de edad me llamó aparte y me dijo que yo era una decepción porque estaba gorda y que jamás había querido una hija así. Me molestaba implacablemente enfrente de amigos, familiares y extraños.

En pocas ocasiones trataba de ser un padre educado, pero la mayor lección que me enseñó fue avergonzarme de mí misma. Pienso mucho en que lo que trataba de enseñarme era que ser diferente sería un enorme desafío, y agregar la gordura a la mezcla sería una sentencia de muerte en la sociedad moderna. Una lección duradera que aprendí de mi padre fue que ya tenía dos *strikes* en mi contra: era negra y era mujer. El mundo sería cruel y discriminatorio solo por estos dos hechos (y ya no digamos por ser gorda). Tener piel oscura en un mundo de blancos sería más que desafiante: sería abrumador. Era algo que podía superar; simplemente necesitaba ser mejor que mi mejor contraparte blanca para ser considerada valiosa en esta vida. Sin embargo, sus palabras no me desalentaron. Más bien, me inspiraron a ser la mejor y a mostrarle al mundo que no podía vivir y que no viviría una vida mediocre. ¡No me imaginaba que el yoga sería el vehículo que me llevaría por un sendero de grandes satisfacciones y de conciencia de mí misma!

Ningún ángel de Charlie

Crecí en Burlington, Ontario, un pequeño pueblo de Canadá. (Lo llamábamos Borington).* Haber crecido en una de esas familias conformadas únicamente por negros en nuestro vecindario abonaba a mis sentimientos de inseguridad y aislamiento. A todas partes a las que ibas sobresalías como un perro en misa o como una enorme mancha café en medio de un mar de rostros blancos. Todo mundo sabía quién eras y qué hacía tu familia. Éramos una rareza interesante para todo mundo. Actualmente, tendríamos nuestro propio *reality show* de televisión.

El estándar de belleza en aquel entonces era el de una persona con ojos azules, cabello rubio y cuerpo delgado. Pienso en Farrah Fawcett y en *Los Ángeles de Charlie* cuando pienso en los años

---

* En inglés *boring* quiere decir 'aburrido'. [N. de la T.].

setenta y ochenta. Como una niña negra pequeña, no podía identificarme con nada de lo que veía en la televisión, en las películas o en las revistas. Ser diferente era el beso de Judas cuando se crecía como una niña de piel oscura en la escuela primaria y secundaria, y tenía muy pocos modelos a seguir. Uno de ellos era mi mamá, y teníamos el yoga.

Tiempo para reforzar el vínculo entre madre e hija

Fue necesario que encontrara el yoga y con él una práctica seria para comenzar a cambiar la forma en la que me sentía respecto a mí misma. No obstante, cuando comencé todavía estaba muy lejos de comprenderlo. Mi madre me introdujo al yoga cuando tenía alrededor de 3 años. Acababa de tener gemelos. Tenía las manos llenas y no podía dejar la casa. Tenía un libro titulado *Stay Young With Yoga* [Permanezca joven con el yoga] (había sido escrito en los años cincuenta y tenía imágenes graciosas que me fascinaban). No había modelos de yoga o de *fitness* en aquel momento, así que simplemente eran personas comunes haciendo flexiones. Este era mi momento especial con mi mami: cuando mi hermano y mi hermana dormían la siesta.

Mi mamá mantenía en secreto su práctica de yoga. Era una época en la que el yoga era la anticultura, especialmente para las personas de color, quienes sentían que el yoga era algo que debía ser temido. Gran parte de la cultura de los negros está impregnada con profundas creencias religiosas, así que es un pecado cuestionar o ir en contra de las enseñanzas del pastor. Muchos líderes religiosos de la comunidad negra de aquella época (como algunos todavía en la actualidad) sentían que el yoga es un vehículo del mal. Sin embargo, la práctica del yoga me ha enseñado que este solo hace que tus creencias se fortalezcan. Mi mamá me recordó que el yoga era mi práctica personal especial y que eso era todo lo que importaba. "Simplemente disfruta respirar, practicar y tomarte tu tiempo", solía decir.

Aunque practicaba junto a mi madre cuando era niña, pasaron muchos años antes de que comenzara plenamente mi viaje con el yoga. Durante la preparatoria y la universidad adopté y abandoné muchas cosas para mantenerme delgada. Corrí maratones, competí en carreras de *fitness* e impartí cientos de clases grupales de esta disciplina. Eran distracciones que mantuvieron ocultos mis desórdenes alimenticios y mis problemas de imagen corporal. Pensé que si vencía el peso podía vencer mis sentimientos de inadecuación. Así fue como corrí en la rueda de hámster de una vida insatisfactoria durante varios años.

Lo que Oprah me enseñó

A mí me enseñaron que "la educación es el mayor igualador en los tiempos modernos", y en verdad yo lo creía. La educación es una inversión en uno mismo, muy parecido a como lo es el yoga. Elegí una universidad muy lejana al lugar en el que crecí. Lo vi como una oportunidad de reinventarme a mí misma. Podía ir a un lugar donde nadie me conociera y convertirme en cualquier persona. Podía dejar atrás a la niña obesa y negra. Fui a la universidad en Windsor, Ontario. Estaba muy emocionada de estar justo al otro lado del río de una ciudad predominantemente negra y muy cerca de una cultura de la cual deseaba formar parte. Era edificante sentir que encajaba, y cuando entré al campus universitario me emocionó formar parte de algo grande. Pensaba que una educación superior resolvería todos mis problemas. Las personas aquí serían maduras y tolerantes. Simplemente lo sabía. Había llegado para encontrarme con la mejor parte de mi vida… o eso pensaba.

En mi cruzada por formar parte del grupo en la universidad, recibí el recordatorio una y otra vez de que las personas negras no hacen yoga. Así que abandoné mi práctica de yoga, sucumbiendo ante la presión de querer encajar. Lo hice porque, por primera vez en mi vida, no era la única persona negra en un salón de clase y tuve la oportunidad de encajar. Estaba en el cielo, y me sumergí en la cultura negra y disfruté, finalmente, ser parte de un grupo.

No obstante, poco a poco me fui dando cuenta de que abandonar mi práctica no me hacía feliz, ¡y sentí que era momento de desafiar la idea de que las personas negras no practicaban yoga! El catalizador para cambiar de opinión sobre lo que las personas de color hacían fue, sí, Oprah. Sé que parece un cliché, pero es la verdad. Ella es una pionera y desafió a las personas de color a pensar de manera distinta a lo construido por los dictados de la sociedad y la religión. Oprah hablaba como un yogui y su filosofía personal me atraía. Hacía cosas en público que otras personas de color no hacían, y la amaban por ello. Oprah probó que las personas de color pueden hacer cualquier cosa. Tomé esa antorcha y corrí con ella.

¿Estudio de yoga o preparatoria?

Cuando volví a sumergirme en mi práctica de yoga, tomé clases en diversos estudios. Yo creía que la cultura del yoga sería abierta y tolerante. Estaba nerviosa, pero tenía confianza en que sería bienvenida. Lo que encontré en su lugar fue que todavía me sentía horriblemente fuera de lugar.

Una vez más, no encajaba. De hecho, a menudo sentía que nuevamente estaba en el punto de partida: la mancha grande, gorda y negra en un mar de rostros blancos, delgados y jóvenes. Sentía como si estuviera de nuevo en la preparatoria con todos los juicios, los grupos exclusivistas y la exclusión. Tenía un sentimiento subyacente de juicio cuando entraba en cada espacio. Mi enorme cuerpo contradecía mis capacidades. Una yogui gorda, ¿cómo es eso posible?

Recuerdo muy bien haber ido a una clase de ashtanga y no haber podido seguir el ritmo porque el *asthanga* que estaba practicando en realidad era vinyasa, y estaba confundida. La instructora hizo comentarios a lo largo de toda la práctica que menguaban mi espíritu. No me desafió directamente, pero era bien sabido para la clase que yo estaba distrayendo y que no era bienvenida de vuelta.

Fue este sentimiento de exclusión lo que me puso a pensar que necesitaba mi propio espacio. Comencé llevar a cabo algo de trabajo de reconocimiento y continúe mi práctica en muchos de los estudios y gimnasios de la ciudad, observando calladamente lo que no me gustaba y prometiendo cambiarlo una vez que tuviera mi propio espacio. Oré y pedí a las fuerzas superiores que me guiaran, y la iglesia local se convirtió en mi primer estudio de yoga. El ministro sentía que el yoga llevaría a más personas a la iglesia, y apoyó mis clases.

Hacer el cambio

Expresé mis intenciones y mis clases crecieron. Me aseguré de enseñar a las personas que se encontraban en la habitación, ¡haciendo saber a todo mundo que podían hacerlo! La comunidad, en general, adoptó mi mensaje. Hice que el yoga pasara del pequeño auditorio de la iglesia a un espacio de tiempo completo. Las personas que solían entrar por mis puertas eran de distintos orígenes, incluyendo a quienes entraban en silla de ruedas, y eran bienvenidos. Nuestro estudio es conocido por su aceptación de la diversidad y su amor por los estudiantes que comienzan la práctica. Hasta el día de hoy, los alumnos comentan que se trata de un espacio muy acogedor. Fue este regalo de mi comunidad lo que me permitió abrir mi corazón a la idea de que era suficientemente buena como para ser propietaria de un estudio. Me convertí en el cambio que quería ver en el estudio.

En la actualidad el yoga está volviéndose mucho más diverso. Expresar mi opinión y ser visible en la comunidad del yoga me ha permitido contactarme con cientos de personas que practican yoga, aunque no siempre son quienes vemos en los medios de comunicación. Personas de todos tamaños, tallas, edades, habilidades, clases sociales y tonos de piel practican el yoga.

La mayoría de mis experiencias en el yoga han estado restringidas a mi ciudad. Después de varios años de entrenamiento y enseñanza, un día decidí salir de mi zona de confort para dirigirme a Tucson a estudiar con algunos de los instructores de yoga más avanzados del mundo. Sin embargo, una vez más, yo era la única chica negra de cuerpo grande en el salón. Pasé una semana devastadora llorando abiertamente en mi tapete frente a sesenta estudiantes de yoga avanzados. Me sentía verdaderamente perdida. Arrastré a mi familia miles de kilómetros, ¿para qué? Rogué a mi esposo que nos fuéramos a casa, y me dijo que tenía que regresar y enfrentar las consecuencias en mi tapete. Claramente, era algo que necesitaba superar, y eso se convirtió en un punto de quiebre en mi vida. Me hizo darme cuenta de que no puedo ser la única que se siente tan perdida.

Esa semana me enseñó que llevar a cabo equilibrios avanzados con los brazos no tenía que ser lo mío. También me enseñó que necesitaba crear un espacio diverso de yoga, ayudar a crecer a los instructores de la diversidad y hacer mi parte para lograr que el yoga fuera más accesible para todos. Estoy cansada de los talleres y de los entrenamientos donde los instructores dicen que no todo mundo es capaz de realizar tal o cual postura, por lo que algunos tendrán que ser simples observadores. ¡¿QUÉ?! Las personas poco flexibles no deben ser restringidas, ni pagar dinero por talleres en los que solo vayan a ver cómo los flexibles practican yoga.

Cuando abrí mis sentimientos al mundo al escribir acerca de mis experiencias, muchas personas se acercaron para expresar que sentían lo mismo que yo acerca de sus prácticas de yoga. Descubrí que instructoras voluptuosas, instructoras de color, instructores con diversas identidades y expresiones de género, y estudiantes de todos los orígenes estaban unidos en la causa de expandir la percepción de las personas sobre el yoga, una práctica que debería ser accesible a todos los cuerpos. Fueron estas conexiones las que me ayudaron a refinar mi voz y me dieron el valor para avanzar con mi misión en cuanto al yoga y la diversidad.

¿Tú enseñas yoga?

Siempre me pongo nerviosa cuando me dirijo a un nuevo sitio para enseñar yoga. Hubo una época en la que también me dio un poco de miedo ser una impostora porque no encajaba en el estereotipo del yoga. Cuando entro a un espacio, a menudo me encuentro con la misma reacción: "¿Tú enseñas yoga?". Por lo regular, me echan un vistazo y el juicio que hay en sus ojos es palpable.

Recientemente fui anfitriona de un retiro en un hermoso centro de yoga en Aruba. Resulta que el propietario de ese espectacular espacio de retiro se encontraba en el lugar pues iba cada mes a inspeccionar la propiedad. Me lo presentaron, y de inmediato reconocí "la mirada" cuando preguntó dos veces si yo estaba dando clases en el retiro. Volví a notarlo nuevamente cuando llegó el momento de enseñar y empezó a observarme muy de cerca. Mis habilidades de enseñanza parecían sorprenderlo y elogió mis capacidades. ¿Por qué es tan impactante que una persona corpulenta pueda ser una instructora de yoga medio decente?

¿Cómo nos sacudimos los estereotipos del yoga y logramos que las personas vean el yoga como realmente es? No todos somos personas blancas, sin discapacidades, superflexibles, delgadas y heterosexuales. Hay diversidad en todas las formas, y esta diversidad es la que hace que la vida sea interesante.

Podemos cambiar la percepción errónea que se tiene del yoga alentando a las personas a convertirse en administradoras de su propio bienestar. No necesitan la validación externa: pueden encontrar en ellas mismas lo que están buscando. Y el yoga puede ayudarlas a encontrarlo. No deberían sentir que necesitan permiso para practicar. El yoga es un vehículo para llegar al bienestar; tiene que ver con la conexión mente-cuerpo-espíritu. No necesitamos encajar en estos estereotipos limitados del yoga para practicarlo. Debemos animar a quienes se sienten marginados y que son diferentes, y decirles que necesitamos su singularidad y sus experiencias. Se requiere desarrollar una cultura consciente y comprometida con la justicia social y la igualdad para cada cuerpo.

Voltear hacia dentro

El yoga tiene que ver con la respiración, con aquietar la mente y con sintonizarte con tu verdadera naturaleza. Las asanas (o posturas) del yoga son consideradas como manifestación de una tercera extremidad en los sutras de Patanjali, lo cual me lleva a creer que no conforman la parte más importante de la práctica, sino una de las muchas partes igualmente importantes.

Cuando fracasamos en ofrecer modificaciones a los estudiantes con problemas en la práctica del yoga, creamos un club exclusivo integrado tanto por los que pueden hacerlo como por los que no pueden hacerlo. Los que pueden hacerlo quizá cuenten con ventajas o privilegios injustos, como la genética, y algunas veces incluso con el antecedente de haber practicado gimnasia. Los que no pueden hacerlo tal vez sean (observen: esto no encaja en el tema de las modificaciones corporales) más viejos, más rígidos o tener un cuerpo más grande. Desafortunadamente, en la actualidad la mayoría de los estudios de yoga no incluyen a los que no pueden hacerlo, y ahí radica el problema. Eso ya ocurre en la sociedad de manera cotidiana, y ahora hemos conseguido que irrumpa en nuestras prácticas espirituales y de bienestar. El yoga tiene que ver con lo que puedes hacer y no con lo que no puedes hacer.

Realizar cambios

¿Cómo haces para que tus entrenamientos, talleres y eventos para instructores sean accesibles a todos los participantes? Aprendes a enseñar de forma incluyente. Mi lema es "Ningún yogui se queda atrás". Existe un lugar para todos sobre el tapete; simplemente necesitamos cambiar nuestra mentalidad.

La clave para llevar la diversidad al yoga consiste en tener una diversidad de instructores. La inclusión en el tapete de yoga significa que todo mundo es bienvenido tanto para enseñar como para practicar. ¿Cómo haces que personas con cuerpos más grandes asistan a clases de yoga? Con más instructores con cuerpos grandes. ¿Cómo consigues tener una clase de yoga culturalmente más diversa? Entrenas a instructores de yoga culturalmente diversos para que enseñen. Necesitamos aprender a enseñar de forma progresiva de tal forma que los estudiantes con diversas habilidades y niveles de experiencia puedan practicar en el mismo salón de forma segura y cómoda.

También debemos ser más incluyentes y sensibles en lo referente a la forma como hablamos. El lenguaje es poderoso.

Cuando escuchamos el término *diversidad*, la mayoría de nosotros automáticamente piensa en personas de color. Sin embargo, la diversidad existe en muchas formas. Somos diversos al interior de nuestras culturas, nuestro cuerpo y nuestras creencias. La diversidad se refiere a distintas clases socioeconómicas, edades, razas, géneros, orientaciones sexuales y tamaños. Y el yoga debería ser accesible a todo mundo en esta diversidad. De hecho, la diversidad debería celebrarse en todas las clases de yoga.

Los propietarios de estudios de yoga y los instructores necesitan ofrecer clases que sean verdaderamente accesibles a todo tipo de cuerpo, sin importar el tamaño, la edad, el nivel de flexibilidad, la fortaleza o la habilidad de ese cuerpo.

Toda asana puede ser modificada, y los instructores deberían ofrecer esas modificaciones a sus estudiantes. Los instructores deberían hacer que los estudiantes estén conscientes de que la persona que está concentrándose en su respiración, escuchando su cuerpo, encontrando la versión de la postura que necesita o tomando descansos está "haciendo" yoga a la perfección, y que no tienen por qué ser comparadas con la persona que se encuentra en la versión más avanzada de la postura. Completar la versión avanzada de una postura no hace de esa persona un mejor yogui. No hay yoga mejor o peor.

Quienes somos diferentes necesitamos encontrar, conectarnos con y apoyarnos unos a otros. Necesitamos hacer a un lado la idea de que no podemos pararnos sobre el tapete siendo nosotros mismos. Las personas que nos juzgan con base en nuestro tamaño, color, género o desafíos físicos no están practicando verdaderamente el yoga.

El desafío que te presento consiste en cambiar la cultura, el lenguaje y la idea acerca de cuál es la apariencia que deben tener los instructores y los estudiantes de yoga. Sé un pionero. Comparte tu singularidad, tus desafíos y tu práctica.

Tienes algo poderoso que ofrecer al mundo.

Dianne Bondy es la fundadora de Yogasteya, un estudio de yoga en línea que atiende a personas de todas formas, tamaños y antecedentes étnicos y culturales. Como propietaria de un estudio, instructora de yoga de tiempo completo, escritora y oradora, a Dianne le apasiona empoderar a las personas para que alcancen su pleno potencial dentro y fuera del tapete de yoga.

www.yogasteya.com

Foto de la autora por Erika Reid.

Carrie Barrepski

Soy una guerrera; escúchame rugir

Siempre he pensado en mis discapacidades como características. Tener parálisis cerebral, una enfermedad cardiaca congénita, una discapacidad auditiva y ser legalmente ciega no definen quién soy. Desde pequeña, jamás tuve miedo a probar algo nuevo, desde el ballet hasta tocar la guitarra. Aunque ha habido dificultades, he disfrutado cada minuto de la experiencia. La vida está llena de desafíos y obstáculos que pueden vencerse con la actitud correcta y trabajo duro. Siempre he tenido una voluntad férrea y he sido determinada. Una de las citas favoritas de mi esposo, tomada de la biografía de Steve Jobs, lo dice todo. Bill Atkinson, un ingeniero de Apple, reflexionando sobre uno de sus logros en la Apple II y en los primeros días de la Mac, dijo: "Como no sabía que no se podía hacer, pude hacerlo". Siempre he creído que existe una solución para cada problema, siempre y cuando creas en ello. La clave consiste en no rendirse nunca y seguir intentándolo hasta que lo hagas bien.

Apoyo y desafíos

Fui muy afortunada en mi infancia en tener a los mejores padres del mundo y a la hermana más divertida, quien hizo que mi infancia fuera muy placentera. También formé una de las mejores y más largas amistades de mi vida con Shannon, una chica que vivía en la casa de al lado. Aunque posteriormente pasamos por varios años de separación, siempre logramos encontrarnos y mantener nuestra amistad intacta. Me siento agradecida de haber tenido un buen sistema de apoyo con mi familia y con los amigos.

He desarrollado muchas herramientas y he aprendido muchas lecciones de mis experiencias con las discapacidades. La más importante fue entender que hay que ser una fuerte defensora. Después de graduarme de la preparatoria, pasé de que los maestros se hicieran cargo de que tuviera acceso a muchas cosas a tener que hacerlo todo por mí misma, como encontrar mis propias herramientas para tomar notas en la universidad, explicando mis discapacidades a mis profesores, y obtener documentos ampliados de tamaño. También aprendí a utilizar mi voz para expresar mis preocupaciones y necesidades de una forma productiva. Además, adquirí compasión por las personas que se encontraban en una situación similar a la mía, a las que siempre estoy dispuesta a ayudar.

Enfrenté muchos obstáculos en mis años de preparatoria y universidad. Uno de ellos fue que un consejero vocacional de la preparatoria me dijo que yo no debía molestarme en enviar mi solicitud a las universidades debido a mis bajas puntuaciones en la prueba de razonamiento, el SAT. Al principio, quedé devastada, pero mi consultor académico, Terry Leaga, me asesoró y me dijo que las puntuaciones del SAT no eran lo único en lo que se fijaban las universidades; también consideraban factores como el GPA (Grade Point Average, el promedio de calificaciones) y las características individuales. Otro desafío que enfrenté en la preparatoria fue que tuve que lidiar con un maestro ignorante que no quería una estudiante discapacitada en su clase. Por ejemplo, se ponía de cara al pizarrón cuando hablaba, se negaba a proporcionarme los materiales para que los amplificara y me hacía sentir que no era bienvenida. Recibió una llamada de atención y tuvo que lidiar conmigo en su clase. A pesar de su conducta, pasé su clase con excelentes calificaciones. Durante mis años de universidad tuve que demostrar mis capacidades una y otra vez. Sin embargo, después de todo, amé mis años de universidad, y fue ahí donde conocí a una de mis mejores amigas, Danielle.

Almas gemelas

La relación más importante que he desarrollado en mi vida es con mi esposo, Frank. Se me hacía difícil conocer personas porque era juzgada por mis discapacidades y no por mi carácter. Una noche, en una sala de chat de pérdida de la audición, conocí a una persona que también tenía este padecimiento. Frank había recibido un implante coclear en 1997, y teníamos experiencias similares con nuestra pérdida de la audición. En las clases, Frank a menudo utilizaba un sistema de FM para sordos, que es en esencia una miniestación de radio; los docentes se ponen un micrófono que transmite sus palabras a la persona que tiene puesto un receptor, el cual amplifica el sonido para esa persona.

Frank ha tenido sus propios desafíos con su pérdida de la audición. Tuvo una experiencia con un profesor de la universidad que no quería utilizar el micrófono para el sistema FM. Después de que la Oficina de Servicios para Discapacitados de la universidad fue informada de esto, al profesor se le ordenó portar el micrófono. A raíz de este incidente, se gestó una relación tan estrecha entre Frank y él, al punto de que, cuando finalizó la clase, este le pidió a Frank que fuera asistente de enseñanza de esa clase para el siguiente semestre, lo cual continuó haciendo durante la mayoría de los años que estuvo en la institución.

Pronto descubrimos que teníamos similitudes en cuanto a nuestra infancia y vida familiar. Nuestros dos padres fueron investigadores de fraudes con seguros y ambos fallecieron mientras estábamos en la universidad. Los dos teníamos una hermana mayor. Los dos somos ratones de biblioteca y amamos las computadoras. Nuestros lazos se hicieron cada vez más fuertes a lo largo de los dos años en los que conversamos por chat, hasta que decidimos conocernos en mayo de 2004. En aquel tiempo, Frank voló desde Massachusetts hasta Michigan para visitarme. Luego alternamos las visitas, y para el día de Acción de Gracias de 2004 estábamos comprometidos para casarnos. En junio de 2005 nos casamos rodeados por familiares y amigos. Debido a que Frank ejercía como abogado, me mudé a Massachusetts y forjé mi carrera como escritora independiente. He tenido la enorme fortuna de formar una relación sólida y amorosa con mis parientes políticos, quienes se convirtieron en mi segunda familia. Hasta el momento de escribir esto, hemos estado casados durante ocho años, y contando.

Mis antecedentes en yoga

Todo el apoyo que tuve, además de mi propia determinación, me alentó a probar muchas cosas. Para cuando tenía casi 30 años comencé a buscar un programa de ejercicio que cubriera mis necesidades. Elegí el yoga porque alguien me dijo que era bueno para los músculos rígidos y la flexibilidad. Probé con varios DVD de yoga, pero me sentí intimidada por muchas de las posturas avanzadas que contenían. Luego descubrí los DVD de Seane Corn, *Vinyasa Flow Yoga: Uniting Movement and Breath*. Fueron las instrucciones y modificaciones que introdujo Seane las que hicieron que me enamorara de los ejercicios, y pronto estaba realizándolos todos los días.

En mi práctica utilizo apoyos tales como bloques y correas para modificar las posturas de yoga. Seane misma demostró muchas de estas opciones. También experimenté con mi práctica para crear mis propias variaciones de las posturas de yoga. Llegué a confiar en mi propio cuerpo y a escuchar las pistas que me daba sobre lo que puede y no puede hacer. Por ejemplo, en muchos de los ejercicios de piso, tales como la inclinación hacia delante, utilizo una correa de yoga. El bloque de yoga es útil para hacer posturas como la del Perro Boca Abajo.

He continuado mi práctica matutina con Seane, además de que he llegado a conocerla a través del correo electrónico, Facebook y de talleres. Se ha convertido en una mentora en mi práctica y trabajo diario. Después de años de practicar sola con DVD, me sentí con la suficiente valentía como para probar una clase de yoga.

Recuerdo haber estado nerviosa porque hice muchas modificaciones a las posturas. Cuando llegué a la clase de yoga hablé con el instructor acerca de mis limitaciones físicas y sobre mis propias modificaciones. Ella me aseguró que estaría bien y que, simplemente, me tomara mi tiempo. Me sentí conectada con los demás estudiantes, y sentí alivio al ver que yo no era la única que necesitaba hacer modificaciones.

Al final de la clase, el instructor me dijo que estaba impresionado por la forma en que cuidaba de mí misma y escuchaba mi cuerpo. Después de estar en la clase, me percaté de que la práctica de cada persona es algo individual y de que el yoga tiene que ver con estar atento a lo que le ocurre al cuerpo. Esta atención plena puede practicarse en la vida diaria, en nuestra forma de comer, en nuestras palabras y en nuestras acciones. Durante una clase en el Centro Kripalu, el instructor dijo: "Nuestro tapete de yoga es nuestro laboratorio científico porque estamos experimentando con los movimientos de nuestro cuerpo". Recuerdo esto cuando hago yoga; es muy cierto, pues nuestro cuerpo se mueve de diferentes formas.

Fuera del tapete

Un día tomé una revista de yoga en la que aparecía Seane hablando de hacer activismo social y llevar el yoga fuera del tapete e introducirlo en nuestra vida diaria. Esto vino en un momento en el que no sabía lo que quería hacer con mi vida, ya que no podía encontrar un empleo de trabajo social que no requiriera licencia de conducir y estaba atorada en un trabajo sin futuro en una tienda departamental. Las palabras de Seane me inspiraron a hacer una profesión de mi pasión por la escritura y por ayudar a las personas discapacitadas.

Comencé a escribir para diversos sitios web que abordaban el tema de la discapacidad. Con el tiempo escribí una columna mensual titulada "Charlas sobre discapacidad" en el periódico de mi localidad, y ahora tengo una columna cada semana. La plataforma de mi trabajo consiste en empoderar a las personas con discapacidad para que sean independientes y se defiendan a sí mismas. Animo a las personas a que se enfoquen en sus fortalezas y talentos al tiempo que trabajan en fortalecer sus debilidades. He escrito sobre diversos temas, tales como leyes, discriminación, asuntos de salud y sobre cómo lidiar con la vida diaria. También he tenido la oportunidad de hablar a organizaciones sobre diversos temas, desde defensa hasta vivir con discapacidades. Creo que cada uno tiene una voz que merece ser escuchada. Recibí un premio por mi trabajo como defensora de los derechos de los discapacitados por parte del Centro Stavros de Vida Independiente.

Uno de los logros que me han generado más orgullo ha sido trabajar en un proyecto llamado Wheel Walk. El Parque Stanley se ha dedicado a hacer que su parque sea accesible a personas con discapacidad; por ejemplo, ha adaptado un sendero para que puedan caminar y un área de juegos especial para discapacitados. Cada verano un grupo de defensores, entre los que me incluyo, nos reunimos para crear conciencia sobre la accesibilidad en el parque con actividades que incluyen un caminatón y una parrillada.

El yoga me ha ayudado a determinar cuál es mi pasión y mi propósito como escritora y activista dedicada a ayudar e inspirar a las personas con discapacidad. Continuaré haciéndolo utilizando mi voz con amor, pasión y compasión para marcar una diferencia.

Mi imagen corporal

He batallado con mi imagen corporal por tener la espalda abultada, hombros encorvados y un cuerpo que se ve distinto. Ir a comprar ropa, especialmente vestidos, ha sido un desafío para mí. Después de comprometerme, me enfrenté con la escalofriante tarea de encontrar un vestido de novia. Me paralicé de pensar que no encontraría un vestido que me quedara bien. Recuerdo haberme dirigido a la David's Bridal Shop con mi madre, quien me aconsejó que simplemente fuera, me divirtiera y me probara distintos vestidos. Y he aquí que el primer vestido que me probé era absolutamente perfecto. Tanto mi madre como mi hermana me aseguraron que me veía hermosa y que ese sería mi vestido de novia. Algunas veces, cuando sueltas tus miedos, las cosas tienen una forma de resolverse. Tuve sentimientos de vergüenza y quise verme como todas las demás. Lo curioso de esto es que, en mi trabajo, siempre estoy hablando de cómo todos somos personas hermosas y únicas por dentro y por fuera, y se podría pensar que yo seguiría mi propio consejo.

Desde mi infancia, mi madre me alentó a llevar un diario. Solía decirme que después de escribir las cosas negativas volteara la página y comenzara de nuevo. Esa era su forma de decirme que dejara ir la negatividad y que me enfocara en lo positivo. Mis padres nos enseñaron a mi hermana y a mí a no compararnos nunca entre nosotras porque cada una era un ser individual. Siento que probablemente esa fue una de las lecciones más valiosas que alguna vez he recibido. Es algo que expreso en mi vida tanto personal como profesional, junto con la importancia de ser independiente.

Actualmente sigo trabajando en mi imagen corporal y aprendiendo a seguir mi propio consejo de que las personas se acepten por quienes son. También estoy aprendiendo que estar sana es una parte importante de la imagen corporal, y para lograrlo se debe comer de forma saludable y hacer ejercicio. Trato a mi cuerpo como a un templo porque todos tenemos solo un cuerpo que cuidar.

En la actualidad dependo de mi práctica diaria de yoga con Seane Corn y Ashley Turner para mantenerme en buena condición física y equilibrada. Mi práctica de yoga, junto con el Pilates, me hacen sentir siempre saludable. También he desarrollado una sólida práctica ritual y de meditación con la ayuda de los libros de Gabrielle Bernstein. Estas prácticas me mantienen enfocada y positiva todos los días. Llevo una dieta semivegetariana repleta de frutas, verduras, granos enteros y frijoles. Creo en comer con moderación y en estar atento a lo que metes a tu cuerpo, y que todo mundo merece una pequeña golosina de vez en cuando.

Desafíos de salud

Durante la primavera de 2012 me diagnosticaron una fuga de la válvula cardiaca. Mi cardiólogo me dijo que el mejor tratamiento sería una cirugía para reemplazar la válvula. Esto fue un recordatorio para mí de lo importante y preciosa que es nuestra salud. Después de la cirugía, dependí de mi meditación y de la visualización para ayudarme a lidiar con el dolor, los miedos y la frustración. También fui muy bendecida por tener una familia y amigos que me apoyaron y alentaron a sanarme. Pronto aprendí el valor del descanso durante mi recuperación. Actualmente todavía me tomo un tiempo durante el día para descansar. Esa experiencia me ha permitido poner mi salud primero, al tiempo que mejoro mi imagen corporal como la viva imagen de la buena salud.

El yoga es una herramienta valiosa para lidiar con el diálogo interno negativo. Combinar la meditación, la respiración profunda y las posturas posibilita que me enfoque en las imágenes positivas mientras dejo que las negativas se alejen. A menudo recuerdo una cita de una de mis instructoras de yoga favoritas, Kathryn Budig, quien dijo: "Aspira a alcanzar tu verdad". Tomo esto como significado de que la práctica de yoga te muestra cómo concentrarte en quien eres en realidad y en cuáles son tus metas.

Cuando me veo en el espejo veo una persona fuerte, de espíritu libre, hermosa por dentro y por fuera. He llegado a amarme a mí misma, a estar orgullosa de quien soy y de lo que he logrado.

Convertirme en instructora de yoga

Como yogui, mi práctica afecta cada parte de mi vida y se ha convertido en una forma de vida. Una de mis metas desde hace mucho tiempo ha sido compartir mis experiencias con el yoga con otras personas que tienen limitaciones. Esa oportunidad se presentó cuando asistí a la Serie de Entrenamiento en Liderazgo Fuera del Tapete [Off the Mat Leadership Training Series] en el Omega Yoga Center en Rhinebeck, Nueva York. Fue ahí, en la organización fundada por mi maestra Seane, donde decidí convertir mis metas en realidad. Este entrenamiento consistía en compartir tu práctica y filosofía de yoga, y eso es justamente lo que decidí hacer.

En la primavera de 2013 pasé por el entrenamiento para instructores de yoga en silla de Lakshmi Voelker para ayudar a personas con limitaciones físicas como las mías a disfrutar todos los beneficios del yoga. Al igual que yo, Lakshmi cree que todo mundo puede practicar yoga. Este programa de entrenamiento fue conducido por Skype, con la cámara de Lakshmi conectada a nuestro televisor de modo que las lecciones fueran más fáciles para mi discapacidad visual. Inmediatamente me enamoré de las clases, especialmente de aprender a adaptar las posturas a la silla, incluyendo las salutaciones al sol, las posturas de equilibrio y la serie de posturas del Guerrero. Ahora mi actividad favorita consiste en encontrar nuevas formas de adaptar el yoga a la silla.

Cuando impartí mi primera clase, me sentí como si estuviera siendo guiada por mis instructoras para compartir con los demás mi amor por el yoga. Hablé desde mi corazón y mi verdad para hacer sentir a mis estudiantes el poder del yoga. Algunos de mis comentarios favoritos de retroalimentación versan sobre la pasión y amor que tengo por la práctica y que comparto con todos. Ahora que soy instructora estoy mucho más consciente de mi autoimagen, porque quiero reflejar sentimientos positivos a mis estudiantes. Quiero practicar lo que enseño, desde el amor por uno mismo hasta hábitos saludables.

Me emociona infinitamente estar viviendo mi pasión y mi propósito de ayudar a las personas con discapacidad a ser independientes y a estar orgullosas de quienes son. Me encanta compartir mis experiencias e inspirar a los demás para que sean más activos en su vida y en sus comunidades. Estoy viviendo mi mejor momento porque puedo combinar mis tres pasiones —el yoga, la escritura y la defensa de los discapacitados— en un solo grupo de actividades interconectadas. Estoy orgullosa de ser esposa, yogui, escritora, instructora y activista.

Carrie Barrepski es una activista de los derechos de los discapacitados y columnista que escribe sobre temas de discapacidad para ayudar e inspirar a otras personas. Como yoguini de mucho tiempo es instructora del yoga de silla de Lakshmi Voelker que comparte la alegría de la disciplina con quienes tienen limitaciones físicas.

www.carriewrites.net

Foto de la autora cortesía de *The Republican*.

Teo Drake

Yoga desde los márgenes

Es domingo, es demasiado temprano y estoy sudando.

Eso sí, el calor no me sienta bien. Heme aquí en piyama de franela, pasmado en medio de mi primer intento de practicar yoga, tratando de comprender lo que estoy experimentando. Posteriormente aprendería que fue la postura de chaturanga y el flujo vinyasa, pero en el momento parece como si estuviera lanzando mi cuerpo al piso a 150 kilómetros por hora, lo cual he tratado de hacer ahora cuatro o cinco veces, y todo lo que he obtenido por mis esfuerzos es un charco de sudor.

Llegué a este momento sin tener idea de lo que era el yoga. No era algo que se viera en el vecindario italiano y católico de clase trabajadora en el que crecí o en mi familia de trabajadores fabriles, carteros y enfermeras. No era algo que se viera en el extraño entorno social de mi pequeño pueblo. Yo no venía de lugares donde hubiera habido una invitación a practicar el yoga. Era mucho más probable que entrara en un estudio de artes marciales, lo cual, a decir verdad, había hecho recientemente, y fue ahí donde comencé con problemas de falta de flexibilidad en el cuerpo compacto, musculoso y trabado que tenía.

En ocasiones las personas me decían que el yoga me podía ayudar a relajarme o a lidiar con la flexibilidad, y probablemente debido a todo esto pensé que practicar yoga significaba relajarse, juguetear haciendo formas y, quizás, hacer algo de meditación. Tal vez lo confundía un poco con el tai chi. Así pues, como pensaba que se trataba de una actividad de relajación y que se podía tener fácil acceso al yoga en línea y en DVD, al final decidí que estaba dispuesto a probarlo en la privacidad de mi propio hogar, donde potencialmente podía hacer el ridículo sin que nadie me viera. Ya había estado en un estudio de artes marciales y me había parado de cabeza sobre el tapete. Con mi taza de café y vestido con mis pantalones de franela del piyama, en mi tapete de yoga de 9.99 dólares, pienso "¡Lo tengo!". ¿Qué tan difícil podría ser?

Pero ahora, a veinte minutos de mi completamente inesperada y no del todo relajante introducción al yoga, exhausto, en un charco de sudor, me doy por vencido. Me retiro a la postura del niño y me rehúso a salir de ella excepto para tomar mi taza de café, como un niño quisquilloso que se aferra a su cobija de seguridad. Luego regreso permanentemente a la postura del niño y no quiero ser molestado.

No me sorprendería que pensaran que seguramente esto debió ser el inicio y el fin de mi relación con el yoga. Sin embargo, el milagro en todo esto es que, en lugar de ceder frente a mi orgullo herido, confesé mi derrota ante algunos amigos, varios de los cuales me recomendaron que probara una clase de yoga para principiantes, y de hecho, estuve dispuesto a darle una oportunidad a esta opción.

El otro milagro fue haber encontrado un estudio de yoga en un distrito industrial de proveedores de petróleo y maquinistas, lo cual significaba que era accesible para mí de una forma que muchos estudios de yoga de la corriente dominante, tipo boutique, jamás habían sido. También estoy agradecido por haber encontrado una clase de yoga moderado a mitad del día, a la cual asistían unas cuantas personas más grandes que yo, y que me enseñara una instructora fabulosa que había descubierto el yoga cuando no era ya tan joven. Una mujer jovial y llena de energía, de unos 60 años, que era un alma buena, con los pies en la tierra y amable, me enseñó desde una perspectiva verdaderamente accesible. Hablaba sobre sus propias limitaciones y creó un espacio para que los practicantes habláramos de nuestro cuerpo y de qué puntos se nos dificultaban, y cuando expuso formas de lidiar con todo ello, lo hizo desde una perspectiva práctica, sin tratar nuestras limitaciones corporales como algo que debíamos vencer.

Así, con mi primera instructora de yoga tuve la fortuna de encontrarme con una práctica en la que no era necesario dejar una parte de mí en la puerta ni patologizar una parte de quien yo era: mi yo, en su totalidad, iba al tapete, y algunas partes de mí se movían de una forma distinta a otras y todo formaba parte de la práctica. Ella me permitió vivir el yoga desde un punto de comprensión y negociación con los cuerpos que no eran ágiles y vigorosos e inherentemente flexibles. Hasta el día de hoy estoy agradecido por la alegría, las extravagancias y el humor que llevó a esa práctica imperfecta.

Es importante comprender con qué me encontré en el tapete. Me encontré con la culminación de una vida de guerra conmigo mismo y de vivir en una cultura que estaba en guerra con mi persona. Jamás había estado cómodo en mi propio cuerpo, y había vivido una vida donde escuchaba mensajes que me decían que lo que sabía sobre mí mismo no podía ser verdad y que la forma como entendía mi cuerpo estaba equivocada. Como sobreviviente de abuso físico durante la infancia, de violencia doméstica y de adicciones, como alguien que hasta ese momento había estado viviendo con VIH/sida durante 12 años, que me pidieran estar más presente físicamente en mi cuerpo era como si me pidieran que me moviera hacia una zona de guerra: una posibilidad mucho más imaginable. A decir verdad, mi cuerpo era una zona de guerra. A la vuelta de cualquier esquina podía haber un campo minado, y esa podía ser la última esquina que habría de doblar, porque no podía soportar lo que podría encontrar si seguía avanzando.

Encontré el yoga cinco años después de haber iniciado mi transición de género, y unos años después de haber pasado por cirugía de reconstrucción de pecho. Fue necesaria la amenaza de morir joven de sida para reunir el valor de hacer la transición de mujer a hombre, porque nada era más atemorizante que morir.

Podía arriesgar todo para vivir en la autenticidad. A los 38 años mi relación con mi cuerpo era nueva, igual que la manera en la que otras personas interactuaban conmigo basándose en lo que veían: cuando llegué por vez primera a esa amable clase de yoga probablemente parecía un hombre con una condición física increíble, musculoso y saludable (aunque, eso sí, nadie me habría llamado ágil). La clase comenzó muy lenta, pero incluso eso fue duro para mí. Jamás había movido mi cuerpo de esa forma. Jamás había puesto atención cuando se movía mi cuerpo. Había jugado softbol, practicado descenso de aguas bravas, y había estado ejercitándome en artes marciales durante alrededor de un año, pero no tenía la capacidad de moverme con intención y estar presente. Me movía desde un punto de reacción. Así, esos movimientos verdaderamente lentos eran difíciles de hacer y era difícil estar presente.

Mi cuerpo estaba apretado y compacto, inflexible al punto de casi romperse, y no me era familiar. Estar presente en mi cuerpo era como ir en un viaje donde alguien más había empacado mi equipaje. Cada vez que alguien me pedía simplemente que me parara en la postura de la montaña, que girara mis hombros hacia atrás y abriera mi pecho, tenía que enfrentar el hecho de no poder hacerlo: mis músculos se habían apretado y mis hombros se habían encorvado en respuesta a la violencia física y a décadas de esconder mi pecho. Por vez primera tenía que ver de forma activa todas las maneras en las que me había volcado hacia dentro, en las que me había encorvado y encerrado en un nivel estructural. Tenía que experimentar las oleadas de agonía, dolor y pérdida que los movimientos más sencillos de yoga ponían delante de mí.

Desde que me acuerdo, me odiaba a mí mismo. La violencia que había en casa solo confirmaba que yo era despreciado y que era desechable. El horror de la violencia impredecible estaba enmarañado con el miedo de saber que era varón y creer que expresar esa verdad sería la gota que derramaría el vaso. Cuando eres niño, la única manera de dar sentido al hecho de ser golpeado en un arranque de ira es tomártelo de forma personal. El único poder que tienes en esos momentos es creer que está ocurriendo por algo que tiene que ver contigo, y que si tan solo eso cambiara, la violencia se detendría. Si tan solo pudiera ser una niña, si tan solo dejara de preguntar por qué, si dejara de avergonzar a mis padres, la violencia terminaría. Pero jamás terminó.

Pasé más de 35 años tratando de morir a través de todo tipo de formas activas y pasivas. Me emborrachaba. Me emborrachaba para sentirme mejor, no para sentirme más relajado. Me emborrachaba para morir. Una noche en particular, cuando estaba hospitalizado por una intoxicación etílica, me encontraba lleno de rabia. Rabia porque no estaba muerto todavía. Había hecho un verdadero esfuerzo, me había tomado treinta *shots* de vodka en cuatro horas. Esa profunda agonía simplemente clamaba ser abrazada. Ojalá alguien hubiera abrazado a mi yo adolescente y me hubiera mecido. En lugar de ello, me ataron a una cama y un sacerdote me sermoneó sobre cómo con mi rareza estaba abonando al trabajo del diablo.

Mi curación comenzó a principios de mi segunda década de vida, cuando entré al programa de recuperación de 12 pasos. De alguna forma pude escuchar de nuevo esa pequeña vocecita que me había hablado en la niñez; esa suave voz de la divinidad que me decía que era amado y deseado, y esto me llevó a buscar un nuevo sendero espiritual como una forma de salir del oscuro abismo de la desesperación en el que había vivido durante tanto tiempo. Después de estar anclado en la espiritualidad de los 12 pasos, encontré el budismo. La idea de una práctica espiritual arraigada en la compasión y la amabilidad resonó profundamente en mi interior después de una vida de aislamiento y enojo. Cuando el yoga llegó a mi vida, hizo coincidir muchos de los principios espirituales del budismo y del trabajo de los 12 pasos con el que estaba tan familiarizado. Y cuando escuché a yoguis como Seane Corn hablar sobre el activismo encarnado y sobre la luz y la sombra, sentí que estaban hablando mi idioma. Estos yoguis venían de lugares oscuros pero no escondían esa oscuridad, así que, cuando dijeron que estaban vivos hoy gracias al yoga, pude creerles.

El regalo que me ofreció la transición de género fue la posibilidad de que estar físicamente presente en mi propio cuerpo fuera algo seguro. Lo que el yoga me ofreció fue un sendero real para llegar a ese punto. Debido a la forma en la que el trauma se asoma en mi cuerpo, mi respuesta primaria es petrificarme: me encierro, me adormezco y no puedo pensar con claridad. Física, emocional y cognitivamente no puedo moverme. Encontrar formas de estar presente —siendo alguien que tiene todas las razones del mundo para disociarse— era una tarea colosal.

Al experimentar incomodidad sobre el tapete en formas pequeñas y manejables y aprender a respirar para superarlo, el yoga me ofreció una habilidad práctica para lidiar con la disociación. La realidad es que los sentimientos dolorosos estuvieron presentes todo el tiempo, pero nadie me enseñó cómo vivir con ellos. Cuando era verdaderamente intolerable estar en mi cuerpo y estar presente, todo lo que el yoga me pedía hacer era respirar y moverme. Y así podía sentirme profundamente incómodo y no tenía que arreglarlo. La situación no tenía que ser bonita, porque mi vida no era bonita. La idea de poder simplemente respirar y moverme me permitía comenzar a liberar mi petrificación. No fue hasta que comencé a practicar yoga cuando comprendí que el sendero hacia la curación era así de simple y así de difícil.

Aprender a fluir en mi cuerpo mediante una práctica de flujo de vinyasa, aprender a ser compasivo y gentil con mi cuerpo, es en verdad mi ventaja espiritual y física. Sé cómo ser fuerte, encerrado, hermético y físicamente poderoso, pero ser poderoso físicamente y estar presente emocionalmente es algo que no siempre sé hacer. El desbloqueo físico de mi cuerpo sigue ocurriendo: mis músculos contracturados de la espalda pueden atestiguar el hecho de que no estoy "desbloqueado", solo menos bloqueado. Sin embargo, el yoga y las artes marciales han ayudado a mi yo petrificado por el trauma a desarrollar la capacidad de moverse y fluir.

A lo largo de los años mi comprensión de lo que significa tener una práctica de yoga ha evolucionado, y mi práctica ha incluido el vinyasa flow, la práctica restauradora y la práctica bhakti del canto. Ha habido períodos de bienestar físico en los que he disfrutado de clases de vinyasa flow cuatro veces por semana, y hay veces en las que todo lo que puedo manejar es respirar en la postura del niño. Vivir con sida significa que hay muchas veces en las que mi capacidad física y mi vigor están más allá de mi control. Es en esos momentos cuando me siento agradecido por las primeras lecciones que recibí y que me enseñaron que el yoga tenía que ver con aterrizar física, espiritual y emocionalmente en el mismo lugar: sobre mi tapete. Si todo lo que puedo manejar es la postura del niño, eso es yoga. Si lo que estoy practicando es el canto bhakti, eso es yoga. Si sirve para abrir mi corazón, mi mente y mi espíritu, y me permite ser compasivo conmigo mismo y con el mundo que me rodea, eso es yoga. No sé si alguna vez voy a dejar de estar en guerra conmigo mismo en algún nivel. Sin embargo, lo que sí sé es que el yoga nunca fracasa en ayudarme a negociar una tregua gentil.

Todos tenemos una relación con nuestro cuerpo que se negocia; sencillamente, no todos estamos conscientes de ello de la misma manera. Algunos estamos increíblemente conscientes de ello porque hemos tenido que entablar negociaciones con nuestro cuerpo simplemente para sobrevivir. Resulta que yo tengo una comprensión consciente y un idioma para hablar de esto porque he tenido que examinar mi forma física de una manera muy cruda. Sin embargo, pienso que todos lo hacemos. Algunos lo hacemos con una mayor intención que otros. Algunos, en formas que nos hacen estar completos, y otros, en formas que nos parten por la mitad. Para mí, el yoga fue la única forma que encontré de integrar la compasión con esas negociaciones con mi cuerpo.

Debido a esto, batallo con la falta de conciencia en la cultura occidental dominante del yoga sobre lo mucho que nos cuesta a algunos hacernos visibles, sobre el enorme coraje que se requiere para tener esa negociación en un espacio público y sobre lo que se necesita para hacer que los espacios sean plenamente accesibles al gran número de personas que jamás se sentirán cómodas entrando a un típico estudio de yoga.

Cada vez que entro a un estudio de yoga de la corriente dominante en Estados Unidos, me siento bombardeado por el énfasis en los espacios hermosos, en los atuendos hermosos y en los cuerpos hermosos. Siento el peso de los mensajes constantes de que el yoga tiene que ver con posturas increíblemente complicadas que solo un cierto porcentaje de las personas podrá ser capaz de hacer alguna vez. Me enfrento con la inaccesibilidad financiera de las membresías, con las clases con costos prohibitivos, y con la peor inaccesibilidad de todas, la de enfrentarse con lo que se siente entrar con grasa debajo de las uñas, caminar con botas de trabajo pesadas y ruidosas sobre los pisos pulidos, y ser recibido asumiendo que debo ser nuevo en el yoga porque no me veo como alguien que lo practique. Y cada vez que tengo que batallar con la existencia de un espacio físicamente seguro para poder cambiar en él, en 9 de 10 ocasiones, no lo hay. Cuando me he acercado a los estudios en relación con el tema de dar clases y proporcionar espacios a personas *queer* y trans, he tenido que escuchar: "¡Todo mundo es bienvenido! No necesitamos una clase separada para personas *queer* y trans". Sin embargo, no puedo ni siquiera ponerme mi ropa de yoga de forma segura para llegar a la clase.

Aunque de algún modo logré navegar por todos estos obstáculos, existe una traba igualmente difícil cuando trato de adentrarme en mi cuerpo al tiempo que enfrento un nuevo ataque de lenguaje inaccesible de parte del instructor. Estoy escuchando un lenguaje sobre el cuerpo de los hombres y las mujeres que niega mi existencia. Estoy escuchando "si eres un practicante avanzado…" en lugar de "para aquellos que quieran una mayor sensación…" o "para entrar en otro nivel…". Si ese siguiente nivel consiste en poner las piernas detrás de la cabeza y los dedos gordos en los oídos y contonearte sobre tu trasero, estoy dispuesto a hacerlo, pero no se debe llamar a eso "avanzado".

Porque mi estado avanzado implica estar aquí. Traspasé todas esas barreras personales y culturales y me presenté. Les garantizo que estar en mi cuerpo —tan tenso y tan rígido y tan aterrorizado como estoy— y flexionarme hacia delante y tener una conversación con los dedos de mis pies a una distancia de 20 centímetros es algo bastante avanzado. Si todo lo que el yoga representa es poder ser capaz de lanzar las piernas detrás de la cabeza sin que se requiera ningún tipo de presencia emocional, entonces hemos alejado al yoga de su verdadera intención.

Mi más profunda esperanza es que las voces de los marginados –aquellos que están practicando yoga y aquellos que podrían estar practicando yoga– se escuchen a medida que continuamos dando pasos hacia delante y que la comunidad dominante del yoga en Occidente pueda adaptarse y cambiar. Lo que no quiero es que el mundo de la corriente dominante del yoga nos haga un espacio en sus versiones de yoga. Lo que quiero es que nuestras experiencias moldeen y cambien la forma como el yoga se practica en la actualidad. Quiero que nos sintamos cómodos entendiendo el yoga desde una perspectiva de personificación y servicio. No quiero ser invitado a integrarme. Lo que quiero es un llamado y una invitación a un proceso universal de bienvenida y de transformación radical.

A pesar de toda la curación que me han traído la meditación, el budismo, el programa de recuperación de 12 pasos y la terapia que utiliza la experiencia somática, hasta el día de hoy, cuando coloco mi frente sobre el tapete en la postura del niño para comenzar mi práctica de yoga, esta postura se convierte en el único lugar en el que en verdad me he sentido presente físicamente en mi cuerpo, y completamente en casa. La postura del niño es el lugar al que siempre acudo, y donde, sin falla, escucharé esa amorosa y suave voz de la divinidad que me dice que soy amado, que soy necesitado, que soy deseado.

Teo Drake es activista espiritual, educador, budista y yogui practicante, y también es artesano que trabaja con madera y acero. Está afiliado a Off the Mat, Into the World y a la organización Transfaith. Cuando este hombre obrero trans con identidad *queer* que vive con sida no está ayudando a que los espacios espirituales sean más acogedores e incluyentes para personas *queer* y transgénero, o a las personas *queer* y trans a encontrar senderos espirituales auténticos, puede encontrársele enseñando artes marciales, yoga y carpintería a niños.

www.rootsgrowthetree.com

Foto del autor cortesía del autor.

Joni Young

De tener confianza en mi cuerpo a sentir inseguridad, y viceversa

Soy una mujer asiática de baja estatura, de mediana edad y de apariencia promedio… Y de algún modo me he perdido en un mar de yoguinis rubias, de piernas largas, de veintitantos años de edad y con aspiraciones de convertirse en modelos. Se me está dificultando un poco descubrir el lugar al que pertenezco.

Sí, he tenido ciertos problemas de autoimagen a lo largo de los años, con los intentos usuales de resolverlos. Dietas de choque. Membresías en gimnasios por aquello de las resoluciones de Año Nuevo. Fuertes inversiones en prendas negras para mi guardarropa.

Hace más de veinte años me bajé de la rueda del hámster cuando hice de la salud y la buena condición física una parte permanente de mi estilo de vida. Desde entonces, he tomado miles de clases de yoga en más de cien estudios de yoga, he corrido al menos cincuenta maratones en más estados que los que la mayoría de las personas han visitado en toda su vida, y he recorrido más kilómetros en bicicleta que los que hice en auto el año pasado. También adapté una dieta pescetariana; o sea que, según mis palabras, comer todo lo que no tenga pies. Así que probablemente ustedes asumirán que tengo una buena condición física y que me siento confiada respecto a mi apariencia y a quien soy. Y hasta hace quizás cinco años habría estado de acuerdo con ustedes en todos los sentidos.

Sin embargo, gracias al yoga mi autoestima ha tenido un serio desplome.

Mis primeros días sin preocupaciones

Nacida en Los Ángeles a finales de la década de 1950 e hija de padres filipinos, mis primeros recuerdos son los de ser la niña que no encajaba del todo: desde ser la única niña asiática en mi clase de kínder hasta ser la única niña que no podía hablar tagalo en mi clase de segundo grado cuando mis padres se mudaron de vuelta a Filipinas.

Sin embargo, para cuando pasé a tercer grado me había integrado bastante con el resto de mis compañeros. Me veía, hablaba y actuaba como todos los demás. Pronto vinieron las inseguridades propias de la adolescencia relacionadas con la imagen: lentes de fondo de botella en quinto grado, dientes chuecos en sexto grado y una terca obesidad infantil cuando estaba en séptimo; pero todo se resolvió durante el verano previo a mi entrada a la preparatoria cuando me puse lentes de contacto y frenos y tuve un doloroso caso de paperas debido al cual no pude comer nada durante una semana. ¡Resulta gracioso cómo la Madre Naturaleza supo darme lo que quería cuando lo quería!

Dicen que tus años de adolescente son los mejores años de tu vida. Y debo estar de acuerdo: podía comer todo lo que estaba frente a mis ojos y jamás lo notabas gracias a un feroz metabolismo que quemaba todas las calorías antes de que las ingiriera siquiera. Ah, la juventud perdida.

Arriba y abajo en la montaña rusa de las dietas

Después de graduarme de la licenciatura en Ciencias Informáticas en la UCLA, entré a formar parte de la fuerza laboral como programadora a fines de los setenta. Luego de varios años de vivir plantada frente a una pantalla de computadora, me di cuenta de que mi ropa ya no me quedaba como antes. Me inscribí en un gimnasio y pronto estaba cantando el mantra de Jane Fonda que dice que "sin dolor no hay ganancia", pero todas esas clases de aerobics pronto pasaron de moda y dejé de asistir. Recuperé dos kilos y medio, pero no había razón para obsesionarme con ellos; tenía un empleo remunerado y acababa de comprometerme con mi novio de toda la vida. La vida era buena.

Cuando llegó el momento de comprar mi vestido de novia, decidí que no quería ser recordada toda la vida en las fotos de mi boda con una apariencia regordeta, así que adopté una dieta de choque y perdí esos dos kilos para el día de mi enlace matrimonial. Y rápidamente los recuperé para cuando habíamos regresado de nuestra luna de miel un mes después.

Estar embarazada fue un gozo porque no solo no tuve náuseas matutinas sino que, en verdad, creía que estaba comiendo por dos, lo cual hice con gusto. Para cuando di a luz a mi primogénita había subido veinte brutales kilos. Para cuando cumplió un año había perdido la mayor parte de ese peso, simplemente para subir otros 18 durante mi segundo embarazo. Después de una serie de breves intentos de hacer dieta —baja en grasas, alta en proteínas, baja en carbohidratos, alta en fibras—, todavía era dos tallas mayor de lo que quería ser. Sin embargo, mi papel como madre trabajadora mantenía mi mente en otras cosas, así que con el tiempo acepté mi nueva apariencia regordeta.

Un día, mientras comíamos en la oficina, un compañero de trabajo y amigo cercano me comentó que había notado que me gustaba mucho comer alimentos fritos y repletos de azúcar. Siendo tan inteligente, ¿cómo podía seguir comiendo cosas que me matarían? Después de todo, mi padre había tenido un derrame cerebral, mi madre tenía gota y ambos eran diabéticos. Si seguía comiendo como lo venía haciendo, había grandes posibilidades de que terminara con los mismos problemas de salud que mis padres. Cielos.

Reduje los alimentos fritos, comí más vegetales, me inscribí a otro gimnasio más, y al cabo de un año había perdido tanto peso que estaba más delgada que en el día de mi boda. Todo lo que tenía que hacer era comer de forma sensata y hacer ejercicio con regularidad, y el peso se haría cargo de sí mismo. ¡Genial!

La guerrera de fin de semana

Falté al trabajo un día para ir a esquiar con mi ángel guardián de vida saludable y un amigo mutuo. Emocionados por la altitud y las condiciones de velocidad, los dos hombres decidieron, por puro capricho, competir entre sí en el maratón de Los Ángeles que se avecinaba. Voltearon a verme: ¿Estaría interesada en escalar mi rutina de ejercicios y entrenar con ellos? Les dije que estaban locos, y en vez de eso compré una bicicleta y conduje a su lado para hacer ejercicio mientras ellos corrían de un lado a otro por el camino de la playa, kilómetro tras kilómetro tras kilómetro.

Era fantástico tener un mentor en la oficina que estuviera al pendiente de mi forma de comer y de mis hábitos de ejercicio —y de mis recaídas—, pero la verdadera prueba vino un año después, cuando cambié de trabajo. Esta vez iba por mi cuenta.

Por cosas del destino, tuve una breve conversación con una mujer que conocí en el gimnasio. En una de esas pláticas usuales de "quién eres y qué haces como pasatiempo", mencionó que acababa de correr su primer maratón y que se estaba entrenando para escalar hasta la cumbre del Monte Whitney. Vaya. ¿Esto venía de una mujer ligeramente pasada de peso a quien yo había catalogado como una persona sedentaria? Tomé esto como un desafío: si ella podía hacerlo, yo también. La cumbre del Whitney, que se encontraba a 4 400 metros de altura, era demasiado alta para esta acrófoba, así que opté, en su lugar, por hacer la carrera a nivel del mar. Ella corría con un grupo de entrenamiento para maratón cuyo registro abría en un mes. Sabía que si en ese momento no actuaba, jamás lo haría.

Me quedaría corta si dijera que la mirada en el rostro de mis amigos maratonistas finalistas fue de shock cuando les hablé de mi más reciente empresa. Así que, para asegurarse de que no me echara para atrás en mi plan, decidieron registrarse en el mismo grupo de entrenamiento para el maratón y correr la carrera conmigo. En marzo de 1994, todos cruzamos la línea de meta del maratón de Los Ángeles: ambos me vencieron por una hora, pero eso no importó. Podía decir que había finalizado un maratón ¡y tenía una nueva medalla reluciente para probarlo!

Con el tiempo, expandí mis horizontes y viajé por todo el país para experimentar diversos maratones, incluso, firmando como miembro del 50 States Marathon. Mis aventuras como corredora me llevaron al norte a Fargo, al sur a Nueva Orleans, al este a Bar Harbor y al oeste a Maui. Y, todavía más al oeste, a Nueva Zelanda. Dondequiera que iba, veía a mi alrededor y me daba cuenta de que los corredores eran de todas formas y tamaños: jóvenes, viejos, altos, bajos, delgados, gordos y de cualquier color de piel imaginable. En el esquema general de las cosas, mi apariencia y mi velocidad eran bastante promedio, pero seguí adquiriendo confianza en mí misma a medida que visité nuevas ciudades, conocí nuevas personas y probé las maravillosas delicias locales. Estaba disfrutándolo al máximo.

Yoguista por accidente

Dicen que las cosas malas ocurren por una razón.

Era diciembre de 2004 y acababa de recibir noticias de mi jefe de que sería despedida. Excelente forma de fastidiar mi plan navideño, me quejé. Pero, una vez más, en esencia significaba que tendría vacaciones ilimitadas durante las fiestas. Así pues, ¿qué debía hacer? Tomé a dos de mis amigos y nos dirigimos a Yosemite para tener algo de diversión invernal.

Era nuestro primer día en las pendientes y todavía estaba tratando de acostumbrarme a mis botas nuevas para esquiar cuando ocurrió. Los tres estábamos bajando de la telesilla —dos nos fuimos a la izquierda y el tercero se fue a la derecha— y como su ski estaba plantado encima del mío, se llevó mi pierna derecha con él mientras mi cuerpo giraba hacia la izquierda. Hubo un breve momento de pánico mientras trataba de sacar mi ski de debajo del suyo. Y luego, pum, me caí.

El ligamento cruzado anterior, o LCA, es uno de los ligamentos estabilizadores de la rodilla. Me di cuenta casi de inmediato que estaba en problemas cuando el agradable hombre de la patrulla de ski me ayudó a ponerme de pie, me preguntó cómo estaba, y mi rodilla respondió doblándose. "Probablemente te desgarraste el LCA –dijo posteriormente el doctor de la clínica de Yosemite mientras me entablillaba la pierna. Una vez que llegues a casa, hazte una revisión".

Como debía comenzar de inmediato el proceso de recuperación, hice algunas llamadas telefónicas. Con un golpe de suerte y mencionando los nombres apropiados, logré hacer una cita con uno de los mejores cirujanos ortopedistas de Los Ángeles. Escaneó mi rodilla y declaró que se trataba de un desgarre total del LCA, y programó la cirugía para el mes siguiente, una vez que la hinchazón hubiera cedido.

La rehabilitación comenzó casi inmediatamente después de que pasaron los efectos de la anestesia quirúrgica. Paquetes de hielo, bicicletas estacionarias, máquinas de pesas, ejercicios estáticos, lo que fuera: quería regresar a correr y tachar los puntos que me faltaban en mi lista de cosas por hacer. Las palabras de despedida de mi ortopedista durante una visita postoperatoria fueron: "Querida, no más maratones para ti. Quédate con las carreras de cinco kilómetros". Obviamente no me conocía, porque poco tiempo después viajé a Dakota del Norte y corrí otro maratón.

La hinchazón en mi rodilla posterior a la operación siguió cediendo, pero la flexibilidad regresó lentamente. Solo podía doblar la rodilla hacia atrás hasta llegar a mitad del camino de que mi pie tocara mis glúteos. Sumamente afligida, investigue cuáles eran mis opciones. Había escuchado que el yoga era bueno para sanar lesiones, así que hice una visita al estudio de yoga de mi colonia, me registré para el especial introductorio, y lo probé. Y con el tiempo quedé prendada.

A la atleta que vivía en mí le encantaba cómo se estaban tonificando mis músculos. La paciente en mí amaba la forma como estaba recuperando la flexibilidad. A la aventurera le encantaba cómo, literalmente, podía conducir un kilómetro o dos en cualquier dirección desde casa y encontrar estudios de yoga con una enorme variedad de clases e instructores que se adaptaban a mi estado de ánimo. Para entonces me había asentado en un trabajo como consultora, así que normalmente había dinero en la alcancía para financiar mi reciente obsesión por el yoga. Viajé por todas partes, explorando los 12 300 km² del condado de Los Ángeles. En algún momento le conté a un amigo acerca de mis descubrimientos sobre el yoga y me sugirió que hiciera un blog sobre el tema. Como ya estaba escribiendo en el boletín semanal de mi grupo de corredores, pensé: ¿Por qué no? Así fue como nació mi personaje en línea: la yoguista por accidente.

Escribí sobre los muchos instructores de los que había aprendido y sobre los muchos amigos que había hecho. Yoguis y yoguinis de todos tamaños, tallas, colores y capacidades tenían historias y prácticas que compartir que ayudaron a enriquecer mi propia experiencia de yoga. Con el tiempo, pude dar consejos sobre cómo hablar, vestir y actuar apropiadamente en cualquier tipo de clase de yoga, ya se tratara de vinyasa flow, lyengar, bikram, kundalini, anusara o power yoga.

Blogueé acerca de mi viaje, mis esperanzas y mis sueños, mis luchas, y mis lectores aportaron sus experiencias y consejos. Formaba parte de una comunidad mundial de yoga. Estábamos todos en ella, juntos. Los lectores me escribían y mencionaban lo mucho que habían aprendido de lo que yo tenía que decir. Algunas personas que se mudaron a Los Ángeles de las afueras de la ciudad dijeron que habían encontrado su nuevo estudio-hogar a través de mi blog y me agradecieron mi consejo.

Tuve la fortuna de vivir en Santa Mónica, la capital emergente del yoga del mundo occidental. Yo era un manual de referencia de blogs sobre yoga, y eso me dio un sensación de satisfacción porque había trabajado duro para ganármelo. Estaba tan involucrada en la cultura local del yoga, que el editor en jefe de la revista de yoga más grande y con mayor influencia de la ciudad se puso en contacto conmigo para que me uniera al personal editorial. Aceptar su invitación fue la cereza del pastel.

El rostro cambiante del yoga

Cinco años más tarde, después de llegar al final de un contrato de consultoría en TI y de no ser capaz de encontrar un trabajo adecuado debido a la recesión, intenté ganarme la vida haciendo algo, lo que fuera, relacionado con el yoga. Y fue entonces cuando comencé a ver los horribles puntos débiles de la industria.

El yoga se ha convertido en la nueva tendencia de moda del ejercicio. Celebridades de cine y estrellas de rock llenan las páginas de los tabloides fotografiados saliendo de clases de yoga. Constantemente estoy rodeada por jóvenes hermosas en su Lululemon talla 0. Gracias al mundo altamente competitivo en el que vivimos, el yoga también se ha convertido en un concurso de belleza y en una competencia atlética.

Incluso se ha llegado a un punto en el que el yoga se ha vuelto cuestión de atractivo sexual, donde las yoguinis compiten por superarse unas a otras en clase. Las clases de yoga ardientes siguen inundando el mercado, donde las estudiantes van por ahí modelando en *tops* muy reveladores y shorts ajustados. Algunas veces me pregunto si usan ropa tan reveladora porque el yoga es ardiente, o eligen hacer yoga ardiente de modo que puedan ponerse ropa reveladora. Independientemente de eso, a cualquier mujer de mi edad debería revocársele el permiso de hacer yoga por pensar siquiera en tratar de competir con ellas. Así que ni siquiera lo intento.

En lugar de alcanzar la iluminación, la meta de los yoguis supuestamente consumados es obtener espacios en portadas de revistas o en las páginas de anuncios. Hace algunos años me topé con un llamado abierto a yoguinis "de apariencia promedio" para una línea de ropa. Creyendo que yo era el epítome de lo promedio, me presenté, simplemente para encontrarme rodeada de toda una habitación llena de una hermandad de chicas que practican yoga. Oh, y también un yoguini muy famoso. No volvieron a llamarme. No me sorprendió. Dispuesta a establecerme incluso en un trabajo que pagara el mínimo ya que escribir blogs no pagaba las cuentas, presenté mi solicitud en distintas tiendas de Lululemon. A pesar de tener los antecedentes ideales —yo era una yogui y corredora experimentada, y tenía una enorme experiencia que me respaldaba—, jamás me llamaron para una segunda entrevista. ¿Acaso fue porque era demasiado baja, demasiado vieja, demasiado regordeta, demasiado étnica, demasiado arrugada, o no lo suficientemente animosa?

Ser capaz de ejecutar sorprendentes equilibrios con los brazos o flexiones hacia atrás ayuda a los practicantes a tener puntuaciones más altas en la escala de popularidad de los yoguis. Quienes aspiran a ser estrellas de yoga publican fotos en Facebook para obtener muchos "me gusta" y comentarios sobre lo hermosas y sexis que son. Después de todos mis años de práctica, todavía no puedo manejar ninguna postura que me haga parecer como un pretzel humano haciendo equilibrio. Las personas descubren que hago yoga y me piden que demuestre mis habilidades. Tristemente, nadie parece interesado en mi miserable savasana.

Sin embargo, ¿acaso el yoga consiste únicamente en eso? ¿Es a eso a lo que supone que debo aspirar? ¿Alguna vez alguien recibe un cumplido por lo calmado y enfocado que se ha vuelto? ¿O cómo pueden abstenerse de poner los ojos en blanco cuando están rodeados por todos esos yoguis que gritan "volteen a VERME"?

Encontrar mi voz

De algún modo me encontraba en medio de una crisis de identidad. Después de todos los años en los que estuve inmersa en la enseñanza y práctica del yoga, y después de superar mi época de hacer dietas y finalmente aceptar mi apariencia, ¿cómo fue que terminé sintiéndome tan inadecuada en tantas formas?

Deseaba arrastrarme nuevamente a la sombra, donde no importaba si era una persona de apariencia regular. En lugar del torso largo y delgado que parecía ser un requisito entre los yoguis populares, constantemente trataba de ocultar mi corta y gruesa sección media. Además, me sentía totalmente frustrada cuando, a pesar de todos mis años de tomar clases con los mejores instructores, seguía sin poder lograr simples equilibrios con los brazos. Luego, se me ocurrió: Había vivido una vida plena y emocionante; había viajado por el mundo, educado a dos niños bien adaptados, y sin embargo allí estaba, obsesionándome con mi apariencia. ¿Me había vuelto loca?

Comprendí que el yoga no tiene que ver con observar tu yoga sino con vivir tu yoga. No tiene que ver con cuán hermosa es tu práctica, ni con si eres una agraciada yoguini que se dobla hacia atrás sobre la arena de una isla tropical, o un yogui musculoso que se para de manos en la orilla de la cima de una montaña rocosa. Lo más importante es cómo puedes capturar la paz interna y la conciencia que viene de tu práctica, y que lo compartas para marcar una diferencia en el mundo.

Basándome en mi experiencia con el yoga, en las conexiones y amistades que había hecho a lo largo del camino, en mi necesidad de seguir descubriendo nuevas tendencias y conocer nuevas personas, y en mi capacidad de hablar de forma coherente (al menos, la mayor parte del tiempo), decidí aventurarme al mundo del *podcasting*. En honor a mi no del todo retirado blog, titulé mi *talk show* semanal *Chat de yoga con la yoguista accidental*.

Mi intención es ofrecer un foro a otras personas que viven su yoga: instructores, músicos, cineastas, autores, activistas de la salud y del medio ambiente. Aprendo algo nuevo de ellos cada semana. Tengo la esperanza de que mis escuchas aprendan algo también. Cultivar una audiencia puede convertirse en un concurso de popularidad, pero creo que la conversación inteligente vence al parloteo descerebrado. Esta es mi oportunidad de sobresalir, de forjarme un nombre por mí misma. Y quizás, incluso, tratar de tener un ingreso decente haciéndolo.

Así pues, ¿significa esto que dejaré de tomar clases de yoga en público? En lo absoluto. Ya sea en un estudio de yoga, en la playa o en un festival en la cima de una montaña, seguiré siendo esa mujer asiática de apariencia promedio, edad mediana y baja estatura en ese mar de yoguinis rubias de veintitantos años que aspiran a ser modelos. Y vaya que me siento orgullosa de ello.

Joni Yung incursionó por vez primera en las redes sociales de yoga cuando comenzó su blog, *La yoguista por accidente*. Años más tarde, se metió de lleno cuando se unió a la revista *LA Yoga* como colaboradora, asumiendo posteriormente la función de editora en jefe. Ahora está profundamente inmersa en la cultura y comunicación del yoga y es anfitriona de un *podcast* semanal, *Yoga Chat with the Accidental Yoguist*, donde presenta entrevistas con instructores, músicos, sanadores y defensores de un mundo más limpio y más saludable.

www.yogachatshow.com

Foto de la autora por Sarit Z. Rogers.

Parte tres

Cultura y medios de comunicación

En esta sección se analiza el papel de la cultura dominante y los medios masivos al moldear nuestra imagen corporal. Una mirada a las formas en que una práctica de yoga puede sanar las fracturas de la imagen corporal no estaría completa sin un análisis de la cultura del yoga. Diversos colaboradores examinan el "lado negativo" de la cultura del yoga y la manera en la que replica las imágenes de belleza imposibles y hasta tóxicas de la cultura dominante. Al final de esta sección se habla de cómo practicar yoga puede disminuir este ruido cultural; se argumenta que si cultura es lo que hacemos, podemos crear un cambio hacia un estándar de belleza que se adapte a todos.

Melanie Klein comparte su historia de aislamiento y de insatisfacción con su cuerpo, influenciada por sus familiares, compañeros y por la cultura mediática. Anclada en el resentimiento y la vergüenza, salió en busca de autenticidad, aceptación y autovaloración. Con el tiempo, ese camino la llevó al yoga, y su práctica se ha enlazado con su conciencia feminista y su imaginación sociológica, y le ha permitido reconectarse con su cuerpo y combatir las expectativas dañinas (y distorsionadas) de la belleza.

A no ser que compitiera como atleta, Rolf Gates sentía que era un "sucio secreto" en los Estados Unidos de los blancos. Su historia incluye un relato de recuperación de una adicción y de cómo la meditación y el yoga lo ayudaron a construir una nueva conciencia de sí mismo. Al escribir sobre la comunidad, la cultura y el cambio, desafía a la cultura del yoga a practicar lo que predica, a ir más allá de sus dolores de crecimiento y crear un espacio consciente para la sanación.

Nita Rubio habla las formas en que el cuerpo femenino es cosificado en una cultura patriarcal que despoja a la mujer que habita ese cuerpo de la propiedad y la autoridad sobre él. Comparte su reencuentro con un lugar en el que es capaz de crear una relación con la sabiduría profunda del cuerpo femenino, e ir más allá de la "mirada masculina", a un punto de reverencia y belleza de dentro hacia fuera.

Seane Corn comparte sus experiencias como modelo de portada de yoga, y el escrutinio y las proyecciones culturales que conlleva. Como una de las primeras sensaciones internacionales del yoga, ha envejecido públicamente y ha sido confrontada por la rampante discriminación etaria que aqueja a nuestra cultura. Relata cómo ha combatido las trampas del éxito y ha podido evolucionar hacia un ser auténtico, enfocado en lo que hace más que en su apariencia, y el ejemplo que eso puede dar a otras personas.

Chelsea Jackson narra el dolor de sentir que no encajaba cuando comenzó a practicar yoga. A pesar de haber deseado salirse de inmediato en su primera clase, se comprometió con su práctica y aprendió a aceptar y abrazar su cuerpo, a verse a sí misma como suficiente, a no ver su cuerpo como carga o inconveniente, y a usar el yoga como herramienta de resistencia contra una cultura acostumbrada a excluir y borrar las experiencias y las voces de las minorías.

En entrevista con Melanie Klein, Alanis Morissette transmite sus experiencias en el proceso de llegar a la adultez, transición que puede ser un gran desafío para cualquier adolescente, y que aumenta todavía más cuando se hace a la luz de la industria del entretenimiento, que trata al cuerpo con mordacidad, provoca vergüenza ante la gordura y vigila en todo momento. Morissette comparte su lucha contra un desorden alimenticio, su compromiso con la terapia y el crecimiento personal, y la guía que le dio el yoga en su integración, conexión y equilibrio.

Melanie Klein

¡Al diablo con sus estándares de belleza!

La mayor parte de mi vida me sentí fatal en relación con mi cuerpo.

Desde los 10 años y hasta casi llegados los 30 estuve resentida con mi cuerpo y batallé con él. Mi cuerpo no se comparaba con el de la mayoría de las mujeres pequeñitas que hay en mi familia. No estaba al mismo nivel de los estándares de belleza absolutamente ridículos y unidimensionales de la cultura dominante. Mi cuerpo representaba debilidad, flojera, falta de autocontrol y una desventaja en el departamento de la genética. Muy pronto aprendí que la belleza era una bestia a la cual tenía que vencer para sentirme bien conmigo misma. Y tenía que vencerla a toda costa porque, hey, baby, tú lo vales.

Raíces de vergüenza

No ayudó haber heredado la estatura del lado paterno de la familia. Di el estirón a temprana edad y siempre que los maestros nos formaban por estatura fui la segunda niña más alta de mi clase (y siempre me sentí aliviada de que la otra chica siguiera siendo una pulgada más alta que yo durante toda la primaria). No solo era incómodo sacarle una cabeza al resto de mis compañeros de clase, sino que era como un reflector no deseado dirigido hacia mí en una época en la que la mayoría de los niños solamente quieren camuflarse.

Mi madre y las mujeres de su familia eran todas diminutas, con pies pequeños, manos pequeñas, hombros como de pajarito y cintura pequeñísima. Eran "flores delicadas" cuyo placer era recordarles a las personas su condición de *petite*. No creo que alguna de ellas hubiera pesado más de 50 kilos (y alegremente promovían esa cifra con regularidad ferviente), y todas medían por debajo de 1.57 metros. Desde que entré a cuarto año se referían a mí como una chica "de huesos grandes", "sólida", "grande como el otro lado de la familia", y con la necesidad de "perder unos cuantos kilos". Con una estatura de 1.60 metros y un peso de 59 kilos, yo era una "amazona", ese pobre bicho raro de la naturaleza que había heredado el conjunto equivocado de genes.

Yo sabía que ninguno de estos comentarios era un cumplido. De hecho, la mayoría de las niñas pequeñas secretamente quieren mentar madres cuando una tía o un amigo de la familia fastidioso anda merodeando y dice: "Dios mío, ¡esta niña está enorme!". "Enorme" y "niña" no compaginan muy bien en nuestra cultura. Sin embargo, no tenía la confianza o los medios para decir: "¡Basta, basta, basta! ¡Deténganse! ¿Que no saben todos que están hablando de mi cuerpo justo frente a mí? ¿No saben que sus tonos son, o bien burlones, o están plagados de preocupación por mi tamaño? ¿Que no saben que esta clase de plática relacionada con el cuerpo me convierte en un objeto y me hace sentir como basura?" .

Nop, yo estaba demasiado enredada en mi propia vergüenza y culpa relacionada con mi cuerpo. ¿Por qué, oh, por qué no había sido de baja estatura, delgada "natural" y con una estructura ósea delicada? Yo quería ser baja. Quería ser delgada. Quería desaparecer.

El proyecto corporal

Como ocurre con muchas niñas y mujeres, el cuerpo era una fuente de ansiedad y vergüenza para las mujeres de mi familia. El éxito ("¡perdí cinco kilos!") y el fracaso ("¡subí cinco kilos!") de sus "proyectos corporales" eran un testimonio de su fuerza de voluntad, una medida de su valía personal y un barómetro de su autoestima. Como en el caso de Las Plásticas en *Chicas pesadas* (2004) o en el de Carrie, Miranda y Charlotte de la serie *Sex and the City* (Samantha no tenía problemas con su cuerpo y lo dejó claro), las niñas y las mujeres que me rodeaban escudriñaban de forma abierta y rutinaria su cuerpo (y de pasada el de otras personas) como un mecanismo de vinculación y un rito de hermandad superficial.

Burlarse del cuerpo y hablar sobre la gordura era una especie de charla de compenetración que las unía en la eterna "batalla de las protuberancias". Y esta clase de charla de compenetración no es privativa de mi familia; es un tema común entre muchas niñas y mujeres en la cultura contemporánea. Aunque el peso no es el único aspecto que conforma nuestro proyecto corporal (podemos lamentarnos del tamaño y la forma de nuestros senos, de las pecas y arrugas de nuestro rostro, y del color y el volumen de nuestro cabello, etcétera), ciertamente es un punto focal.

Recuerdo haber ido a la fiesta de cumpleaños de una compañera de clase en un restaurante de pizzas y centro de entretenimiento de nombre Chuck E. Cheese, ubicado en el desarrollo urbano del Valle de San Francisco. Por todas partes había charolas de plata extragrandes, producto de una estridente fiesta de pizzas para una niña de 11 años de edad. Jennifer y yo teníamos glaseado embadurnado en nuestras playeras Rainbow Brite, y nuestros vientres pequeños, redondos y preadolescentes, llenos de pizza y pastel, apenas eran contenidos por la pretina de nuestros jeans de imitación de diseñador. La mamá de mi amiga —una exreina de belleza que adoraba las píldoras de dieta y los martinis— nos apartó para recargarnos en su huesudo pecho. Nos apretó muy fuerte con sus brazos delgados y llenos de joyas, mientras los niños pasaban corriendo a toda velocidad en busca del pastel de cumpleaños. Con una tristeza genuina en su voz, la mujer nos dijo: "Ustedes dos siempre tendrán que batallar con su peso". ¡Hablando de cosas pesadas!

Debes sufrir para ser hermosa

Ser niña parecía algo abrumador. No recuerdo haber escuchado a las mujeres con las que crecí decir nada positivo sobre su cuerpo. No había ningún sentido de asombro o gratitud en lo referente a su cuerpo. Y nunca las escuché estar agradecidas por su salud, por la capacidad de su cuerpo o por sus habilidades físicas. Lo que sí escuché fue una gran cantidad de insatisfacción en forma de obsesión y quejas.

Abiertamente se quejaban de sus defectos y se burlaban de los defectos de otras personas. Desde las "chaparreras" y las codiciadas "piernas largas y esbeltas", hasta los "abdómenes de lavadero" y las "cinturitas de avispa", cada parte del cuerpo podía ser evaluada y convertirse en un obstáculo potencial en la búsqueda de la belleza. Y la belleza no era una hazaña fácil. Tenías que trabajar por ella.

Recuerdo haber hecho una mueca de dolor y lloriqueado una mañana cuando me sujetaron el cabello hacia atrás dejándomelo muy apretado, y luego me lo cepillaron para que quedara perfectamente suave y con coletas moldeadas y restiradas. "Tienes que sufrir para ser hermosa", me dijeron en respuesta a mi protesta. Me lo dijeron en broma; pero cada broma contiene una semilla de verdad, y yo jamás olvidé dicha declaración.

Tienes que ser disciplinada. Tienes que ejercer fuerza de voluntad. La mente por encima de la materia (¡ignora tu hambre!, ¡ignora tu dolor!). Vas a sufrir. Sin embargo, si tienes éxito, tu belleza (léase: tu figura esbelta), no solo será un testimonio de tu valor social, sino que será evidencia de tu disciplina y tu fuerza de voluntad. Solo aquellos que son superiores en mente y en cuerpo, en fortaleza y en voluntad, en deseo y ejecución saldrán de la batalla como triunfadores.

Y en el juego de los números, si sucumbías ante algunos cientos de calorías extra, si no podías deshacerte de esos cinco kilos que te sobraban, o si habías aumentado una talla de vestido, no solo te habías desviado de la norma cultural de belleza, sino que habías demostrado ser débil, indisciplinada y mala. Hablamos de alrededor de unas cien formas de matar tu autoestima. Me sentía derrotada.

Si no puedes unirte a ellos, mándalos al diablo

La secundaria es una cloaca de inseguridad, baja autoestima y crisis de identidad. Por lo menos, así fue para mí. Era como si alguien le hubiera subido el volumen a las inseguridades y a la vergüenza que tenía en relación con mi cuerpo. En cuanto a los senos en desarrollo, a las caderas y a la menstruación, había carretadas de cosas que podían salir mal e incontables razones para sentirse muy mal consigo misma.

Yo era tímida e introvertida. No quería que me vieran, y mi lenguaje corporal lo hacía evidente. Me ponía blusas holgadas y mis hombros estaban tan encorvados que prácticamente me volcaba sobre mí misma. No me malinterpreten; hice algunos intentos para entrar en línea, pero no fui muy exitosa que digamos. Me rociaba brillo en el cabello para obtener esos tan socorridos destellos besados por el sol. Comencé a experimentar con rímel, me aplicaba sombras mate en los párpados y me abrillantaba los labios. Comencé a rasurarme las piernas y utilicé crema blanqueadora para aclarar mis pecas.

El club "hermosa es igual a delgada" era exclusivo. Parecía que jamás avanzaría más allá del cordón de terciopelo. En ocasiones me acercaba mucho, pero nunca logré ponerme al lado de la gente hermosa, de aquellos que aparentemente no tenían nada de qué preocuparse en el mundo. Y como yo pensaba que el hecho de adaptarme a la norma de belleza automáticamente se traduciría en felicidad, quería entrar. Me sentía enferma y cansada de sentirme mal conmigo misma. La falta de fuerza de voluntad y la fallida dedicación a mi proyecto corporal me condujeron al terreno de las "llantas" extra, y esos kilos de más colorearon la mayor parte de mis días en formas menos que alegres. Ahora pensaba que si tan solo pudiera perder cinco (o diez) kilos, finalmente sería feliz. Pero en lugar de encontrar el santo grial de la pérdida de peso, encontré el rock punk. Era 1985, tenía 13 años y estaba llena de resentimiento y enojo. Mi angustia era tan grande y estaba tan reprimida que me sentía a punto de reventar. Inmediatamente, el mensaje, el sonido y el estilo de la juventud proscrita y vagabunda que quería poner de cabeza a la sociedad dominante resonaron en mí. Incapaz de unirme a las personas flamantes y felices a las que envidiaba, me uní a la muchedumbre enojada y peleonera en los espectáculos y fiestas punk que se llevaban a cabo a lo largo de la parte sur de California. Desde sitios como el Fender's Ballroom, en Long Beach, y el Country Club, en Reseda, hasta fiestas en patios traseros y edificios abandonados, encontré a un grupo de agitadores al que me imaginaba pertenecer. Cuando no pude unirme a las filas de los populares y vanguardistas de la escuela, simplemente los mandé al diablo.

Emanciparse de la esclavitud mental

Raparme y teñirme el cabello décadas antes de que el hijo de Gwen Stefani, Kingston, mostrara su cresta de mohicano a los 4 años de edad sin llamar la atención de demasiadas personas, fue liberador y anticorriente dominante. Sin embargo, al cabo de un par de años la emoción y la satisfacción de alinearme con esta contracultura pendenciera se volvió insulsa. Comenzó a parecer todo, menos transgresora.

Hace diez años, cuando terminaba mi primer año como profesora universitaria, un estudiante me regaló una película. "Profesora Klein, por alguna razón con esta película me acuerdo de usted". Observé la copia de *SLC Punk* que había colocado en mi mano. Llegué a casa y me dispuse a disfrutar de 90 minutos increíblemente divertidos e introspectivos. En la película, ambientada en Salt Lake City en 1986, Stevo y Heroin Bob eran de los pocos *punks* retrógrados en un país mormón altamente conservador. Lo que me impactó fue que los personajes ficticios presentados en la película fueron sacados de la realidad que había conocido en mi propia vida, aunque a unos cuantos miles de kilómetros de distancia. Llevaban puesta la ropa, o el uniforme, que mis amigos y yo vestimos durante esa misma época. Desde la música, los comportamientos y los cortes de cabello hasta los calcetines negros, mi vida y mis amigos durante ese período fueron idénticos. No solo éramos idénticos a esos personajes o caracterizaciones, sino que éramos idénticos unos a otros. Y esa era exactamente la razón por la que el escenario punk y en general el "movimiento alternativo" en aquel tiempo parecía tan limitante.

Éramos drones y esclavos de la conformidad al interior de nuestra propia contracultura alternativa. Quizás les mentamos la madre a los vanguardistas y a los atletas que despreciábamos por acatar las expectativas de la corriente dominante, pero nos pusimos límites a nosotros mismos y a los miembros de nuestra comunidad. Jamás nos atrevimos a ponernos algo que pudiera ser considerado fuera de onda por nuestros camaradas punks. Después de estar dos años en el grupo, di un paso atrás y vi que todos nos veíamos, sonábamos y actuábamos de la misma forma. Simplemente, estábamos atrapados en otra caja cultural.

Se trataba de la era previa al Riot Grrrl; antes de que un grupo enfurecido de jóvenes mujeres atrevidas tomaran sus propios micrófonos e instrumentos y desafiaran la forma en la que la comunidad *punk* reproducía el sexismo y la misoginia de la corriente dominante. Yo no contaba con el lenguaje adecuado para hablar de estos temas en 1988, pero lo que sí notaba era que no solo éramos réplicas unos de otros, sino que los estándares de belleza de la corriente dominante que con tanto entusiasmo yo había rechazado estaban presentes en un grupo de personas que, yo pensaba, habían rechazado la propaganda de esa corriente. Las chicas *punk* más populares y más buscadas también eran las más delgadas y menuditas, descritas como "lindas" y "bonitas". Haciendo a un lado sus cabezas rapadas y sus mohicanos, se veían espantosamente similares a las porristas que brincaban en los campos de futbol y a las modelos que aparecían en los anuncios publicitarios.

Al final de *SLC Punk*, la enamorada de Stevo, una niña rica de nombre Brandy, lo cuestiona sobre su mohicano azul. Le pregunta si está tratando de expresar una declaración política, porque para ella ese aditamento significa algo mucho más profundo que una moda desprovista de cualquier filosofía anarquista. Le dice que la liberación y la libertad no son auténticas cuando son dictadas por el mundo exterior. El final de la película simplemente confirmó lo que yo había sentido décadas atrás. El escenario *punk* no era la respuesta a la liberación que estaba buscando.

The F-word

"No eres tú. Tú no eres un caso aislado.
Es algo sistemático y se llama patriarcado".

—Pat Allen

En 1994 aterricé en Sociología de las Mujeres, una clase que se ofrecía como optativa en la universidad comunitaria local en la que me había inscrito después de vivir una larga temporada en Hawái. Cuando no encontré la libertad que tanto había anhelado huyendo despavorida de Los Ángeles con 50 dólares en el bolsillo, volví a casa en la mañana del terremoto de Northridge y regresé a la escuela.

Afortunadamente para mí, me había inscrito en la clase de Pat Allen. Pat era una mujer radical de sesenta y tantos años de edad que dirigía el salón de clases con un medallón que colgaba de su cuello que decía: "La guerra no es buena para los niños ni para otras criaturas vivientes". Sermoneaba con más gusto, autoridad y confianza que cualquier mujer que yo hubiera conocido. Yo estaba completamente embelesada y cautivada, al tiempo que quedaba fascinada durante cada una de sus clases. El mundo fue transformado. Mi paradigma cambió de ser uno en el que veía mis problemas de imagen corporal como asuntos aparentemente personales a otro donde los entendía como problemas públicos que eran (y son) de naturaleza sistémica. En pocas palabras, la que pronto sería mi mentora —con toda su feroz personalidad extraordinaria— había encendido mi "imaginación sociológica". Y era claramente feminista.

Mi educación sociológica y feminista incluía una dosis saludable de alfabetización mediática, un campo de estudio que apenas comenzaba a florecer en aquella época. Recibí las herramientas ideológicas y el conjunto de habilidades necesarias para deconstruir imágenes mediáticas y comprender el papel de la industria de la publicidad en la creación y fabricación de estas corrientes interminables de mensajes que inundan el panorama cultural. Esto me permitió examinar mi relación de tortura con mi cuerpo en una forma sistemática y estructurada, disipando las nubes de vergüenza y de culpa que seguía en todos mis movimientos.

Quizá mi cuerpo no tenía nada de malo. Tal vez había algo de malo en los mensajes que propagaba la cultura de los medios de comunicación dominantes; mensajes distorsionados y poco realistas que estaban aumentando sus ganancias gracias a mi inseguridad y a los problemas de imagen corporal de las niñas y mujeres que me rodeaban. (El objetivo de los medios masivos de comunicación de dirigirse a los problemas de imagen corporal del cuerpo masculino no se inició de forma seria sino hasta varios años más tarde). Comprender que yo no era el problema fue un alivio, y al final resulté liberada. También me dejó profundamente molesta.

Bienvenida a tu cuerpo

El feminismo liberó mi mente. El yoga liberó mi cuerpo. Una cosa es intelectualizar el amor por uno mismo y otra encarnarlo. Dos años después de que me topé con la puerta del feminismo, descubrí el yoga. Después de años de ejercicio compulsivo y punitivo, de una restricción calórica severa, de brotes de atracones y purgas, y de desayunar malteadas para adelgazar, me di de frente con una desafiante pero dulce clase de yoga dirigida por Bryan Kest en un antiguo estudio de danza en el centro de Santa Mónica.

La práctica y la retórica de Bryan sacudieron mi mente, mi cuerpo y mi espíritu en lo más profundo. Todo lo que sabía sobre mi cuerpo, todo lo que sentía por mi cuerpo y mi charla interna negativa tenía que ver con pasar por un cambio trascendental. Por primera vez desde mi primera infancia, estaba a punto de aprender a sentirme cómoda y radiante con mi cuerpo. Por primera vez en mi vida estaba a punto de aprender a amarlo.

Me acosté sobre mi tapete en un espacio que se convertiría en un excepcional y sagrado recinto desprovisto de competencia.

Un espacio carente de parloteo externo, apartado del mundo de la publicidad, y que habría de aquietar y calmar mi propia crítica interna. Bryan comenzó la primera clase con una invitación a regresar al cuerpo: "Bienvenidos a su cuerpo. Bienvenidos al yoga".

Libertad

Sé que la industria del yoga pudo tener bastante impacto por mucho tiempo reproduciendo imágenes de belleza llenas de todos los -ismos que las empresas dominantes han estado generando en masa y de las cuales han estado beneficiándose desde siempre. Sin embargo, si puedes ver más allá de los concursos de popularidad que se generan en el escenario del yoga y del complejo industrial que se ha edificado a su alrededor durante la última década y reconocer la práctica del yoga como lo que es, verás algo en verdad transgresor, si no es que francamente subversivo.

Yo solía pensar que le estaba mostrando a la sociedad un enorme dedo medio con la uña barnizada de negro a medida que me pavoneaba por las calles con mis Docs y las mallas rasgadas. Pensaba que era desafiante, una auténtica revolucionaria. Acostarme en mi tapete ha sido un acto mucho más liberador y rebelde que cualquier cosa que hubiera hecho o encontrado en esa comunidad en aquel momento.

En un mundo cada vez más mediatizado, en el que los anuncios nos dicen lo que nos falta y cómo llenar ese vacío y elevar la autoestima mediante el uso de nuestra tarjeta de crédito —anuncios que, prácticamente, nos meten por la fuerza en cada superficie disponible donde se posan nuestros ojos—, ¿qué es más subversivo que desconectarse de todo eso? Mi formación sociológica y feminista había revelado esas tendencias perturbadoras de la industria de la publicidad y los medios de comunicación en general, pero el yoga aportó la práctica como una herramienta para ir hacia el interior y diseñar una brújula moral en mis propios términos.

El tiempo que pasaba sobre mi tapete me permitía desconectarme de los ruidos externos, de la cacofonía de voces que competían por atraer mi atención y mi dinero, al tiempo que reforzaba un sentido de identidad ya entonces dañado. Al mismo tiempo, mi práctica de yoga tranquilizó esa voz interna que siempre criticaba cada detalle de mi cuerpo físico. Al unir la respiración y el movimiento con una intención y un punto de enfoque, aprendí a escuchar mi cuerpo, me reconecté con sus ritmos y sus estados de ánimo, y llegué a conocerme de una forma que no había experimentado desde mi tierna infancia.

Y con el tiempo y con la práctica constante, mi paradigma de belleza se expandió y cambió. Sobre el tapete desarrollé la capacidad de tener paciencia, empatía y perdón. Estos atributos contrastan fuertemente con la mentalidad de que "sin dolor no hay ganancia" y con el valor que se da a la competencia en nuestra cultura. Al cultivar estas cualidades y la capacidad de estar presente y de ser (y no por la fuerza), mi relación con mi cuerpo sanó y se transformó. Mi cuerpo ya no era un obstáculo que debía ser vencido o remodelado en el camino hacia la felicidad y el amor. No, yo encarnaba el amor y sentía alegría con cada práctica (y eso jamás se ha desvanecido en estos 17 años). Y no había ninguna cifra en la báscula, ninguna terapia de compras o consumo que pudiera equipararse.

Mi conciencia feminista y mi práctica de yoga me brindaron la capacidad de esquivar con firmeza las ideas represoras y limitantes sobre lo que es bello con un sonoro "¡al diablo con sus estándares de belleza!".

Y hablo en serio.

Una parte de este ensayo aparece en un capítulo más extenso que se publicó originalmente en Carol Horton y Roseanne Harvey, eds., *21st Century Yoga: Culture, Politics, and Practice*, Chicago, Kleio Books, 2012.

Melanie Klein es escritora, oradora y profesora de Sociología y de Estudios sobre la Mujer. Ella considera que el feminismo y el yoga son las dos principales influencias de su trabajo. Está comprometida con la colaboración comunitaria, la elevación de la conciencia y la alfabetización mediática, y trata de facilitar la curación de las imágenes corporales distorsionadas y promover que las personas establezcan una relación saludable con su cuerpo. Es autora de un capítulo sobre yoga, imagen corporal y feminismo en la antología *21st Century Yoga: Culture, Politics, and Practice*, que también se encuentra en *Conversations with Modern Yogis*.

Foto de la autora por Sarit Z. Rogers.

Rolf Gates

Lo que siempre ha sido

Al haber crecido como negro en el Estados Unidos de los blancos de los años sesenta y setenta, no era una expresión de los ideales y aspiraciones de mi país, y este punto me quedó bastante claro una y otra vez en todas las formas concebibles. Mi apariencia era la equivocada, fin de la historia, y eso no iba a cambiar. El mundo en el que crecí quería que las personas con mi apariencia simplemente se alejaran, a menos que jugaran algún deporte. Entonces nos convertíamos en una carrera de caballos valorada, en algo emocionante, en algo a ser observado, admirado y poseído. Esto me parecía un destino mucho mejor que vivir mi existencia como el sucio secreto de Estados Unidos. Mi cuerpo habría de ser un medio para alcanzar un fin. Pasaría mi juventud compitiendo: primero como atleta y posteriormente como oficial militar.

El Buda enseñó que sufrimos porque creemos que lo impermanente es permanente, que lo que no es confiable es confiable y que las cosas que no son el ser lo son. En ningún aspecto de mi experiencia esto se ha vuelto más evidente que en el intento de utilizar mi cuerpo para arrebatar cierto grado de respeto a un mundo que preferiría que yo no existiera. Para cuando tenía 14 años ya había comenzado a utilizar drogas y alcohol para manejar los traumas y las dificultades de mi existencia diaria, y para cuando tenía 26 ya era un alcohólico en tratamiento con todas las de la ley.

Recuperación

Mis primeros días en tratamiento y mis reuniones de los 12 pasos fueron mi primera experiencia de vida fuera de la cultura en la que nací. Lo primero que observas en una reunión de ese tipo es que todos declaran sus ideales y aspiraciones en un preámbulo al principio de cada reunión. Lo segundo, que todo mundo parece más que dispuesto a responder a los principios expresados en ese preámbulo. Como persona de nuevo ingreso, sentía una profunda vergüenza por mi adicción y por el estado mental y físico en el que me encontraba. Esto no parecía importarle a los miembros de las reuniones de los 12 pasos a las que asistía. La suya era una cultura de recuperación y renacimiento, y la posibilidad de mi recuperación era preciosa para ellos. En su mundo, cuando alguien gana, todos ganan.

La expresión y observancia constantes de los principios comunes en las reuniones a las que asistía crearon para mí un contexto en el que pude aprender y aplicar nuevas formas de ser en el mundo. Mi actitud y mis perspectivas pudieron cambiar al interior de una cultura de renacimiento y respeto mutuo. A medida que cambié, la forma como veía el mundo cambió.

Meditación y yoga

Con el tiempo, mi programa de recuperación se convirtió en un programa de conciencia de mí mismo. Una de las primeras cosas que observé después de que se asentó el polvo de mi adicción activa fue que mi cuerpo estaba abrumado con diversos tipos de dolor. Tenía lesiones físicas provocadas por años de utilizar mi cuerpo para probar algo. Tenía tensiones físicas crónicas debido a los traumas emocionales no resueltos de mi niñez y de mi adicción. Y mi cuerpo se sentía adolorido por las tensiones mentales constantes creadas por los hábitos mentales negativos que llenaban mis días. Los programas de 12 pasos recomendaban explícitamente la meditación en su undécimo paso. Después de 18 meses de sobriedad, la adopté. Mi primera experiencia con el yoga fue la práctica de la meditación sentado.

Me sentaba en una silla cómoda —una de mis pocas posesiones durante las primeras etapas de mi recuperación— y ponía una alarma de 15 o 20 minutos. Durante ese tiempo, solía intentar contar mis respiraciones. Esta forma remedial de meditación tuvo un efecto positivo inmediato. El estrés que llevaba cargando en mi cuerpo se cortaba por la mitad durante horas después de haber meditado. Poco tiempo después conocí las posturas de yoga. La idea de moverse en un espacio sagrado de un modo sagrado, al tiempo que incorporaba el entrenamiento en atención e intención de la meditación, me parecía realmente buena. Más adelante las personas llegaron a preguntarme cómo era que alguien que había vivido como lo había hecho yo, que había pasado años dejando a gente inconsciente en los campos de juego y en los de entrenamiento con las fuerzas especiales de la milicia, había llegado al yoga. Si hubieran pasado un solo día en la creciente incomodidad de mi cuerpo cuando estaba al final de mi segunda década de vida, no habrían tenido que preguntar.

A lo largo de los años, la combinación de las posturas de yoga y la meditación sentado ha abordado de una forma más que suficiente el daño mental, emocional y físico que una vida llena de traumas infligió a mi mente y a mi cuerpo. Al principio, simplemente descubrí que me sentía más y más a gusto con mi cuerpo. A menudo he dicho en las clases que imparto que lo primero que observé en relación con el yoga fue que después de practicar las posturas mi sofá se sentía más cómodo. Con el tiempo, esta comodidad física se vio acompañada por una comodidad emocional. Tenía menos miedo y me sentía menos enojado. Con el entrenamiento mental intensivo de los retiros de meditación, había comenzado a aumentar de forma notable mi funcionamiento cerebral general. La empatía hacia otras personas, la imaginación, la creatividad, la capacidad de pensar en las consecuencias de una acción y, lo más importante, la de tener un impulso y no reaccionar ante él, han cobrado fuerza en mi vida. A medida que me acerco a los 50 años, siento como si estuviera en la cúspide de la verdadera sabiduría y compasión.

Comunidad

Cuando llegué al yoga, llevé mi cultura de los 12 pasos conmigo y encontré un espíritu fraternal en la comunidad yogui de mediados de la década de 1990. En aquella época, tanto en el mundo de los 12 pasos como en el del yoga existía una conciencia profunda del número de personas que estaban sanándose de traumas sexuales, así como de otras formas de traumas y desórdenes alimenticios, y que estaban encontrando ayuda al interior de las comunidades. Esta conciencia fomentó un clima de respeto por el espacio y los límites personales, el cual se manifestaba en la posibilidad de una verdadera privacidad en la relación que se tenía con el propio cuerpo. En esas comunidades, tu cuerpo no era asunto de nadie más, y se entendía cuán doloroso podía ser el uso y abuso de tu propio cuerpo.

Como hombre joven y soltero que estaba pasando por las dificultades de mis años de citas, no podía recordar un solo momento en el que hubiera hecho un comentario sobre la apariencia de una mujer mientras asistía a una reunión de los 12 pasos. Esta sensibilidad fue recíproca. Durante esos años, mi autoestima estuvo definida por mi capacidad de vivir los principios espirituales y no por lo que pudiera lograr con mi cuerpo o por la apariencia de mi cuerpo.

Asistí a un entrenamiento para instructores de yoga más o menos unos dos años antes de que el yoga se popularizara a gran escala. Para el verano de 1997 ya tenía siete años de sobriedad y me encontraba de camino a un programa de maestría en Trabajo Social. Mi asistencia a un programa de entrenamiento para instructores con duración de un mes habría de convertirse en unas vacaciones de sobriedad en los Berkshires, junto a tranquilas tardes de verano y con un lago en el cual nadar. No me imaginaba que, en tan solo dos años, todo habría de cambiar.

Cuando miro hacia atrás, puedo ver los primeros murmullos de la corriente dominante del yoga durante ese verano, pero mi experiencia concreta me permite tener una esperanza verdadera respecto al futuro del yoga. En ese verano yo era joven, fuerte y capaz, pero a nadie parecía importarle. Sobre lo que las personas hacían comentarios no era sobre mi apariencia; más bien, a las personas parecía gustarles el hecho de que viviera el yoga con todo mi corazón. La capacidad de lograr tal o cual postura pasaba casi desapercibida. La mayoría de las personas parecía sentir que si su cuerpo podía hacer una postura, fantástico; si no podía, ¿cuál es el problema? Las posturas eran lo que tú estabas haciendo; el yoga era la forma como estabas siendo en la postura.

Me gradué de ese programa de entrenamiento con la creencia de que el yoga me haría sentir más cómodo con mi cuerpo, de modo que pudiera continuar con lo que verdaderamente importaba. Con el yoga pude saborear la vida de una manera más plena. Con el yoga pude sostenerme en las posturas de mi vida, los amores, las labores, los trabajos de creación, con una capacidad cada vez mayor para equilibrar la fuerza con la entrega, la sabiduría y la compasión. Ese otoño me regalaron una nueva cachorra, Max, que corría como el viento por los bosques de la parte oeste de Massachusetts. Mientras caminaba detrás de ella, sabía cómo se sentía.

Hasta ese punto, la recuperación de mi adicción y de la cultura en la que había nacido había sido un estudio de caso de lo que funciona. Había tenido la gracia de vivir en la modalidad correcta de curación en el momento correcto, una y otra vez. Cuando necesité sanarme de la adicción, encontré un programa de 12 pasos. Cuando necesité sanar mi cuerpo y mi relación con él, encontré el yoga. Y cuando necesité sanar mi mente y mi relación con ella, encontré la meditación. En cada caso, la comunidad que rodeaba a la práctica de curación había creado una cultura cuyos principios y acciones estaban alineados con el interés superior del individuo. Luego se presentó una enorme oportunidad: el yoga se hizo popular.

Un cambio enorme

Resulta difícil describir lo que se sentía ser parte de una subcultura muy pequeña que había descubierto prácticas de vida que verdaderamente funcionaban y luego entrever la posibilidad de ver que esas prácticas de vida transformaran por completo a una ciudad, a toda una clase de personas, a una sociedad, al mundo mismo en el que nuestros hijos habrían de crecer. En un período de diez años, en Estados Unidos el número de practicantes de yoga creció de un millón a 24 millones. Para bien o para mal, los miembros de la clase de yoga de 1997 nos montamos en esa ola.

El proceso fue muy parecido a construir una ciudad fronteriza. Utilizas lo que tienes cuando lo tienes. No se piensa demasiado en la planeación de una ciudad, y quién logra regir las cosas es, a menudo, cuestión de quién llegó primero y quién está dispuesto a luchar más fuerte por dirigirlas, en oposición a quién está mejor preparado para hacer el trabajo. En el caso del yoga en Estados Unidos, el mejor método disponible para adaptarse con rapidez a la rápidamente creciente demanda de yoga fue la iniciativa personal y el emprendimiento. La mayor parte del yoga en el país lo enseña un instructor de yoga nuevo que entra a un salón vacío y aprende a hacer que las cosas sucedan. Es una increíble historia de relativamente pocas personas que trabajan en gran medida aisladas para generar una transformación de la sociedad.

En el barullo de esta historia de éxito, las posturas físicas del yoga fueron y son enseñadas con gran habilidad en Estados Unidos a una escala verdaderamente masiva, pero el contexto de curación y la comunidad que lo sustenta se mantienen unidos por principios mutuamente acordados que no fueron ni son enseñados.

Mi primera percepción de esto y del efecto que tendría sobre mi relación con mi cuerpo apareció durante el otoño, un par de años después de que terminé mi entrenamiento como instructor. Había dejado el posgrado para dirigir uno de los primeros grandes estudios de yoga en el área de Boston. Otros dos instructores y yo estábamos trabajando duro para satisfacer las demandas de una comunidad de yoga que parecía estar creciendo semana tras semana. Teníamos poco tiempo para hacer otra cosa que no fuera enseñar, y practicábamos las posturas juntos en el trabajo, entre las clases. Ese otoño pasé una gran cantidad de tiempo observando a mis compañeros y comparándome. Mis dos compañeros eran más flexibles que yo, y comencé a pensar que yo era más o menos promedio. En algún punto, incursionar en las posturas "avanzadas" se había vuelto divertido y, al mismo tiempo, era un indicador de saber mucho de yoga. En aquel momento no cuestioné este cambio; simplemente observé que mis posturas de yoga ya no eran el santuario que alguna vez habían sido.

Al "mercado" –nuestros estudiantes– realmente le gustaba las posturas atléticas, y al brindárselas nuestras clases crecieron a un tamaño sin precedentes. El tamaño de la clase también se volvió un indicador de quién era un buen maestro y quién no. Si dabas clases a grupos grandes, eras un instructor fantástico. Esto se volvió un foco de atención imperioso para nuestros esfuerzos. Impartir clases enormemente populares ponía al instructor en una posición de éxito mundano que no se había imaginado siquiera apenas un o dos años atrás. Contratos para escribir libros, líneas de ropa y franquicias, todo ello estaba a la vista de quienes podían impartir clases masivas.

El emprendimiento que impulsó el crecimiento del yoga también puso al estudiante en la posición de determinar lo que debía enseñarse. Enseñar las posturas sin los aspectos éticos, de actitud y meditativos del yoga permitía que la cultura dominante cooptara lo que ahora se describe apropiadamente como el *escenario del yoga*. Al cabo de apenas unos cuantos años, la comunidad de yoga, como un contexto de curación basado en principios, había dejado de existir.

Creando cultura

Esto ha significado que la inconformidad de nuestra sociedad hacia el cuerpo y las muchas formas en las que esta inconformidad se explota han tenido un acceso libre al espacio del yoga. La aparición del éxito, las clases masivas, las cinturas angostas y las posturas extremas, todo ello ha sido aceptado como la medida del éxito. En muchos casos esto ha servido para amplificar la experiencia de por sí dolorida del individuo con su cuerpo a medida que intenta encontrar la salud a través del yoga. En mi propia experiencia, la popularidad del yoga precipitó un período de cinco años en el que me convertí en un atleta del yoga que manifestaba los mismos patrones de prueba y lucha que había soportado cuando era joven.

Con el nacimiento de mi primer hijo, la reincidencia mental y emocional de mi fase atlética en el yoga no era ya sostenible. Mi corazón anhelaba el espacio de quietud que las personas pueden crear cuando se reúnen alrededor de principios explícitamente acordados. Comencé a asistir a retiros de meditación de forma regular y practiqué nuevamente la modalidad correcta en el contexto correcto. Aunque me llevó años, he podido deshacer gran parte del daño a la relación con mi cuerpo, mi corazón y mi espíritu que mi época en el "mercado espiritual" produjo.

Actualmente siento como si el yoga en Estados Unidos hubiera pasado por los dolores del crecimiento y por las experiencias de aprendizaje necesarias, y yo junto con él. Para "lanzar" el yoga a gran escala se intentó eliminar quirúrgicamente las posturas del resto de la práctica. Ha sido un experimento que se ha llevado a cabo en una fase masiva y en millones de pequeñas fases. Creo que lo que hemos descubierto con este experimento es que si no estamos dispuestos a hacer el trabajo de crear una comunidad de curación, la cultura dominante llena el vacío y no podemos darnos cuenta del potencial de nuestras prácticas de curación. Tomado en su totalidad, el yoga es la oportunidad de sanar con el tiempo todas nuestras relaciones. Todo lo que se requiere es que estemos dispuestos a realizar el trabajo, todo el trabajo.

Una cultura es algo que elegimos para nosotros y para otras personas. Creo que en la medida en que avancemos como comunidad demostraremos que hemos aprendido de nuestros errores y elegiremos de forma sabia. Crearemos una comunidad de curación como la que no podemos imaginar siquiera ahora. La difusión del yoga como un contexto de curación con principios mutuamente acordados se propagará con tanta rapidez como la difusión del yoga como una modalidad de curación.

En mi propia vida, también soy optimista. Creo que soy mejor por haber cometido los errores que cometí y por haber aprendido las lecciones dolorosas que esos errores me enseñaron. Los años más importantes de mi vida están delante de mí, y tengo la oportunidad de tomar lo que he aprendido y llevarlo a mi actividad como esposo, padre y miembro de las muchas comunidades que ahora considero mi hogar. He descubierto que si estoy dispuesto a actuar con sabiduría y compasión hacia otras personas, tendré la capacidad de hacer eso mismo por mí. También ocurre en sentido inverso: lo que sano en mí lo puedo sanar en el mundo. Mi perra Max murió en mis brazos hace algunos años, tras haber permanecido conmigo durante 14 años de enseñanza profesional de yoga. Ahora estoy criando a mi perra Chelsea en los bosques de la parte norte de California. Ella corre bajo los rayos del sol en paz con su cuerpo y con su mundo, y yo estoy más agradecido que nunca de saber cómo se siente.

Rolf Gates, autor de un aclamado libro sobre filosofía yóguica, *Meditations from the Mat: Daily Reflections on the Path of Yoga*, es una voz líder del yoga moderno. Dirige cursos intensivos de vinyasa y entrenamientos de doscientos a quinientos instructores a lo largo de Estados Unidos y en el extranjero. Extrabajador social y guardabosques aéreo del Ejército estadounidense, ha practicado la meditación durante los últimos veinte años, y lleva sus antecedentes eclécticos a su práctica y a sus enseñanzas.

www.rolfgates.com

Foto del autor por Louis A. Jones.

Nita Rubio

Belleza, valor y las raíces femeninas del yoga

—No —dije.

Volvió a preguntarme si podíamos tomarnos un trago y pasar el rato. Mi amiga y yo corríamos para sacar más cerveza de la cajuela de nuestro auto.

Estábamos en nuestras primeras vacaciones de verano después de la graduación, celebrando con nuestros novios. Nos sentíamos libres y maduras, pero rebeldes. Fue una buena época, vista a través de los ojos de la juventud que considera que tiene todo el tiempo del mundo al alcance de la mano. Ni una sola preocupación en el mundo, excepto los chicos que querían beberse tu cerveza (y tal vez más) y se negaban a recibir un no por respuesta.

Aquel muchacho nos pidió una cerveza al menos en diez ocasiones. Sabíamos que estábamos diciendo que no tanto a deshacernos de nuestro precioso cargamento como al trasfondo de "pasar el rato" que venía junto con la cerveza. Era terriblemente molesto e invasivo. No estábamos jugando a la caza del ratón.

Finalmente, dije algo que había dicho antes cientos de veces; algo que siempre parecía funcionar: "Tenemos novio". Eso era todo. Era la kriptonita que hacía que su puño vicioso se aflojara. Cual si hubiéramos utilizado una estaca de madera en un par de vampiros sedientos de sangre, simplemente regresaron a la noche. No pude sentir más que alivio.

Mi amiga y yo regresamos a la fiesta cerveza en mano y nos trepamos al techo de la casa de veraneo con una docena de personas para ver a la banda. Me sentía distraída y agitada. La sensación no se desvaneció. Me senté ahí un tiempo con la ansiedad corriendo cual abejas justo por debajo de la superficie de mi piel. Simplemente, algo no andaba bien, y no podía quitármelo de encima. Luego vino la respuesta como un relámpago: tenía que pertenecer a otro hombre para que mi "no" se tomara con seriedad; para que fuera aceptado y honrado. Mi palabra no era suficiente.

Un despertar espontáneo

Hacerle saber a alguien que tenía novio (algunas veces era verdad, otras no) era un enunciado que había utilizado muchas veces con anterioridad para deshacerme de una atención no bienvenida. Sin embargo, nunca había pensado en ello de esta forma. Era como el golpe de un mazo sobre mi cerebro. Me di cuenta de cuán profundamente estos hombres, la cultura y yo creíamos en la soberanía y autoridad del hombre sobre la mía.

Este descubrimiento definió un cambio irreversible en lo referente a cómo me veía a mí misma en el contexto cultural más amplio. Por primera vez, vi que parte de la forma como las personas me percibían se basaba en estereotipos profundamente arraigados y que se dan por sentados. Así comenzó mi viaje para sanar mi relación con mi cuerpo y para rescatar las formas en las que yo misma me había cosificado como resultado de mi propia inculturación. Ser cosificada y autocosificarme había creado una profunda escisión entre mi mente y mi cuerpo.

Regresar a casa

Varios años más tarde entré a un departamento acogedor y modesto en Silver Lake, California. A la entrada se encontraba un altar dedicado a la diosa yoruba Oshun. En el departamento también había altares dedicados a la diosa egipcia Sekhmet, a la diosa tibetana Tara, y a algunas otras que no conocía en aquel momento.

Había ido a estudiar la Danza Tántrica del Poder Femenino, y esa era mi primera clase.

En aquella época, hace más de 15 años, la palabra *Tantra* no era tan común como lo es hoy en día. Casi nadie sabía qué era la tradición tántrica, incluyéndome a mí. Yo estaba interesada principalmente en las otras partes del título de la clase. Danza. Femenino. Poder.

Mi primer peregrinaje a esta modalidad de movimiento se sentía como un juramento sagrado. Sentí como si finalmente hubiera encontrado una puerta abierta a lo que solo había sabido en momentos muy excepcionales de mi vida: Las mujeres son mágicas. No en balde estaba nerviosa.

Resultó que para tener acceso a esta magia en mi cuerpo necesitaba confrontar (y todavía lo hago) todo lo que existiera en mi mente que fuera en contra de caminar por el mundo liberada de todo autoengaño y de todo odio hacia mí misma. Necesitaba pararme sobre mi propio poder interno en un mundo que no quería que fuera liberada de estas cosas.

De dentro hacia fuera

Esta modalidad de movimiento la creó y desarrolló mi maestra, Vajra Ma. Es una práctica del cuerpo sutil. No existen técnicas, pasos de baile que aprender o un espejo en el cual verte. El movimiento debe venir de un profundo sentimiento interno.

La energía sutil se expresa a sí misma y moldea el cuerpo con gestos y mudras de cuerpo completo (posturas que sellan la energía en una cierta configuración al interior del cuerpo). A través de mi educación continua en los linajes tradicionales del Tantra, aprendí que es precisamente este tipo de meditación y comunicación interna lo que los antiguos yoguinis utilizaban para desarrollar la práctica de *asanas* en el yoga.

Me enseñaron que la práctica de la *asana* originalmente se utilizó como medicina. La medicina debía ser utilizada de ciertas formas, durante ciertos momentos en la vida de la practicante femenina, y en sintonía con la luna, a la cual estamos inextricablemente vinculadas.

Me encantaba aprender sobre la relación entre la sabiduría del cuerpo femenino y la sabiduría del cosmos; que esta relación con la sabiduría profunda al interior del cuerpo femenino y la sabiduría profunda del movimiento del cosmos no eran cosas separadas, y que una mujer puede encontrar su lugar entre la tierra y las estrellas en una forma increíblemente real y no conceptual.

Lo más importante de esta práctica es que era fluida y dinámica. Las energías internas, la sangre menstrual con la que nos sintonizamos en nuestros ciclos, y la naturaleza, todo ello es fluido. Es un movimiento distintivo de las raíces femeninas del yoga. A medida que aprendes a moverte con las energías internas, aprendes a moverte con el flujo de la vida. La belleza emana de aquí porque está profundamente arraigada en el interior.

Belleza, pero no como la que te imaginas

La reverencia por la belleza no es algo nuevo. La belleza ha sido exaltada durante miles de años de acuerdo con los mecanismos culturales y políticos que nos rodean y que definen las normas y los valores morales de una sociedad. Esto también se ha colado en las actuales búsquedas espirituales. Quienes cuentan con la apariencia, el dinero, la confianza y las afirmaciones apropiadas asegurarán su lugar y serán el centro de atención en el club de los populares. Cuando lo hacen, oprimen los botones de "¿somos lo suficientemente buenos?" del resto de nosotros que deseamos ser incluidos.

Hoy en día, los barómetros actuales de ser rico, blanco, popular y delgado se han infiltrado en grandes tradiciones como el yoga y el Tantra, perpetuando todavía más los paradigmas patriarcales de que ser hermoso, exitoso y, sí, consumidor te da valor y valía como ser humano. Eso está muy alejado de las raíces del yoga y el Tantra. Entre más nos alejamos de las raíces, más fácil se vuelve olvidar lo que verdaderamente conforma nuestro valor no solo como practicantes espirituales sino como seres humanos.

Resulta muy interesante que la belleza se encuentre en la raíz de nuestro origen como seres humanos. Se encuentra en la raíz del yoga y el Tantra, y es una gran enseñanza. Sin embargo, actualmente su cadáver yace en las sombras de las marcas comerciales espirituales y en todos los sistemas de valor que se basan en lo exterior.

En la cosmología tántrica, todos procedemos de la belleza. Esta belleza no se basa en una lista estandarizada de perfección. Tampoco hace referencia a un ideal. Esta belleza se basa en el sentimiento. La belleza es una experiencia. El sentimiento es la sabiduría precisa que la belleza sostiene. Cuando nos encontramos con la belleza, nos salimos de la corriente de pensamiento y nos encontramos plenamente en el momento. Piensa en las veces que has contemplado un atardecer maravilloso. No dices cosas como "Vaya, ese fue un atardecer maravilloso; pero el que vi en 1982 fue mucho mejor". No comparamos esta belleza. Su belleza viene de que descansa en su naturaleza inherente.

Como instructora de Danza Tántrica del Poder Femenino, he visto a cientos de mujeres experimentar su propia belleza de esta forma. Su experiencia procede de una aceptación radical e, incluso, una reverencia hacia la inteligencia de su propio cuerpo. Se han convertido en algo más que una lista de puntos de perfección. Al estar completamente inmersas en la naturaleza de quiénes son y de cómo se sienten, se liberan de la corriente de pensamiento crítico y se encuentran con la fuente de su propia belleza interna. ¡Y tienen energía y movimiento! Se trata de un enorme contraste con la imagen bidimensional provocativa y letárgica que vemos en una revista.

La Danza Tántrica del Poder Femenino fue lo que encendió mi pasión por la profunda belleza femenina y el poder femenino auténtico. Encontraba estas raíces de los antiguos yoguinis cada vez que entraba en la danza. Todos los lineamientos absolutamente sencillos de la práctica aseguraban el que yo estuviera continuamente echando mano de mi sabiduría interna, lo cual significaba que tenía que sentir todos los movimientos internos profundos de mi cuerpo. Entre más lo hacía, más conciencia desarrollaba de la inmensidad del territorio que había en mi interior, un terreno que no tenía nada que ver con cómo me comparaba con cualquier modelo de perfección pétrea. Había experiencias dentro de mi cuerpo que afirmaban mi valor una y otra vez. El criterio de valor se basaba en el simple hecho de que mi cuerpo albergaba una cosmología de sabiduría. Esta sabiduría estaba en armonía con mi mente y con una inteligencia que infunde a todos los seres y cosas de una danza vibracional que nos dice que tenemos más en común que los sufrimientos limitados del "yo".

La comunidad de mujeres

No fue solamente mi experiencia interna lo que produjo estas transformaciones. Mi viaje fue profundamente guiado y estuvo vinculado a los viajes de las otras mujeres que acudían a las clases.

La comparación y la competencia entre mujeres es una enfermedad generalizada. No puedo recordar un momento previo a mi despertar durante esas vacaciones de verano en el que fuera alentada a sentir lo que otra mujer estaba sintiendo. No puedo recordar un momento en el que hubiera estado en contacto con mujeres que se sintieran a sí mismas de dentro hacia fuera y no representaran su belleza de la mano de algún tipo de neurosis (como las compras compulsivas o los desórdenes alimenticios). No puedo recordar un momento en el que viera imágenes reales del placer de las mujeres o en el que viera mujeres experimentando su conexión erótica consigo mismas y con la vida en su conjunto.

No, todas las mujeres que conocía, incluyéndome a mí misma, estábamos tratando de encajar en la forma perfeccionada de felicidad que se basaba en una sexualidad identificada externamente, como objetos de deseo. El acto de "ser testigo" de las otras bailarinas (en lugar de observarlas) —una parte importante de la Danza Tántrica del Poder Femenino— fue y sigue siendo una experiencia profunda tanto para mí como para las muchas estudiantes que he tenido a lo largo de los años. Yo lo llamo "deshacerse de lo bonito". Esto es clave para dejar ir todas las formas en las que las mujeres se ven a sí mismas de fuera hacia dentro, así como la reacción visceral frente a la "perfección" que dicta la cultura dominante.

A las mujeres que asisten a mis clases se les anima a permitirse hacer movimientos asimétricos, expresiones faciales que distorsionan el rostro (es decir, ¿realmente pensamos que el rostro de una mujer que tiene un gran placer se ve como el que se muestra en las películas?) y movimientos que "parecen no tener sentido". El resultado es profundo y esotérico. Las mujeres comienzan a tener acceso a un salvajismo que no tiene que ver con la comida rápida con la cual "las chicas se vuelven locas" ni con la sexualidad violenta con la que nos han alimentado los conglomerados de medios de comunicación.

Nuestra naturaleza salvaje no se encuentra en los gestos creados por una cultura que quiere convertir a las mujeres en consumidoras finales diciéndoles constantemente que no son lo suficientemente delgadas, sexis o deseables. Nuestra naturaleza salvaje yace en la experiencia gozosa de ser una criatura de la naturaleza, y en recordar que nosotras somos naturaleza. Nuestra naturaleza salvaje yace en el reconocimiento de que somos libres, estamos vivas y nos estremecemos con las pulsaciones de la vida, no con la emulación de una vida perfeccionada con una sonrisa congelada. Somos carne y hueso, fuego y agallas, saliva y sudor, todo ello envuelto en una perla de una suavidad tan exquisita que avergüenza a quienes buscan el Santo Grial en alguna otra parte.

Cuando nos liberamos de la mirada patriarcal que se posa sobre nuestros cuerpos y nuestras experiencias, las mujeres accedemos a una autorreferencia y a una libertad que nos es innata y natural. Uno de mis momentos más memorables fue cuando una estudiante de mucho tiempo declaró en voz baja que antes jamás se había experimentado a sí misma como su propia guía.

Traicionarme a mí misma

Todo esto existía en esa primera clase a la que asistí años atrás. Fui testigo de una mujer en su danza. Comenzó en una quietud profunda, profundamente conectada con su vientre (el asiento de la Diosa en la tradición tántrica), y ¡vaya que la sentí! Después de un breve instante se había interiorizado tanto que ya no pude reconocer su rostro. Estaba moviéndose y cambiando de forma. Las contracciones en su rostro revelaban que era este sendero de éxtasis, cuya fuente era interna, lo que moldeaba todos sus gestos; gestos que yo reconocía como la raíz de las asanas del yoga según las conocemos en la actualidad.

Estaba transmitiendo poder, y yo recibí curación de ese poder. Era un desbordamiento de su experiencia profundamente sentida hacia la habitación y hacia todos los que estábamos siendo testigos. Quedé asombrada. No sabía que esto comenzaría una curación profunda y que disolvería todas las formas en las que me había visto a mí misma y a otras mujeres mediante la lente de las normas y los estereotipos patriarcales de género.

¿Por qué esta mujer en particular tuvo un impacto en mi cuerpo y despertó este proceso en mi interior? Ella estaba despierta y viva. Estaba embriagada con el poder y el sentimiento de su propio cuerpo. No tenía nada que ver conmigo; sin embargo, tenía todo que ver conmigo. Fue en ese momento cuando algo más salvaje, más primitivo y audaz me atrajo. Fue esta transmisión de poder lo que abrió la puerta para que surgiera la sombra de mi traición hacia mí misma y fuera ofrecida en el altar de la Mujer para su curación.

Durante años había estado traicionándome a mí misma al criticar constantemente mi vientre, mi cabello, mi piel y otras partes de mi cuerpo. La traición se grababa en mis huesos cada vez que me veía en el espejo y consideraba que no era digna de todo lo que la perfección decía que podría otorgarme. Es interesante que cada vez que me veía en el espejo era mi vientre el que recibía más crítica. Ahora, a través de la práctica tántrica, digo que esto es interesante. Sé que el vientre, el útero y la vagina son considerados potentes puntos de poder para las mujeres. Estos puntos de poder habían recibido mis juicios más duros. Estaba traicionándome a mí misma al cerrarme a escuchar el profundo sentimiento de mi vientre y al intercambiarlo por tratar de hacerme más pequeña tanto literal como figuradamente. Ni siquiera puedo recordar cuán joven era cuando esto comenzó. Parece que siempre ha estado ahí, lo cual es una idea escalofriante.

Como un pez que no reconoce que está nadando en el agua, fue solo en retrospectiva como me di cuenta de la profundidad de lo que estaba faltando en mi vida: el círculo de mujeres que podían reflejar mi propia experiencia de mi cuerpo, mi espíritu y mi mente. Ciertamente, jamás había visto cuerpos femeninos "reales". Había sido entrenada, a través de la prolífica red de repetición de imágenes de "perfección" alteradas por Photoshop que aparecen en los medios y en la cultura de las celebridades, para no ver o para rechazar a las mujeres vivas y reales con una inmediatez y eficiencia que resulta alarmante.

Mi sistema de valores se basaba completamente en este proceso de erradicar a quienes no estaban a la altura del estándar cultural de belleza. Si no estaba haciendo eso, pasaba el tiempo comparándome con las que quedaban, tratando de ver dónde encajaba: compitiendo por un espacio. Utilizar el criterio de la "perfección" corporal digitalmente alterada me llevó a desconectarme todavía más de mi cuerpo y a crear relaciones cimentadas en terrenos frágiles y vulnerables. Después de todo, ¿cómo puede ser estable el terreno de una relación cuando se basa en buscar aprobación y admiración externas? Es un caldo de cultivo para un dolor interminable.

Llegar a la integridad

Mi viaje con la imagen corporal y la curación es un viaje de deseo y unión. Abrazar los linajes femeninos reverentes de las corrientes tántricas de vida tradicional fue lo que me brindó una contención y un contexto para convertirme verdaderamente en una mujer con un cuerpo, no en una desprovista de él.

Es interesante que no hayan sido las asanas estáticas, simétricas, equilibradas y bien conocidas las que me ayudaron a sanar mi relación con mi cuerpo. Fueron, específicamente, las raíces chamánicas y femeninas del yoga, la inspiración de practicantes femeninas iluminadas por las autoras Vicki Noble y Miranda Shaw, así como la fortuna que tuve de sentarme con instructoras como

Vajra Ma y Parvathi Nanda Nath, quienes viven este yoga fluido de belleza y poder.

Asana se traduce como asiento. En la tradición tántrica, este asiento es un asiento de poder. Consiste en ser capaz de descansar en el terreno natural de nuestro propio ser y encontrar la fuente ilimitada del flujo de la vida, que se basa en estar en nuestro propio cuerpo. Este flujo vital se llama Shakti, que es poder, energía y está en movimiento. Practicada de esta forma, cada asana te brinda la oportunidad de hacer las paces con tu cuerpo.

Desafortunadamente, las asanas, según hemos llegado a conocerlas, se han alejado de la energía primordial femenina que es Shakti. Apenas se hace referencia a ella, y lo que ha entrado en su ausencia es la rigidez y la esterilización de una práctica originalmente extática de las yoguinis y chamanas.

¿Sigo aún practicando las asanas que prevalecen en Occidente? Sí. Pero lo que viene conmigo al tapete ahora es mi sensación intacta de integridad y valor basada en pertenecer a un linaje de mujeres que han encontrado la soberanía dentro de sí mismas. Llevo mi vientre y mis senos al tapete. Llevo los misterios de la sangre en mi interior. Llevo el amor por la Diosa tal y como Ella ha sido conocida desde el principio de los tiempos. Llevo la sensación de descansar en mí misma y de descansar en cada asana como el asiento de poder.

Veo con ojos críticos cómo las imágenes de las mujeres —incluso en el yoga— siguen oprimiendo el botón de "ser lo suficientemente buenas". ¿Acaso ese botón se sigue oprimiendo dentro de mí? Sí, vaya que sí. Es un botón que ha estado desarrollándose a lo largo de miles de años. Es una bestia. Pero amo a la bestia también. Eso también es la Diosa. Llevo mi devoción a Ella al tapete también. Ella estaba ahí, en las raíces del yoga. La veo ahora defendiendo a las mujeres de mis clases, dándoles opciones de entrar en sus "imperfecciones" y en sus propias "bestias". De decir: "Esto soy yo también".

El yoga es una experiencia de gran riqueza para mí ahora. Lo saboreo por completo, lo digiero a través de mi propia experiencia de éxtasis y permito que mi cuerpo sea un vehículo de inteligencia. Ser una referencia para mí misma y no estar definida externamente es uno de los más grandes placeres que he conocido.

Nita Rubio (Nisha Bhairavi) es una yoguini en la tradición tántrica de Kaula Shakta. Es instructora máster en la modalidad de movimiento sutil del cuerpo, la Danza Tántrica del Poder Femenino©. Personificación, práctica tradicional de linaje tántrico, feminismo y ritual se intersectan en lo que Nita ofrece. Después de enseñar plena de gozo durante más de 17 años, su gran pasión consiste en entretejer estas tradiciones tanto en el salón de clases como en el ámbito personal sin diluir su potencia en una corriente continua de Sabiduría Femenina en Acción.

www.embodyshakti.com

Foto de la autora por John Colao.

Seane Corn

Poder, privilegio y el mito de la belleza

La verdad es que durante mi etapa de crecimiento jamás tuve verdaderamente un problema de imagen corporal negativa. Por supuesto, como cualquier otra chica joven, veía todas las revistas y me comparaba con las modelos y sabía que estaba muy por debajo de las mujeres impresionantemente hermosas que veía. Deseaba tener sus largas piernas, o su cabello largo, suave y rubio, o su rostro perfectamente simétrico y libre por completo de etnicidad.

En diversos momentos quizás observé mi cuerpo y mi rostro y dije: "Probablemente debería hacer algo respecto a eso". "Eso" era percibido como un "defecto" o un "problema". Sin embargo, con gran frecuencia no me molestaba ni me obsesionaba. Las imágenes que nos presentan los medios de comunicación no tuvieron un impacto en mi autoestima como lo tuvieron en la de muchas de mis amigas, en especial aquellas que eran de color o que no eran muy delgadas. Yo era delgada por naturaleza y tenía suficientes cualidades en mi rostro y en mi cuerpo como para incluirme en una parte de ese estándar de belleza que me permitía tener muchos privilegios visibles e invisibles, y como resultado, era un apoyo para sentirme con una buena dosis de autoconfianza y tranquilidad en mi juventud.

Mis amigas, por otra parte, tenían muy pocos o ningún ejemplo de personas con una apariencia similar a la de ellas representada en estas revistas. Podía darme cuenta de que eso las hacía sentirse inadecuadas y no reconocidas, y en el caso de un par de ellas incluso impuso algunos sentimientos profundos de falta de valía que yo no entendía en aquel momento. Varias desarrollaron desórdenes alimenticios, y se morían de hambre para perder peso. Algunas se alaciaron el cabello, se arreglaron la nariz y llegaron al punto de aclararse la piel. De sus paredes colgaban fotografías de las modelos a las que aspiraban parecerse, y pasaban incontables horas tratando de cambiar lo que eran para reproducir las imágenes de estas mujeres, aunque muy seguido eran de otra raza o tenían un tipo de cuerpo imposible.

Ahora estoy perfectamente consciente de cómo estos estándares de belleza tradicionales están específicamente diseñados para cosificar, desempoderar y hacernos sentir, a propósito, que necesitamos convertirnos en algo "mejor", lo cual significa ser algo diferente a lo que ya somos. Estos estándares son racistas, etaristas, avergüenzan a los obesos y raras veces, si es que lo hacen, consideran a las personas con discapacidad. Se usan para manipularnos en muchos sentidos, incluso para separarnos de nuestro dinero —puesto que debemos comprar los productos necesarios para "ayudarnos" a alcanzar nuestros ideales de belleza— y los de otros, perpetuando la jerarquía histórica del poder que ha aislado y oprimido a tantas personas.

Existe un ideal proyectado de juventud y belleza y hemos sido seducidos y manipulados para creer que si encajamos en este ideal seremos más felices, más saludables, más queridos, deseados, y quizás eventualmente amados.

También estoy bien consciente de que, como modelo de yoga en revistas de salud y bienestar, he participado a fin de cuentas en esta proyección y he perpetuado la homogeneización de ese estándar de belleza.

¿Atención positiva?

Mi carrera en el yoga se disparó localmente en 1995, y para 1997 estaba enseñando en todo el país. El impulso fue como el de un tsunami, y yo sabía que no era porque fuera la más brillante instructora que existía. Estaba muy lejos de serlo. Eran muchos los factores, pero todavía no era una buena maestra. De hecho, era joven, insegura e inexperta. También comencé a recibir mucha atención de los medios, tuve una presentación en *The Today Show* y me tomaron fotos para portadas y editoriales de revistas de yoga a los pocos meses de haber completado mi primer entrenamiento como instructora. El rápido éxito tuvo que ver con el momento oportuno, con suerte y, para ser muy franca, con el hecho de que encajaba en cierto molde físico, una apariencia específica por la que las personas parecían sentirse atraídas: era delgada, flexible, fuerte, bonita y blanca. Encajaba en el ideal dominante que podía ser publicitado y utilizado para ayudar a comercializar el yoga.

Aunque me emocionaban las oportunidades que estaba recibiendo y me entusiasmaba verme en las páginas de las revistas, también sabía que estaba perpetuando una percepción poco realista de salud y bienestar basada en mi genética personal. Con el paso de los años, seguí viendo casi de forma exclusiva mujeres de mi color y tipo de cuerpo representadas en las páginas impresas. Me entristeció ver cómo la comunidad del yoga, incluyéndome a mí misma, estaba contribuyendo a los mitos de belleza actuales que desempoderan, subestiman y descartan a la mayoría de las mujeres, tanto a las maduras como a las jóvenes, que no encajan en este ideal de tan pocos alcances.

A medida que el yoga se fue haciendo más popular y comercial, en ocasiones me preguntaba que si uno de los aspectos del yoga tiene que ver con la interdependencia, con la relación y con la unificación de *todos* los seres humanos, entonces ¿por qué no estaba representada esa diversidad en la publicidad? ¿Dónde estaban los ejemplos de las personas de color? ¿Los discapacitados? ¿Los corpulentos? ¿Los viejos? Si el yoga nos enseña a soltar el ego y nuestro apego a la identificación externa, y a buscar el valor en el interior, ¿por qué un ideal físico tan poco realista era el rostro del yoga estadounidense? Esto creaba discriminación y, haya sido intencional o no, reflejaba una imagen de un yoga elitista, excluyente, y que rendía culto a la delgadez y a lo muy, muy blanco.

Cuando aumentó la atención hacia mí y me volví todavía más visible, tuve uno de esos momentos de toma de conciencia: "Vaya, entonces así va a ser esto para mí… Voy a recibir oportunidades y me van a otorgar privilegios que muchos otros instructores, incluso instructores más talentosos que yo, no recibirán, y con gran frecuencia será por mi apariencia". Esta toma de conciencia fue aleccionadora, especialmente porque sabía que tenía mucho más para ofrecer que mi imagen. También sabía que toda la validación y atención que estaba recibiendo era una trampa seductora e increíblemente atractiva, y me puse a pensar mucho en cómo iba a navegar por todo ello.

Tenía un par de opciones. Podía hacerlo personal, hacer que toda la atención girara en torno a mí y alimentar de forma interminable mi ego con todo el supuesto amor y apreciación que estaba recibiendo, o podía trabajar muy duro para desarrollar un fuerte sentido de identidad y ganarme la atención que recibía de una forma auténtica y que honrara a todos los practicantes de yoga. Esto significaba que tendría que seguir evolucionando en mi propio proceso personal, asumir la responsabilidad tanto de mi luz como de mi sombra, y trabajar para convertirme en una instructora elocuente y bien informada.

Con el tiempo también me di cuenta de que podía utilizar la forma en la que me había beneficiado de mis privilegios y usar mi plataforma pública de una manera responsable y redirigir la atención hacia cosas que son mucho más vitales e importantes, utilizando mi influencia para inspirar el crecimiento personal y tal vez, incluso, la acción global. Esta era la única manera en la que podía darle sentido a lo que estaba ocurriéndome. Yo no era modelo, no apostaba a mi popularidad, y no estaba apegada al yoga como carrera. Era una estudiante profundamente comprometida y apasionada, y me di cuenta de que, de repente, tenía un karma interesante que resolver. Quería estar tan consciente en el proceso como fuera posible. Esto incluía observar mi éxito.

Desde el principio entendí que el éxito tenía un flujo y un reflujo, que a menudo depende de los caprichos de las tendencias y de la opinión pública. No quería que mi éxito me definiera ni vivir mi vida obsesionada por mantenerlo. Del mismo modo, no quería que mi belleza o mi juventud determinaran mi valor. Se me había otorgado un regalo y quería utilizar la plataforma y las oportunidades que había recibido con un propósito y para bien. Quería comprometerme conmigo misma en mi práctica personal y enseñar a inspirar el empoderamiento y la curación, pero sobre todo —lo que se ha convertido en mi compromiso de vida— a servir.

Enfoque en el cuerpo

Durante este período temprano de mi carrera, para lo que no estaba preparada era para las proyecciones, para la cantidad de atención y escrutinio que recibió mi cuerpo y para mi reacción ante ello. Me volví muy consciente de mí misma y demasiado consciente de qué partes de mí no eran "perfectas". Una semana antes de una sesión fotográfica comenzaba a inquietarme, y restringía mi ingesta de alimentos y aumentaba mi tiempo sobre el tapete, por ninguna otra razón más que para ayudar a tonificar aún más mis músculos. Estaba consciente de que las opiniones sobre mi cuerpo se incrementarían mientras me siguieran fotografiando y siguiera siendo objeto de consumo para el público, y eso me aterraba. Sentía la presión y la inseguridad que muchas mujeres sienten: que ya no daría más, que no sería lo suficientemente bonita, que no sería lo suficientemente delgada, que ya no sería perfecta. Me sentía inadecuada.

Así que me senté con los sentimientos que surgían. Dirigí mi respiración hacia ellos. Investigar mi relación con la imagen corporal se volvió parte de mi yoga y de mi curación en aquel momento, y trabajé mucho en mí misma para recordar lo que era verdaderamente importante (que, en definitiva, no era el tamaño de mi trasero) y lo que estaba comprometida a defender (la autoaceptación). Decidí que si ser públicamente visible y una "chica de portada" habría de formar parte de mi viaje, entonces necesitaba contribuir de un modo positivo a la forma en la que las mujeres eran percibidas... comenzando conmigo misma.

Una de las cosas que establezco cuando me piden posar para una revista es que no pueden hacerme Photoshop sin mi consentimiento. Esto fue, y sigue siendo, un problema para mí, ya que se trata de un proceso que establece los ideales poco realistas que culturalmente deseamos a menudo y que nunca podemos alcanzar porque son una mentira. Utilizar Photoshop y una buena iluminación crea una imagen que no existe en la realidad. Las mujeres que ves en las revistas no se ven de esa forma en la vida real. Recientemente, me hicieron tanto Photoshop para la portada de una revista que me veo como una niña de 12 años. Mi piel era perfecta, habían añadido brillo a mis ojos y las líneas alrededor de mi boca habían desaparecido.

Puedo entender que me quiten un grano que está a mitad de mi frente o que suavicen las arrugas de la ropa que llevo puesta, pero no me siento cómoda cuando me alteran para verme diferente a lo que soy. Me han hecho Photoshop en el pasado y las compañías para las que he trabajado me han puesto senos más grandes, han disminuido mi cintura, han reducido mis muslos, han aplanado mi vientre, han alargado mi cuello o han hecho más delgada la parte superior de mis brazos. Aunque me siento atraída hacia la ilusión de perfección que me dan, sé que no refleja la verdad de quién soy y de cómo me veo. También han tratado de cubrir la muy notoria cicatriz que corre por mi ceja derecha, una cicatriz que en mi juventud fue una fuente de incomodidad y que solía desvanecer con maquillaje de modo que mi rostro fuera "normal". A los 18 años decidí reclamar esta pequeña imperfección como una parte única de quien soy, y prometí jamás volver a cubrirla.

He tenido que llamar a estas compañías y decirles que no puedo ser representada de una forma que no es veraz. No es lo que yo represento. En primer lugar, aunque quizás puedan gustarme esos senos, no son míos y no son una auténtica representación de quien soy. Ahora, en mis contratos está estipulado que debo aprobar todas las fotografías que habrán de publicarse. En el caso de la más reciente foto de portada, donde prácticamente estoy irreconocible, se pasó por alto lo estipulado y no debió haberse publicado como estaba. Nadie quedó más sorprendida que yo cuando la vi en el puesto de revistas, y me sentí triste al ver mi rostro desprovisto de experiencia, carácter y edad. Utilizar Photoshop es un problema vigente que sigue marginando a las mujeres y perpetuando los mitos y la idealización de la belleza estandarizada. Entre más años cumplo, más me doy cuenta de que el uso de Photoshop se convertirá en un problema cada vez mayor y en algo contra lo que seguiré luchando.

La imagen corporal y el envejecimiento

Como mujer de 47 años, estoy trabajando duro para no permitir que estos estándares de belleza interpreten la forma en la que abordo el proceso de envejecimiento y cómo me siento en relación con mi cuerpo o conmigo misma. Mi intención es abrazar el proceso de envejecimiento de modo que sea una celebración y se dé sin remordimientos, pues si algo me atrae fuertemente es defender mi vida. Siento la presión de la sociedad que dice que envejecer es malo, que da miedo, que es indeseable, etc., pero no quiero participar en este nivel de pensamiento limitado y basado en el miedo, cuyo resultado final es minimizar mi experiencia de la vida.

Muchas personas no creen que me sienta cómoda con el proceso de envejecimiento (entre ellas, un cliente que me regaló Botox y Restylane en mi cumpleaños número 40), y esto es porque existe en las mujeres un estigma profundamente arraigado asociado con el envejecimiento que se ha convertido en norma. Estoy plenamente consciente de que, a cierta edad, las mujeres simplemente desaparecen: nos volvemos invisibles. A medida que nuestro cuerpo cambia, no recibimos el mismo tipo de atención, adoración, reverencia o respeto. Somos marginadas.

En los casi veinte años que he estado enseñando, he aparecido en 24 portadas y en incontables editoriales. El próximo año tendré otras dos portadas. Pienso que es maravilloso estar por llegar a los 50 años de edad y que todavía me pidan estar en la portada de revistas que promueven la salud. Lo celebro. Lo que no quiero es que me representen como una "hermosa" mujer de 47 años porque me hicieron parecer como si tuviera 20; esto minimiza la auténtica imagen de una mujer saludable de 47 años de la cual tengo la oportunidad de ser un ejemplo.

Como líder dentro de la comunidad del yoga y como figura pública, estoy perfectamente consciente de que existe cierta proyección, e incluso expectativa, de verme y ser de una determinada forma física, espiritual y étnicamente hablando. Aunque estoy consciente de ello, elijo que eso no me defina ni vivir mi vida encajando en la proyección de alguien más sobre cómo debería verme, comportarme o ser. He tenido experiencias en las que las personas me conocen y me dicen que soy más baja de lo que creían, o que no soy tan delgada como esperaban, o me dicen que soy "mucho más jugosa" que como me veo en mis fotografías. Dirán en voz baja: "¡No puedo creer que tenga casi 50 años!", como si fuera algo que estuviera manteniendo en secreto. Incluso me han dicho que no parezco judía (mi herencia religiosa). ¿Qué apariencia tiene una judía? ¿Es bueno que no lo parezca? ¿Es malo? Estos comentarios no son abiertamente negativos, pero existen trasfondos inconscientes que retroalimentan ideales y estereotipos en los cuales, con frecuencia, me siento presionada a encajar. Unos ideales que, irónicamente, ¡yo misma he sustentado!

No quiero disculparme nunca por el proceso natural de envejecimiento ni avergonzarme por los cambios inevitables que seguirán llegando a mi cuerpo. A medida que envejezco, veo a mi padre en mi rostro como no lo vi jamás. Le doy la bienvenida a esto. Quiero ser dueña de mis propios cambios, celebrarlos y honrarlos. Espero inspirar a otras mujeres a que abracen su belleza única y permitan que sus cambios orgánicos ocurran con gracia. Tampoco tengo interés en tratar de recrear el cuerpo de mi juventud a medida que envejezco públicamente. Si tratara de encajar en esos convencionalismos y ceñirme a esos ideales, me perdería de las increíbles experiencias que trae el envejecimiento, incluyendo, quizás, una autoaceptación profunda, una empatía procedente del corazón y una sabiduría feroz.

Me gané esta edad. Tengo la fortuna de seguir aquí, en este cuerpo, y espero tener muchos, muchos años más sobre esta tierra para crecer, expandirme y sentirme más realizada. Si eso significa que mi cabello puede adelgazarse, que mis mejillas van a colgarse, que mis senos van a caerse y que mi cintura va a crecer, que así sea. A este ciclo de la vida, que va del nacimiento a la muerte, es a lo que el yoga nos enseña a no apegarnos y, luego, finalmente, a trascenderlo. ¡Es triste que se nos margine cuando nos convertimos en nuestra versión más fabulosa!

De dentro hacia fuera

Así pues, aunque reconozco que estoy en una cultura –y en un negocio– donde existe mucho idealismo corporal y una presión continua para encajar en ese ideal, seguiré trabajando con diligencia para no caer en una proyección colectiva de lo que es la belleza según la han diseñado un grupo de publicistas dedicados a mantenernos inseguras. Para mí, la belleza es un proceso del ser que se irradia de dentro hacia fuera y está directamente relacionado con nuestra capacidad de amar. Me siento contenta de ser una representación de la belleza, pero la belleza no está, y jamás estará, limitada al color de la piel, el tamaño del cuerpo, el género, la edad, la capacidad o la cultura. La belleza es quiénes somos en relación con el espíritu, no con nuestra apariencia externa según la determina la sociedad.

Me disculpo por las maneras en las que ayudé a retroalimentar el mito de que la belleza implica una cierta forma, tamaño y color; ahora estoy contenta de encontrarme en una posición en la que puedo crear conciencia al respecto. Tengo la esperanza de que a medida que crezcamos en la comunidad del yoga (y que el mundo crezca) podremos admitir que hemos sido cómplices y que debemos identificar el amplio e interminable rango que abarca verdaderamente la belleza, y celebrar su rostro siempre en evolución y siempre diferenciado, en especial en nuestras revistas y publicidad. El yoga nos lleva a una relación más profunda con el Ser, pero esto jamás podrá lograrse si seguimos marginando a las personas basándonos en su apariencia. Necesitamos hacer que los estándares de belleza evolucionen para ser más incluyentes y representativos de las múltiples formas, tamaños, colores, géneros y edades que existen. Necesitamos mostrarle al mundo que nos rehusamos a contribuir con la opresión histórica dentro de la publicidad que mantiene a las personas reprimidas, inseguras y separadas.

Ojalá reconozcamos las oportunidades que tenemos como colectivo de cambiar la percepción y trabajemos diligentemente para crear un estándar global de belleza que celebre a *todos* los seres como hermosos. Ojalá nos comprometamos a honrar a cada alma preciosa y única como un ser valioso, honrado y amado… exactamente por lo que somos.

Seane Corn es instructora de yoga vinyasa internacionalmente reconocida y activista espiritual que enfoca sus enseñanzas en el autoempoderamiento, la realización personal y la motivación. Desde 2007 ha estado entrenando a activistas a través de su cofundación Off the Mat, Into the World. También es cofundadora de un fondo llamado Seva Challenge Humanitarian Tour, que representa un innovador esfuerzo de toma de conciencia a lo largo del mundo del yoga, y que ha recolectado de forma colectiva más de 3.5 millones de dólares de ayuda a comunidades internacionales en condiciones precarias. Su serie de cinco DVD y CD de autoría propia están disponibles a través de Gaiam, *Yoga Journal* y Sounds True.

www.seanecorn.com

Foto de la autora cortesía de la autora.

Chelsea Jackson

Demasiado pero no suficiente

En el momento en el que entré en esa habitación caliente me sentí molesta. Cuando vi el reflejo de mi cuerpo de 90 kilos y 1.65 metros de altura y vi a mi alrededor cuerpos sudorosos, blancos y esbeltos, pensé seriamente en enrollar en silencio mi tapete y salir de puntitas por la puerta más cercana. Riéndose, vestidas con sus atuendos deportivos de diseñador mientras saltaban a sus tapetes, en realidad ninguna me dirigió ni una sola palabra, sin embargo en esta ocasión realmente no traté de hacer contacto visual con ninguna. *¿Qué estoy haciendo aquí?*, pensé para mis adentros. Ni siquiera quería ver mi reflejo durante demasiado tiempo porque me hacía entrar en pánico todavía más. Con la mirada puesta en mí, reconocí décadas de dolor y frustración que habían sido ignoradas y hechas a un lado. Ahí estaba yo, en ese salón ridículamente sexy, con una playera talla extragrande que esperaba que fuera lo suficientemente grande como para cubrir las capas de celulitis de las cuales había aprendido a sentir vergüenza mientras crecía.

La verdad es que también quería quedarme tan solo con mi sostén deportivo, pero en mi mente yo era demasiado grande y demasiado oscura en el infinito mar de cuerpos femeninos delgados y blancos. No estaba segura de cómo me verían las personas; sin embargo, una cosa era clara: ya no necesitaba los recordatorios abusivos de mi maestra de gimnasia y de mi entrenadora de porristas de la secundaria diciéndome que no era suficiente.

Había aprendido muy bien por mi propia cuenta el arte de sentir vergüenza de mi cuerpo.

Eres demasiado grande, pensé. *Seguro vas a desmayarte si pasas por esto*. Sin embargo, en lugar de salir corriendo, decidí quedarme. Decidí confrontarme conmigo misma y observar el reflejo de mi imagen. Mis grandes caderas, mis estrías, mi cabello alaciado que lentamente se transformaba en un afro justo delante de mis ojos, todo eso eran cosas que, me di cuenta, resentía en ese momento. Mi cuerpo oscuro era un inconveniente para mí en ciertos lugares.

Para cuando tomé mi primera clase de yoga, mi cuerpo ya había soportado dos décadas de ridículo por ser demasiado grande, demasiado voluptuoso, o por simplemente no ser, digamos, el tipo de cuerpo para los espacios particulares en los que las niñas pequeñas sueñan encajar. ¿Por qué habría de ser diferente el yoga? Después de todo, solo vi una, quizás dos mujeres de color —específicamente en la portada de una publicación de yoga—, con las que me obsesioné antes de armarme de valor para asistir a esa primera clase. Fuera de eso, jamás tuve el placer de ver participar a alguien que verdaderamente tuviera curvas como las mías en un ámbito que pusiera tanto énfasis en el cuerpo como el del yoga. Momentos antes de que la instructora entrara, los recuerdos de mi infancia y de las experiencias que contribuyeron a mi relación con mi cuerpo me convencieron de que mi presencia en ese espacio era un error. Quizás simplemente debía darme por vencida antes de avergonzarme más de lo que ya lo había hecho.

Demasiado pero no suficiente

No era que pensara que podía convertirme en una gimnasta profesional o algo parecido, pero hubo algo en la forma en la que lo dijo que me hizo pensar que jamás sería una opción. Comentarios constantes de mi entrenadora de gimnasia, tales como "Mete ese trasero, Chelsea", me hacían sentir que había fallado. Había fallado sin ningún esfuerzo, salvo haberme metido en el cuerpo de una niña negra. Los recordatorios verbales de mi entrenadora de gimnasia y unas cuantas palmaditas en la espalda me alentaron a reducir mi presencia física para verme como una gimnasta. Hacia la edad de 6 años había desarrollado una relación con mi cuerpo que permitió a otros definir las fronteras que lo rodeaban. Se estableció lo que podía hacer, lo que no debería ni siquiera tratar de hacer y las reglas de dónde era apropiado que se metiera mi cuerpo.

Además de las curvas adheridas a mi cuerpo femenino fuerte y adolescente, mi piel oscura y mi cabello rizado complicaban aún más las formas en las que me veía encajando como gimnasta. A pesar de los incontables esfuerzos de mis padres por rodearme de decenas de muñecas negras Cabbage Patch, la Barbie África e incluso la versión negra de esa extraña muñeca Cricket que habla, las experiencias que viví en la gimnasia los sábados por la mañana enviaban el mensaje de que no pertenecía a ciertos mundos. Los mundos que daban la bienvenida a algunos y avergonzaban a otros me impactaron más de lo que jamás habría podido comprender en primer grado. Practiqué cómo disminuir mi presencia para mezclarme o para hacer que otros se sintieran cómodos, a pesar de lo dañino que eso era para mi cuerpo físico y mi psique. Ya sea haciéndome más chiquita y bajando los hombros en la fotografía escolar de quinto grado para aparecer de la estatura de la mayoría de las niñas de mi clase, o poniéndome dos sostenes deportivos para minimizar el tamaño de mis senos, cultivé la habilidad de disminuirme para poder encajar.

Con el tiempo, rogué a mi madre que descontinuara mi participación en la gimnasia sin entender plenamente o sin poder articular por qué había perdido el interés de pronto. Después, asistí a pruebas para el equipo de porristas peewee de mi distrito escolar, y entre los 8 y los 18 años participé en competencias nacionales y fui capitana de escuadrones de porristas. Mi capacidad para dar volteretas y memorizar porras hizo que mi presencia en los escuadrones de animadoras fuera incuestionable; sin embargo, una vez que entré a la preparatoria me topé con algunos sentimientos sin resolver en relación con mi cuerpo que arrastraba desde mis tiempos de gimnasta de 6 años de edad. A medida que pasé por la secundaria, observé que compañeras y entrenadoras ponían un mayor énfasis en la apariencia física de las porristas. "Pesarse" al final de la práctica de animación y que las medidas se anunciaran enfrente del grupo era una rutina regular y se convirtió en una fuente de ansiedad para mí semana tras semana.

—Una de ustedes pesa, de hecho, 75 kilos. ¡Se están poniendo muy gordas para ser porristas! —recuerdo vívidamente que la entrenadora anunció durante uno de los pesajes. Mortificada por ser la porrista que pesaba 75 kilos, inmediatamente me retiré a mi yo de 6 años de edad que quería abandonar un espacio que rechazaba quién era yo y cómo me veía. Aunque había podido desempeñar el papel de porrista con éxito desde que era niña, estaba comenzando a notar los mensajes enviados durante mis años de adolescencia que me decían que mi cuerpo ya no pertenecía tampoco a ese espacio. A diferencia de mi experiencia como pequeña gimnasta, me quedé. Para finales de mi primer año intenté tener el control de mi cuerpo desalojando lo que entraba a mi cuerpo y viendo cuán rápidamente podía hacer que saliera. El miedo a escuchar que mi peso correspondía al de la chica más pesada del escuadrón rebasó a mi cuerpo, y para evitar este rechazo durante un breve lapso aprendí tanto el arte de morirme de hambre como el de forzar que el alimento saliera.

No era la única porrista en el equipo preocupada por el peso y el tamaño; algunas chicas comenzaron a fumar una vez que se dieron cuenta de que el hábito suprimía su apetito. Algunas aprendieron a comer pequeñas porciones de alimento de una forma verdaderamente lenta, mientras que otras dominaron el arte de saltarse comidas sin que sus familias lo notaran. Lo que hacía que estas prácticas fueran tan perturbadoras y al mismo tiempo sostenibles era el hecho de que muchas de nosotras las practicábamos en conjunto. En una ocasión, cuando pensé que estaba sola en el baño de la escuela durante una fiesta de pizzas del equipo, una compañera del escuadrón estaba en el cubículo de al lado en el baño y escuchó cuando me metí el dedo a la garganta para deshacerme de las múltiples rebanadas de pizza que acababa de devorar. Me dio miedo de que les contara a mis amigas o a la entrenadora; en lugar de eso, me dijo que no lo estaba haciendo bien, y me mostró la forma más eficiente de vomitar.

Mi desorden alimenticio no duró mucho tiempo, pero existió. Existió de una forma que no solo me dañó físicamente, sino que también influyó en las formas en las que después respondería al estrés a lo largo de mi etapa adulta. Por un lado, el estrés de mantener un tipo de cuerpo "aceptable" me catapultó a una falsa sensación de control que era extremadamente restrictiva en términos de lo que comía y de cuánto comía. Por otra parte, la tensión también generó una respuesta que no respetaba los límites saludables, provocando que comiera en exceso y me sintiera culpable de mi decisión más tarde. Esta danza entre demasiado e insuficiente no solo se hizo evidente en mi relación con el cuerpo y con la comida, sino que de igual forma me dejó profundamente desconectada del núcleo de quién era yo y de la raíz de por qué respondía de esa manera.

A lo largo de la universidad y de la adultez temprana el estrés se manifestó por diversas vías. Hubo momentos aparentemente inocuos y fugaces de nostalgia y sufrimiento, y momentos extremadamente traumáticos como el que representó el asesinato de mi mejor amiga, pero en todos mi respuesta ante el estrés fue consistente. Dependiendo del tipo de respuesta que disparaba mi estrés, iba y venía entre el comportamiento de "insuficiente" y de "demasiado". Incapaz de ocultar las consecuencias de esos patrones de conducta, el estrés siempre podía ser detectado porque mi cuerpo se volvía extremadamente delgado o significativamente más lleno. Esta relación volátil y dañina perduró durante la primera parte de mi vida adulta, dejándome con enormes fluctuaciones en mi peso, colesterol elevado y breves períodos de depresión. Para el segundo semestre de mi primer año de universidad me sentía abrumada por mi tamaño y me desanimé cuando no pude seguirle el paso a mi madre durante nuestras caminatas en el parque. Estaba desconectándome de mí misma y anhelaba con desesperación sentirme íntegra una vez más. En realidad, no estaba segura de cómo lograrlo; sin embargo, lo que sí sabía era que quería sentirme finalmente confiada y segura en mi cuerpo con independencia del espacio que ocupara. No fue sino hasta cuatro años más tarde cuando pude entrar a mi primera clase de yoga.

En busca de la integridad

Mi amor por el yoga no fue "a primera vista". No me convertí en su fanática en el primer intento y en el segundo lo practiqué con renuencia. Honestamente, no estaba segura de que fuera algo para mí porque no veía a muchas personas *promedio*, ya no digamos con sobrepeso como yo, representadas en los anuncios publicitarios, en las revistas o en los pocos videos educativos que había visto antes de asistir a mi primera clase. Probé el yoga porque ya no tenía opciones. Ya no tenía formas de descubrir cómo resistirme a los modelos que me provocaban tanto sufrimiento, no solo en mi cuerpo, sino en toda mi vida. Quería ir más allá de simplemente perder peso, y sabía que en el momento en el que me viera a los ojos en esa habitación caliente, el yoga me patearía el trasero forzándome a preguntar: ¿Por qué? ¿Por qué es tan difícil verme a mí misma? ¿Por qué me resisto tanto a esto? Las preguntas internas no paraban durante la clase y yo no podía apagar mi mente.

—Recuerden respirar profundamente mientras se ven a los ojos —murmuró la instructora, moviéndose lento entre las tres filas.

A mitad de la inhalación comencé a preguntarme por qué no había otras mujeres negras, o simplemente personas no blancas, en esta clase conmigo. Luego comencé a pensar que probablemente era contrario a la lógica hacer preguntas en medio de una clase de yoga que tenían el potencial de enfadarme.

—Suavicen su mirada al exhalar —mencionó la instructora mientras se detenía cerca de mi tapete. Estoy convencida de que escuchó la conversación que se desarrollaba en mi cabeza.

"*¿Cómo puedo suavizarme cuando están surgiendo todos estos sentimientos?*", pensé mientras continuaba mi práctica. Mi miedo se fue convirtiendo en enojo a medida que pensaba más en las respuestas a mis preguntas. En ese momento, mi práctica tuvo que ver no solo con la imagen que estaba frente a mí, sino con las otras imágenes similares a la mía que estaban ausentes en la habitación y que podían estar haciéndose algunas de las mismas preguntas que yo tenía. Respuestas a mi yo de 6 años de edad que quería saber por qué su trasero no era *apropiado* y hacía que su entrenadora se sintiera tan incómoda. Quería saber por qué, siendo una joven adulta, todavía seguía sintiéndome como esa adolescente que estaba aterrorizada de ser marginada debido a su tamaño.

Aunque un remolino de emociones recorrió mi cuerpo y mi mente durante esa clase de noventa minutos, también pude tener acceso a un lugar al que nunca había viajado con anterioridad. Era un lugar lleno tanto de miedo como de valor. Era un lugar en el que me sentía tanto vacía como llena. Era un lugar donde el insuficiente y el demasiado existían para mí; pero esta vez no les tenía miedo. Era un lugar que finalmente comenzó a quitar la cortina que cubría lo que había sido la raíz de mi dolor durante tantos años: mi invisibilidad en algunos espacios, que contribuyó a una identidad que siempre estaba tratando de ser aceptada.

"Muestra a un pueblo como una cosa, como una sola cosa, una y otra vez, y en eso se convertirá".

–Chimamanda Adichie

A lo largo de mi vida he experimentado un mundo en el que Claire Huxtable existe tanto en los medios de comunicación como en la vida real; sin embargo, también he estado expuesta a un influjo desequilibrado de sonidos e imágenes que muestran representaciones distorsionadas y fracturadas de las mujeres negras. Además de las imágenes hipersexualizadas que cosifican a las mujeres negras, también hemos sido presentadas como personas que no controlan sus propias emociones y que, por lo regular, recurren a actitudes agresivas o a golpes físicos cuando se enfrentan al estrés o al trauma. Esta narrativa incompleta no solo ilustra una historia desequilibrada, sino que también comienza a construir la ilusión de que esta es nuestra única realidad. Las imágenes se interiorizan, creándonos así una realidad basada en la incompletud.

Incluso mientras atravieso mi segunda década de practicar yoga y de enseñarlo en las comunidades, mi cuerpo sigue siendo cuestionado y desafiado por aquellos que no están acostumbrados a ver cuerpos fornidos similares al mío moverse en determinadas formas. Por lo regular, publico en diversas plataformas de redes sociales fotos y videos de mí misma pasando por las posturas de yoga, y por lo común recibo de hombres y mujeres comentarios sobre lo impresionantes que son mis "movimientos de *stripper*". No es mi intención aquí pintar un panorama que presente al yoga como mejor o peor que la práctica de los *strippers*; sin embargo, la verdad es que no estoy haciendo *striptease*: estoy practicando yoga. Comentarios como estos contribuyen a un discurso que cosifica los cuerpos femeninos negros y cafés en una forma que no solo nos deshumaniza, sino que nos ve a través de una lente sexualizada que raras veces veo utilizada en el caso de los cuerpos femeninos blancos y delgados que practican yoga. Así como ocurría con las críticas hechas a mi cuerpo cuando era una gimnasta joven y posteriormente una porrista, sigo encontrándome con recordatorios de que mi cuerpo puede ser siempre cuestionado. Mi práctica de yoga me enseña la aceptación en lo que se refiere a que mi cuerpo no es un inconveniente ni una carga, sino más bien una oportunidad de reclamar mi posición en cualquier espacio que elija ocupar.

"Cuidar de mí no es autoindulgencia; es autopreservación, y es un acto de guerra política".

—Audre Lorde

Jamás imaginé que mi práctica de yoga pudiera utilizarse como una herramienta de resistencia. A muchas personas puede parecerles contradictorio ver una práctica típicamente asociada con la paz y la quietud como una herramienta para confrontar el racismo, el sexismo y otras formas de opresión. Mi práctica de yoga me hace estar más consciente y me empuja a preguntarme por qué las personas que tradicionalmente han sido marginadas en múltiples comunidades siguen siendo invisibles a lo largo de las páginas de las revistas internacionales de yoga. Mi práctica de yoga me empuja a resistirme al impulso de empequeñecerme como mujer negra cuando recibo críticas por desafiar al racismo. Mi práctica de yoga fortalece mi capacidad de verme a mí misma en otros y saber que las mismas inseguridades que ya tenía como una pequeña niña negra pueden hacer eco en el chico blanco que está junto a mí en la clase y que también ha luchado con un desorden alimenticio. El yoga me enseña la unidad y la aceptación, no solo en mi interior, sino en formas que me conectan también con otras personas.

En ningún momento quiero dar la impresión de que tengo todas las respuestas, o de que ya no experimento dolor, o de que ya no sigo luchando contra la inseguridad. Todavía hay días en los que me veo en el espejo y reconozco a esta joven que jamás estuvo completamente satisfecha con su apariencia. Todavía hay momentos en mi vida en los que mi talla de vestido fluctúa y mi mente trata de convencerme seductoramente de que necesito un ayuno de jugos. Hay días en los que no quiero practicar yoga; sin embargo, lo diferente es que ahora cuento con las herramientas que me recuerdan que soy suficiente en todo momento.

Las personas a las que conozco a través de mi trabajo en *Chelsea Loves Yoga* y en las comunidades me inspiran a compartir mi historia y a fortalecer mi viaje hacia la integridad. Dirijo un campamento de verano de yoga para adolescentes en Atlanta, Georgia, donde las adolescentes practican yoga, leen poesía, crean literatura y dependen unas de otras para procesar sus experiencias vividas. Me inspira el gran valor que tienen estas jóvenes mujeres a medida que utilizan su práctica de yoga para confrontar sus inseguridades, pensar de forma crítica respecto al mundo y cultivar el amor por sí mismas. En su diario se reflejan las discusiones que cuestionan la representación de las mujeres negras en los medios, seguidas por una práctica de series de asanas del Guerrero. Se ha establecido un espacio en el que las realidades no son ignoradas ni arrojadas debajo de la alfombra porque es incómodo discutirlas.

Mi viaje continúa cada día. Cada día representa una oportunidad para practicar algo que aprendí sobre mi tapete en el mundo. Cada día es una oportunidad para conectarme de forma más plena conmigo misma y con otras personas. Cada día es una oportunidad para amarme a mí misma a pesar de todas las cosas que me dicen que no lo haga. Mi capacidad de usar el yoga como una forma de conectarme, especialmente con nuestros jóvenes, me da la oportunidad para amar a mi yo más joven de una manera en la que no era capaz. No porque no quisiera, sino porque simplemente no tenía las herramientas necesarias para resistirme a todos los mensajes internos que estaban influyendo en la imagen que tenía de mí misma. Mediante mi práctica de yoga estoy aprendiendo que, al aceptarme a mí misma, seguiré resistiéndome a todo aquello que trata de alejarme del Ser. Mi práctica de yoga es mi aceptación y mi resistencia. Soy suficiente.

A continuación presentamos una conversación entre la coeditora

Chelsea Jackson es educadora, bloguera e instructora de yoga radicada en Atlanta que trabaja muy de cerca con chicas adolescentes. Es candidata a un doctorado en la Emory University y fundadora de Yoga, Literature, and Art Camp para chicas adolescentes en el Spelman College. A través de su blog, *Chelsea Loves Yoga*, le encanta compartir las imágenes e historias de los practicantes de yoga que tradicionalmente han sido silenciados.

www.chelsealovesyoga.com

Foto de la autora por Valerie C. Jackson.

Alanis Morissette

Encontrar y amar al yo esencial

Melanie Klein (MK) y Alanis Morissette (AM).

MK: A Anna y a mí nos emociona que compartas tu historia y tu sabiduría, Alanis. Nos sentimos obligadas a escribir sobre la conexión que existe entre la imagen corporal y el yoga por muchas razones. Una de ellas es porque muy a menudo escuchamos la frase "Ama a tu cuerpo", pero si no se brindan las herramientas prácticas para enseñar a las personas a hacerlo, la frase queda simplemente como un eslogan vacío. La práctica del yoga ha sido una herramienta que hemos podido utilizar una y otra vez para crear una nueva relación con nuestro cuerpo y nuestra imagen corporal; una relación que sea más amable, más gentil y más tolerante.

Tú eras una persona idónea para este proyecto desde sus inicios. No solo eres una practicante de mucho tiempo, sino que has sido una vocera y una activista persistente a favor de la imagen corporal y una defensora de los derechos de las mujeres. Nos han conmovido tus escritos abiertos y honestos y tu compromiso con la acción.

¿Puedes comenzar hablándonos de tu relación con tu cuerpo durante la infancia?

AM: Mi relación con mi cuerpo cuando era niña fue bastante dulce y pura. Me encantaban los deportes y siempre trataba de estar a la altura de los chicos en un nivel atlético; disfrutaba mucho ser una superdeportista.

MK: ¿Así que eras la tomboy por excelencia?

AM: Lo era, y hacer deporte tuvo un impacto positivo en mi imagen corporal. Mi cuerpo era un vehículo de movimiento y expresión. Era enriquecedor utilizarlo como un instrumento y no solo como un ornamento o un objeto decorativo. ¡Mi cuerpo podía hacer algunas cosas emocionantes!

MK: Eso es fabuloso. Definitivamente, existe una correlación positiva entre los deportes y la autoestima de las chicas. ¿Qué clase de deporte practicabas?

AM: Jugaba basquetbol, voleibol y soccer, y me encantaba jugar. Con el tiempo también entré a natación de competencia, y entrenaba a las seis de la mañana los siete días de la semana. Nadaba, nadaba y nadaba. Posteriormente me invitaron a jugar beisbol y también hubo una beca potencial como pítcher. Definitivamente, tenía la idea de que sería una atleta.

MK: ¿Así que pasaste la mayor parte de tu infancia inmersa en el mundo de los deportes competitivos?

AM: Sí, pero también estaba obsesionada con la idea del baile; baile de cualquier tipo: desde jazz hasta baile moderno y tap. Me di cuenta de que podía moverme en una forma que era entretenida para mí, al tiempo que hacía circular mi sangre y ponía en movimiento las endorfinas.

Sin embargo, el baile representaba desafíos en mi relación otrora positiva con mi cuerpo. Uno de los primeros vino cuando comenzaron los comentarios comparativos tan comunes en el baile. Estas comparaciones negativas me enseñaron que existe un estándar de cómo bailar, moverse y verse. No capté ese estándar conscientemente sino hasta que comencé a ser comparada con otras bailarinas. La emoción de mover mi cuerpo y las cualidades puras y esenciales que se expresaban ahora estaban siendo etiquetadas y criticadas. Fue algo doloroso y confuso.

MK: Ya lo creo que sí. Pasaste de un punto de alegría por estar en tu cuerpo a ser sacada de tu cuerpo y vista como un objeto. ¿Cómo impactó eso en tu obsesión por el baile y en la relación con tu cuerpo?

AM: Fue devastador, y con el paso del tiempo bailar ya no fue divertido. Dejé de bailar cuando tenía 12 años. Sin embargo, la violencia de las etiquetas, la competencia y las comparaciones con un estándar unidimensional no se encuentran solo en el mundo de la danza. En nuestra cultura se encuentran en todas partes. Ese fue solo el momento y el lugar en el que empezaron a invadirme y a entrar en mi campo de visión.

MK: Dijiste que dejaste de bailar a los 12 años debido al ambiente negativo; pero para muchas niñas esa edad también se asocia con la entrada de la pubertad.

AM: Sí, la pubertad definitivamente cambió el juego para mí. A medida que me fui convirtiendo en una mujer, comencé a subir algunos kilos y mis caderas empezaron a hacerse más redondas. En un patriarcado tiene ciertas ventajas ser como un niño, y hasta ese entonces yo podía jugar con los niños: Yo era "uno de los chicos". Como tomboy, mi femineidad estaba oscurecida y me incluían. Los chicos me invitaban a jugar hockey con ellos. Metía una canasta de un latigazo y corría chocando las manos de todos. No solo era incluida y jugaba con los chicos, sino que era buena.

MK: ¿Cómo te sentías en relación con los cambios de tu cuerpo propios de la pubertad?

AM: Hubo cierta negatividad que empezó alrededor de la pubertad y se extendió a la idea de convertirme en una mujer. Para mí, la idea de alejarme de lo que era un enfoque verdaderamente andrógino hacia la vida y entrar a un cuerpo estética y físicamente femenino era aterradora. Ya no jugaba más con los chicos. No era invitada porque, de repente, me había convertido en una chica.

MK: ¿Así que tu cuerpo que comenzaba a desarrollarse, tu forma femenina curveada fue, en esencia, la causa de que te echaran del club de los chicos que tanto disfrutabas y en el que destacabas?

AM: Exacto, y me puse a canturrear.

MK: Una de las cosas que hace de tu historia de imagen corporal algo inusual es tu papel en el mundo del entretenimiento: emerger como una joven mujer para entrar al escrutinio de la opinión pública. ¿Puedes decirnos cuándo entró en tu mundo la música y la industria mayor del entretenimiento?

AM: Yo era una niña tan sensible como precoz, y comencé a escribir música cuando no practicaba deportes o bailaba. Creé mi propio sello discográfico cuando tenía 10 años porque, a diferencia de ahora, las compañías no solían firmar a niños en sus disqueras.

MK: (ríe) ¡Vaya! Sí que eras precoz. Había becas potenciales de beisbol esperando y estabas escribiendo música y formando sellos discográficos simultáneamente.

AM: El entretenimiento y el atletismo eran algo tan querido para mí que jamás pensé que tuviera que escoger; pero llega un punto en el que solo cuentas con determinado tiempo durante la semana.

MK: Y elegiste la música, obviamente.

AM: Sí, elegí la música, y para cuando tenía 16 años mi carrera estaba a todo lo que daba en Canadá y fue lanzada al escrutinio de la opinión pública.

MK: Además de los comentarios negativos en el baile, ¿fue esta la primera vez que experimentaste algo así?

AM: Con esa magnitud, sí, pero el escrutinio negativo comenzó a ocurrir incluso antes de que me volviera altamente visible. Como sabes, las niñas y las mujeres son constantemente observadas y criticadas en la cultura desde todos los ángulos. Con la aparición de la pubertad, ocurrió lo mismo: fui sexualizada, cosificada y, coincidentemente, ya no practiqué deportes. En ese punto, comencé a experimentar comentarios agresivos sobre mi cuerpo y empecé a escudriñarme a mí misma en mi propia cabeza.

Esto se exacerbó una vez que me convertí en un bien público potencialmente publicitable. Me dijeron que si quería tener éxito en la industria de la música tendría que cuidar mi peso y lo que comía. Fue devastador, en especial porque nunca me habían dado ese tipo de retroalimentación. Me dijeron claramente que si no comía menos jamás tendría éxito. Fue solo entonces, mientras mi cuerpo cambiaba y yo estaba adentrándome en mi femineidad, cuando recibí una retroalimentación como esta.

MK: ¿Qué impacto tuvieron finalmente esos comentarios y críticas hacia tu cuerpo, especialmente conforme fuiste surgiendo como una estrella y te volviste más visible?

AM: Bueno, pasé de tener bajo peso a tener un peso promedio; quizás, un poco más. Sin embargo, rápidamente aprendí de mis productores, representantes, compañeros y de las revistas que leía que un pequeño cuerpo de 12 años de edad era el estándar de belleza, y yo ya no encajaba en ese ideal.

Estaba rodeada por algunos de los así llamados mentores, que eran intensos, y por personas que querían explotar mis dones y talentos, aunque lo que sentía y mi desarrollo natural tuvieran que ser pisoteados para hacerlo. La retroalimentación no solicitada sobre mi peso y mi ingesta de comida tuvo un impacto severo en mi autoestima y en mi relación con la comida. Ellos ordenaban una pizza, pero yo no podía comerla. Podía ordenar café, pero no podía pedir crema.

Todas las versiones del hambre conocidas por la humanidad llegaron a mí. Sentía como si tuviera un agujero en mi ser. Siempre tenía hambre: hambre emocional, hambre de contacto, hambre de verme reflejada, hambre de contar con una guía que tomara en consideración mi bienestar, y tenía hambre en el aspecto físico. No solo entré en un estado de ansiedad, sino que mi respuesta fue comer a solas y en secreto, bajo la luz del refrigerador a las cuatro de la mañana, solo para ser reprendida por ello a la mañana siguiente.

Al amanecer, durante los viajes profesionales con personas con las que solía trabajar y viajar, escuchaba cómo abrían el refrigerador y oía crujir los empaques. Monitoreaban y contaban todo lo que había estado ahí la noche anterior y todo lo que yo había comido. Era avergonzada y regañada como si fuera una niña. Sentía que era mala, que estaba mal y que no podía confiar en mi impulso natural. Que no podía confiar en mi cuerpo y en mi apetito. Me sentía fuera de control e indisciplinada, lo cual contrarrestó mi gran fuerza de voluntad y la enorme ética de trabajo que tenía. Era una niña mala, muy mala. Esto nunca tuvo que ver con mi salud; se convirtió en una medida de si era "buena" o "mala". Sin embargo, el mayor mensaje fue que no podía confiar en mí misma: el mensaje más peligroso que puedes enviarle a cualquiera.

Oscilaba entre la anorexia y la bulimia en el péndulo de los desórdenes alimenticios. Solía ganar mucho peso dándome atracones y atracones y más atracones. Luego me daba cuenta de que no debía hacerlo, y me restringía, y mi peso caía de manera drástica en un lapso preocupantemente corto.

MK: ¿Alguien te llamó la atención por esas fluctuaciones rápidas y severas de tu peso?

AM: No. No teniendo ninguna restricción, mi ciclo de atracones y restricciones ocurrió rápidamente, alimentado por mi impulso, por un sentido de perfeccionismo que resulta epidémico en esta cultura, y por los dólares y los estilos de vida que dependían de él. Además, me brindaba un falso sentido de poder y control. No podía controlar el caos, pero sí podía controlar la cifra que aparecía en la báscula. El control era el único modo de operación en el que podía confiar. ¿Qué tengo que hacer para recibir aprobación y que todos ustedes se calmen, con un carajo? ¿Qué tengo que hacer? ¿Bajar cinco kilos? Muy bien. Trataré de hacerlo. Solía restringirme y hacer ejercicio. Necesitaba el control, porque me habían enseñado que no podía confiar en mí misma y había creído que no podía hacerlo.

MK: ¿Cómo fue que finalmente venciste este ciclo increíblemente peligroso y disfuncional, en especial ya que te encontrabas en una industria que permitía y alentaba este tipo de conducta?

AM: En cuanto obtuve mi licencia comencé a conducir yo misma a mis sesiones de terapia en secreto. Había buscado en la sección amarilla un terapeuta que pudiera pagar, y le pagué del dinero que había ganado por haber estado en un programa de televisión cuando tenía 12 años.

MK: ¡Vaya! Eso es increíble y poco común. Pensar que una chica de tu edad y en tu situación tuviera la voluntad y la previsión de buscar ayuda profesional.

AM: No pensé dos veces en hablar con alguien que pudiera ser un maestro y me brindara un atisbo de objetividad y la capacidad de reflejar algo de sabiduría.

MK: Y, obviamente, la terapia te ayudó.

AM: Sí, y leía todo lo que podía ayudarme a dejar de meterme los dedos en la garganta. Leí libros como *The Cinderella Complex: Women's Hidden Fear of Independence* [*El complejo de Cenicienta: El miedo de las mujeres a la independencia*], de Colette Dowling, y *Fat Is a Feminist Issue: The Anti-Diet Guide for Women* [*La gordura es un asunto del feminismo: La guía de la antidieta para mujeres*], de Susie Orbach, y *Making Peace with Food: Freeing Yourself from the Diet/Weight Obsession* [Haciendo las paces con la comida: Libérate de la obsesión con las dietas y el peso], de Susan Kano. En términos intelectuales, estaba equipada para manejar mi desorden alimenticio.

Y sí, logré manejarlo, pero todavía estaba todo este asunto inconsciente desarrollándose, con el cual me ayudó la terapia. Oprimí el botón de pausa en el ciclo de restricción y atracones, pero seguía habiendo mucha ansiedad: ansiedad por estar siendo exhibida y por encontrarme en el extremo receptor del juicio y la envidia.

Con el lanzamiento de mi álbum en Estados Unidos completé el círculo. En muchos sentidos, regresé al tomboy de mi juventud, que me había brindado una sensación de tranquilidad. La androginia siempre me ha salvado la vida. En esencia, regresé al gángster original que siempre había sido.

MK: Ah, así que esto fue alrededor de la época en la que se lanzó *Jagged Little Pill* y apareciste en el video de You Oughta Know con pantalones de piel y cabello largo; es decir, ni siquiera se te veía el rostro en ese video. Definitivamente, no encajabas en los prototipos convencionales femeninos de la cultura pop y del género de videos de la época. Siempre recuerdo cuán profundamente me impactaron en aquel momento esas imágenes de ti: la angustia, el enojo, el desafío de las imágenes estereotípicas de las mujeres y los cuerpos femeninos. Sobra decir que me inspiraba. ¿Cuándo entró el yoga en tu panorama?

AM: Cuando estaba de gira, bombardeada con luces brillantes y la adicción al trabajo, necesitaba encontrar una forma de rejuvenecer y moverme. No podía ir al gimnasio y entrenarme. De hecho, ni siquiera podía dejar la habitación del hotel sin que me reprendieran. El video en VHS de Erich Schiffmann era perfecto. El yoga era algo físico y apacible, y podía hacerlo en la habitación del hotel a solas. Que Dios bendiga a Ali McGraw.

MK: Dada tu historia de haber practicado deportes y baile, ¿cómo te hizo sentir el yoga y qué impacto tuvo en la relación con tu cuerpo?

AM: Me sentía increíble haciendo yoga y estaba completamente inmersa en él. En 1995 comencé a asistir a clases grupales de forma regular en Yoga Works, en Montana Avenue de Santa Mónica. Las personas modificaban su comportamiento cuando llegaba a las clases o a los talleres; pero yo estaba totalmente dedicada a ser un ser humano. Esta práctica regular se convirtió en una de las piezas de un amplio viaje de conciencia e introspección. Me sentía empoderada. Esto era algo solo para mí, no algo que podía hacerse notar o convertirse en mercancía. El yoga me daba la sensación de haber recuperado mi práctica espiritual, que había perdido después de perder la fe en mi educación católica. Me brindaba un ritual y se convertía en mi oración cuando lo practicaba sola, y a la adicta que había en mí le encantaba la adrenalina y a mi chamana le encantaba lo estético.

Sin embargo, me llevó 15 años practicar verdaderamente el yoga. Si no se tiene un enfoque determinado, es muy fácil utilizar el yoga como otra manera de darte una paliza. Como extremista con una personalidad adictiva, solía sumergirme en el yoga y luego dejarlo. Como ocurría con todo lo demás, lo hacía a la máxima potencia. Luego quedaba, o bien adolorida, o se convertía en algo completamente aburrido. Así que lo dejaba por un tiempo y luego lo retomaba.

Sabía que era un terreno resbaladizo y lo que vendría: sería la chica que se clavó en la segunda serie de Ashtanga y que se lastimó. Se necesita ser un viajero espiritual sofisticado para apreciar lo que el yoga realmente ofrece, y yo no era lo suficientemente sofisticada. Se trataba de algo seductor; estaba consciente de que había elementos que me beneficiarían en muchos niveles, y definitivamente estaba obsesionada con ello. Me sentía fuerte. Sin embargo, fue necesario un instructor especial para ayudarme a alcanzar el siguiente nivel y para hacer mía la práctica.

MK: ¿Y quién fue ese instructor?

AM: Mi hermano gemelo, Wade. Él comenzó a practicar yoga cuando yo lo hice, y una vez que lo practicó se metió de lleno. Fue a todas partes, incluyendo a la India, y aprendió lo más que pudo de cada instructor con el que pudo identificarse. Con el tiempo comenzó a instruirme de forma personal, y luego lo comprendí verdaderamente. Me convertí en su estudiante y me ayudó a hacer mía la práctica. Él fue la primera persona en darme retroalimentación sobre esa práctica. La mayoría de las personas me ignoraban porque no se sentían cómodas con que fuera una celebridad. Él fue la primera persona en decirme que tenía una "práctica hermosa". Esto me conmovió mucho, pues había sentido que mi práctica —al igual que mi vida— estaba desarrollándose en un vacío secreto. Comencé a integrar diferentes estilos de yoga. Siendo el Ashtanga la plataforma, comencé a aprender el yoga Lyengar, el Krishnamacharya y Kundalini. Todo ello me encantaba. No juzgaba cuál era "más legítimo" que otro. Desarrollé una relación muy íntima y personal con mi propia práctica. Yo andaba de gira y escribía música, y Wade iba por ahí aprendiendo. Es un instructor muy valiente y volcado naturalmente hacia el estudiante. Luego se reunía conmigo en la gira y me ayudaba a dirigir mi práctica. Yo podía estar en Eslovenia haciendo un show, y él estaba ahí, con el tapete, tras bambalinas. Pude crear mi propio espacio sin ser explotada o criticada. Él había visto todo mi viaje como atleta, como su gemela y como yogui.

MK: Sorprendente. Así que el yoga te brindó un lugar seguro donde podías investigar libre del escrutinio que experimentaste en los demás lugares.

AM: Sí, exactamente, y comencé a hacerme preguntas en el tapete. Si estaba utilizando la práctica como otra forma de darle vueltas a las cosas en la cabeza, entonces era simplemente otra oportunidad de hacer preguntas. ¿Por qué estoy haciendo yoga en este momento? ¿Quiero estar haciendo esto? ¿Por qué habría de pasar por este dolor? ¿Por qué habría de evitarlo? La capacidad de hacer preguntas de ese tipo y detenerme si era necesario fue un don que aprendí de mi hermano. Él era misericordioso conmigo, porque no era una coincidencia que yo hubiera atraído hasta ese punto instructores muy masculinos y muy orientados a "presionarme". Esa era la única forma que conocía de abordar la vida. Recurrí al yoga para tener una experiencia yin, y ciertamente, solía escuchar las bellas citas aforísticas que recitaban, pero al mismo tiempo estaba en el tapete con ellos y tenía una experiencia totalmente distinta. Y era doloroso porque eran instructores; sin embargo, no me sentía amada, elevada, inspirada o llamada a dar lo mejor de mí. Estaba siendo empujada de una forma que sentía antifemenina.

MK: Creo que eso es hermoso: que tu práctica de yoga evolucionara con la ayuda de tu hermano. De hecho, parece que te ayudó a descubrir la esencia del yoga en su forma más pura. ¿Cómo es tu práctica en la actualidad?

AM: Las cosas han cambiado. Soy más vieja y estoy en camino

de ser una auténtica arpía, ¡ja! Como persona que puede ser reconocible, como esposa y como madre, no voy mucho a clases grupales. Estoy aprendiendo a cuidar mejor de mí misma y a escuchar lo que necesito. Algunas veces practico sola en mi casa; otras, practico con mi hermano o con mis amigos. Me gusta mi propia experiencia silenciosa y el tipo de práctica que mi cuerpo me pide en ese día. Tengo un nuevo sentido de percepción, conciencia y curiosidad sobre mi cuerpo, y ahora sigo una práctica hecha a mi medida. Cada vez que estoy sobre el tapete, la práctica es diferente.

Y aunque he afinado la comprensión que tengo del yoga, de su historia y aplicación, todavía tengo momentos de disociación, momentos en los que pienso: "¡Basta! Verdaderamente estaba equivocada. Eso no era lo que yo realmente necesitaba". Sin embargo, mi compromiso con aumentar una atención plena está ahí.

Para mí, el yoga es una forma de ver la vida. Tiene propósitos múltiples. ¿Cómo podría el yoga no incluir todo? Porque lo *es* todo —mi perfeccionismo del día, mi agotamiento, mis proezas, la gimnasta que hay en mí— e incluye todas las sombras. Es la evidencia de si estoy forzando algo, o de que estoy siendo exageradamente flexible, o de que intento ignorar el dolor, o de que estoy nutriendo mi cuerpo. El yoga es físico y espiritual. Es una sintonía con todas las partes que me conforman; es la unidad de ser una persona completa, desde mis huesos, músculos y ligamentos hasta mi corazón y mi intelecto. Y al tocar todos los aspectos de la vida, incluye el aspecto yin de la existencia y del ser: esa parte fue reveladora para mí. Tan pronto como entró en juego el enfoque restaurador del yoga, reconocí que esto es, de hecho, verdaderamente femenino. Siempre había equiparado el yoga, en especial cuando me encontraba en mi segunda década de vida, con lo supermasculino. Al final, tiene que ver con lo que necesitas, con tener el autoconocimiento suficiente para saber qué es: descubrir el verdadero significado y práctica de la moderación y sentirse conectado con lo que se necesita o se desea en un momento dado.

En cuanto a mi tendencia hacia el extremismo en los deportes, la danza, la comida y la música, el yoga no siempre ha implicado moderación. A mediados de la década de 1990 implicaba extremismo para mí porque esa era la lente a través de la cual veía. La moderación es una señal segura de evolución, cuidado de uno mismo y maduración. Actualmente tengo una versión más madura del yoga en mi mente y en mi cuerpo. El cambio paradigmático requirió mucho tiempo. Sin embargo, una vez que empezó el cambio, las cosas comenzaron a aligerarse y a entrar en equilibrio, y me sentí más ecuánime en general, y definitivamente sobre el tapete.

MK: Este cambio de paradigma no solo requiere tiempo: requiere trabajo. Cambiar la percepción profundamente arraigada que tenemos de nosotros mismos no ocurre de la noche a la mañana. Puede ser desafiante y agotador, pero al final vale la pena. ¿Quién no quiere sentirse en paz y ecuánime en su cuerpo y en su vida?

AM: Cierto. Es un proceso que requiere trabajo y atención, una evolución y un análisis constante. El yoga es un amigo querido, y tengo un enorme respeto por la práctica. Es un gran sirviente que se aparece y te pregunta ¿qué está ocurriendo ahora? ¿Qué necesitas ahora? Durante mucho tiempo pensé que tenía que hacer que mi vida encajara en el yoga, pero es completamente al revés. Cuando estoy entrenando para un maratón, tengo una práctica de yoga distinta. Cuando acababa de tener a mi bebé y estaba experimentando la depresión posparto, tuve otra práctica. Cuando estoy de gira y corro por el escenario como loca y mi hermano está ahí, tengo otra práctica. Tiene que ver con la integración y con llegar a la integridad, y con ver, momento a momento, lo que se necesita en el aquí y el ahora.

Todas las partes están uniéndose lentamente en un estado de equilibrio integrado, conectado y entrelazado. Hay una sensación de estar completa y de que no se necesita disculparse por el yo esencial. Ahí está esa mujer idealizada que he estado persiguiendo a costa de pasar por alto todo el tiempo quien yo era verdaderamente en todo momento. Tengo más acceso a todo ello, y ahora estoy rodeada —y no por casualidad— de personas que me apoyan y que aman eso de mí; lo contrario a ignorar, juzgar y rechazar esas partes de mí. Estoy menos fragmentada, y lo que se refleja de mí es menos fragmentado, más amoroso. Más tierno. Y no un momento demasiado apresurado.

Alanis Morissette es una de las cantantes, autoras y músicas más influyentes de la música contemporánea. De sus álbumes se han vendido 60 millones de copias en todo el mundo y le han permitido ganar siete Grammys y el UN Global Tolerance Award. Fuera del mundo del entretenimiento, Alanis es una defensora ávida del empoderamiento femenino, así como del bienestar espiritual, psicológico y físico. Ha contribuido con sus escritos y su música a una variedad de medios, foros y causas; también corrió una maratón en favor de la Asociación Nacional de Trastornos Alimentarios y trabaja con Equality Now. Alanis dirige talleres y tiene participaciones en oratoria y música, y es una conferenciante de primera línea en el ámbito mundial.

www.alanis.com

Foto de la autora por Stuart Pettican.

Parte cuatro

La paternidad y los niños

En esta parte se amplía la visión sobre la influencia del yoga en la imagen corporal para enfocarse en cómo puede apoyar también a los padres, a la paternidad y a los niños. Desde esta perspectiva, comenzamos a ver el efecto del yoga en las familias y las comunidades, lo cual habla de su poder transformador.

Kate McIntyre Clere inicia con una pregunta provocativa: ¿Cómo apoya una madre a su hija para que navegue por un mundo de mensajes mezclados —en el mejor de los casos— acerca de lo que significa ser mujer? Su fascinante respuesta —interpelar a los medios de comunicación a través de su propia contribución— nos pide considerar la manera en que el yoga también puede formar parte de ese debate. Enseguida, Claire Mysko reflexiona sobre la abundancia de mensajes negativos y conflictivos que reciben las mujeres embarazadas en relación con su cuerpo y cómo el yoga la ayudó a pasar por todo ello con mayor equilibrio. Cierra con el potencial del yoga prenatal para apoyar a las mujeres de un modo positivo a lo largo de su embarazo y cómo puede ser parte de un debate más amplio sobre la imagen corporal.

A partir de ahí, la doctora Dawn M. Dalili comparte cómo el yoga la llevó de vuelta a su cuerpo, particularmente durante su embarazo y cuando se convirtió en madre. Utilizando su preparación como médica naturópata, discute también de qué manera el yoga puede formar parte de un enfoque holístico hacia la imagen corporal.

Finalmente, Shana Meyerson comparte su experiencia y sus conocimientos como instructora de yoga para niños. Narra historias procedentes de su actividad como maestra sobre cómo a una edad muy temprana surgen las preocupaciones relacionadas con la imagen corporal tanto en niños como en niñas, y sobre cómo el yoga puede ser parte de la ayuda que requieren tanto para estar conectados con su cuerpo como para sentirse mejor en relación con él.

Kate McIntyre Clere

Mamá vs. medios de comunicación

¡Auxilio!

Estoy buscando formas de guiar a mi hija de 9 años de edad por el panorama omnipresente e invasivo de los medios de comunicación que la socavan, la sexualizan, la trivializan y la bombardean a cada instante.

¿Algún consejo?

Desde suéteres hechos en casa hasta tops con joyas de fantasía

En 1973 yo tenía 9 años. Era la menor de cuatro niños que vivíamos con nuestros padres en un pueblo a la orilla del mar rodeado por el bosque neozelandés. Pasábamos los días andando en bicicleta por las calles, recorriendo las reservas naturales, acarreando troncos para construir chozas, navegando botes de vela en la bahía azotada por el viento y haciendo fogatas en las playas rocosas. En aquella época en Nueva Zelanda había muy poca televisión para niños y por las tardes solíamos sentarnos a ver el único canal de televisión (en blanco y negro), el cual tenía programas como *The Mary Tyler Moore Show*, *I Love Lucy* y *The Brady Bunch*. Para mí la vida era una aventura interminable y todo era posible.

Avancemos cuarenta años y ubiquémonos en el Sydney urbano. Ahora, mi amada hija de 9 años de edad, Miro, toma el autobús para ir a la escuela y está expuesta en su trayecto a cientos de imágenes de mujeres alteradas por Photoshop. A ella le gusta mucho cantar, bailar y ver videos musicales en los que las mujeres representan cualquier cosa, desde supermujeres hasta esclavas sexuales. Miro y yo vamos de compras al centro comercial local donde venden bolsas de mano, aretes, zapatos de tacón, brasieres con relleno y tops con joyas de fantasía para niñas de 9 años. Las portadas de las revistas proyectan sexo, dietas, cirugías plásticas, drogas y cómo ser sexy para tu hombre, creando un lenguaje común para mi hija y sus amigas. En la ciudad difícilmente hay un momento de aire, espacio o tiempo libre en el que niñas y mujeres no observen imágenes de mujeres alteradas según la idea de perfección de un ejecutivo de mercadotecnia. Muchas cosas han cambiado. Demasiadas cosas como para que mi hija lidie con ellas, ya no digamos su madre.

Perdida en el laberinto de los medios

La presión está encima y no estoy segura de tener las respuestas. A menudo me siento abrumada por la responsabilidad de guiarla por este extraño laberinto de influencias, y no me siento lo suficientemente equipada para evadir todas las imágenes de los medios que no hacen nada por afianzar la niñez en desarrollo de Miro o mi vida como mujer. En lugar de salir huyendo a vivir a otra parte libre de estas influencias (si es que ese lugar existe), quiero ayudarla a que aprenda a navegar por ellas. Parece una batalla diaria de "mamá *vs.* los medios de comunicación". ¿Quién puede tener la mayor influencia? El psicólogo familiar Steve Biddulph, en su libro *Raising Girls [Educar niñas]*, dice: "El mecanismo de la publicidad consiste en atacar tu salud mental: en preocuparte. Si quieres venderle productos a una niña, ya sea que tenga 4 años o 14, primero tienes que hacerla sentir insegura: de su apariencia, de sus amigas, de su ropa, de su peso, de su piel, de su cabello, de sus intereses, de su familia o de su capacidad. Las revistas de espectáculos, los anuncios espectaculares, la música, los videos y los centros comerciales vierten este mensaje tóxico en las niñas dondequiera que posan la mirada".[1]

Así pues, ¿cómo nos afecta todo esto? El 80% de las mujeres estadounidenses están insatisfechas con su imagen corporal.[2] Cuando escuché por vez primera estas cifras, entendí que las mujeres nos encontrábamos en medio de una epidemia silenciosa. ¿Con qué contamos para protegernos a nosotras mismas y a nuestro sentido de valía contra este clima de deterioro? Esta incertidumbre también está afectando a nuestras hijas y a su autoestima. De acuerdo con la Encuesta Nacional de Australianos Jóvenes, la mayor preocupación de los chicos entre los 11 y 24 años de edad en el país tiene que ver con la apariencia de su cuerpo, y un reporte reciente descubrió que una de cada cinco niñas de 12 años de edad recurría regularmente al ayuno y al vómito para perder peso.[3]

Hallar el camino de salida

¿Cómo estamos lidiando como sociedad con este asunto? ¿Al menos estamos reconociendo el daño que estamos haciendo a nuestras hijas? En mi propia búsqueda de significado, una de las mejores formas que he encontrado de conectarme conmigo misma al pasar por las complejidades de la vida es el yoga. A lo largo de treinta años de desafíos de vida —los días más oscuros, perder seres queridos, enfrentar mis miedos, enamorarme, dar a luz, encontrar límites, madurar—, siempre he recurrido al yoga. El yoga ha sido y sigue siendo mi aliado más cercano, mi mayor maestro, mi defensor, mi alma compañera que me tranquiliza y mi espejo más crudo. El yoga ha sido una parte integral de mi vida adulta y tiene un papel prominente en el apoyo de mi perspectiva feminista.

Mi escenario típico de una clase de yoga consiste en salir corriendo para llegar a la clase, atrapada en mi lista de cosas por hacer, y todavía respondiendo mensajes y preguntándome si tengo tiempo para el yoga el día de hoy. Preguntándome si soy suficiente, si merezco enfocarme en mí misma, empujando y empujando. Luego, lentamente, el milagro del yoga comienza a aparecer. Regreso a la respiración, voy a mi interior y descubro que sobre el tapete yace esa misma experiencia de libertad y posibilidad de mi niñez. En mi experiencia, esta claridad del ser es la raíz del feminismo que me permite sentirme igual, valiosa y llena de vida. El poder creativo y la sabiduría intuitiva que surgen de forma natural de mi práctica de yoga se encuentran en el núcleo de mi autoestima personal.

Así pues, con esta grandiosa imagen, cualquiera podría imaginar que me siento totalmente a gusto con mi belleza, mi poder y mi valía. Tristemente, no es así. Ese no es el caso. He estado haciendo yoga durante la mayor parte de mi vida adulta y de forma regular sigo confrontando mi sentido de valía. ¿Cuándo se infiltró esta falta de tranquilidad en mi mundo? Siento la avalancha de las mujeres de apariencia "perfecta" y desprovistas de poder que aparecen en los medios, y me afecta profundamente aun cuando estoy consciente de su incesante impulso de promover la inseguridad. Parecería que aun cuando podamos abrirnos paso por esa ilusión y experimentar nuestro sentido del valor personal a través del yoga, no es algo que llegue a dominarse y que luego nunca más se tenga que volver a abordar. Como todas las disciplinas, requiere una práctica constante. Con la práctica regular podemos aprender a reescribir nuestros hábitos, a exhalar calidez alrededor de la voz incesante del crítico interno y llevar conciencia a nuestra vida diaria. Una práctica regular de yoga puede calmar las inseguridades que albergamos y disolver gradualmente los hábitos desatentos de crítica hacia nosotras mismas, de modo que no transmitamos estas inseguridades a nuestras hijas.

Observando a mamá

Mi plan consiste en educar a mi hija para que sea fuerte, vulnerable, valorada, libre y segura, y no tenga que invertir segmentos importantes de su vida consciente e inconsciente tratando de encontrar su propia imagen corporal y su autoestima. ¿Cómo hacemos esto? Pienso que comienzas cambiando el lenguaje; mirando de forma crítica y consciente los medios de comunicación; desafiando el modelo capitalista de negocios, tan desprovisto de toda ética, y lo más importante, encontrando momentos y rituales para valorar el mundo interno. Para crear estos *senderos neurales positivos*, pienso que el trabajo es idéntico tanto para Miro como para mí.

Las niñas son criaturas sociales empáticas que observan muy de cerca la vida de sus madres para ayudarse a negociar su propia vida. Desde que Miro era muy pequeña, yo estaba dispuesta a hacer lo que estuviera en mis manos para prevenir que se sintiera agobiada por mis inseguridades o que las heredara. Por ejemplo, decidí que no iba a detenerme frente al espejo para señalar mis defectos. En lugar de eso, decidí poner énfasis en las cosas positivas y acostumbrarme a decirlas en voz alta. (¡Me parece triste y sumamente aburrido tener todavía críticas hacia mi cuerpo después de tantos años!).

Esta decisión de restringir a qué le doy voz está directamente conectada con la disciplina de mi práctica de yoga, y la veo como el *yoga que trabaja fuera del tapete*. Entregar mi mente y mi cuerpo a mi práctica diaria de yoga y pasar por las asanas ha creado gradualmente una base de autoaceptación. Ahora, cuando dudo de mí misma, preguntándome si soy suficiente —cuando me siento enojada, celosa, perdida y vulnerable—, lo primero que observo es una respuesta física de intranquilidad. Desde ese momento me encuentro en posición de decidir qué dirección tomar. ¿Cuál es la manera más amorosa de ir hacia delante y que alimente la vida? Observar y regresar repetidamente al presente crea una forma de vida más iluminada, una claridad que luego puede formar parte de todas nuestras decisiones.

Estas son las herramientas valiosas que podemos transmitir a nuestras hijas, y yo se las transmito a Miro: la práctica de nutrirse a uno mismo, la atención plena y la decisión. Creo que la enseñanza más innata que le estoy dando a mi hija de 9 años de edad es que aprenda a personificar los comportamientos, o incluso a repetir mis pensamientos en voz alta, como "No me siento muy bien con mi cuerpo esta mañana. No me siento tan bien poniéndome un bikini el día de hoy. ¿Sabes, Miro? Algunas veces mi mente realmente cree estos pensamientos y eso me hace sentir muy mal. Así pues, tengo que decirme a mí misma que está bien. Los cuerpos cambian de forma todo el tiempo. He tomado una decisión y no voy a permitir que esos pensamientos arruinen mi día en la playa. ¡Vámonos y divirtámonos!".

Sopesar nuestras decisiones relacionadas con la comida

Me siento muy afortunada de vivir en un país en el que la calidad y la cantidad de comida fresca y saludable es abundante. Sin embargo, la presión que ejercen los medios de comunicación para tener un cuerpo perfecto ha generado que esa comida tristemente represente otro problema que puede afectar nuestro sentido de la autoestima. En Estados Unidos, alrededor de 10 millones de mujeres y niñas batallan hoy en día con desórdenes alimenticios como la anorexia y la bulimia nerviosa.[4] Aunque yo siempre he comido de forma saludable, he descubierto que criar a mi hija me ha alentado a estar más consciente de mi forma de comer y a ser una mentora para ella. Trato de observar conscientemente cuándo como por hambre o para reprimir sentimientos, y hago un esfuerzo por encontrar otras formas de respuesta.

Tenía interés en encontrarme con el término *thin-heritance*, recientemente acuñado a partir de un estudio que llevaron a cabo investigadores del Reino Unido. Ellos descubrieron que "las niñas adolescentes cuyas madres hacen dieta tienen el doble de probabilidades de padecer un desorden alimenticio".[5] Las mujeres cuyas madres hicieron dietas de forma intermitente a lo largo de su infancia recuerdan alacenas llenas de productos dietéticos, cuenta de calorías y actitudes ansiosas alrededor de la comida. Las dietas y la pobre imagen que tiene una madre de sí misma permean los hábitos alimenticios de los hijos y sus problemas de autoimagen hasta bien entrada la adultez.

Tener perfectamente claros cuáles son nuestros valores relacionados con la comida y conectarnos de manera más consciente con los alimentos es parte de una habilidad importante que podemos transmitir a nuestras hijas. Esta conciencia de la dieta está entretejida en mi vida de yoga; no solo en la literatura sino en mi propia experiencia. La práctica regular del yoga intensifica mi conciencia relacionada con mi decisiones alimenticias, con el respeto que tengo por la comida, con la respuesta de mi cuerpo hacia la misma y con el estado en el que estoy cuando como. Nuestra familia ha elegido la dieta vegetariana, y a menudo discutimos la ética de lo que comemos y la de la industria alimenticia. En la bibliografía yóguica está escrito que algunos alimentos "crean nueva energía, claridad y una mente despejada y tranquila, permitiéndonos utilizar todas nuestras capacidades mentales, físicas y espirituales", y que otros pueden perturbar ya sea nuestro equilibrio físico o nuestro equilibrio emocional: "Un exceso de estos alimentos puede provocar inquietud, agitación y una mente distraída".[6] Mediante la observación de mi reacción a los alimentos, he llegado a saber con mayor claridad qué es lo más apropiado para mi cuerpo y a qué hora del día debería comer, y mi hija es testigo de todo ello. Con frecuencia hace preguntas como "¿Por qué no quieres una dona si son tan ricas?". Yo le contesto: "Sí, cuando era niña me encantaban, pero, tú sabes, ahora me doy cuenta de que no me hacen sentir tan bien. Me siento mejor si me como una manzana. Tú también llegarás a darte cuenta de qué alimentos te hacen sentir más feliz".

Transmitir lo perfecto

Ya estoy sintiendo la presión de ser la madre perfecta. Una gran cantidad de publicaciones dice que nosotras, como madres, somos la persona más influyente en la vida de nuestras hijas, y mientras tecleo esto ¡veo aparecer mis faltas! A nuestro alrededor vemos imágenes que lanzan los medios de comunicación de mujeres perfectas, con figuras perfectas, vestidas con ropa perfecta, educando niños perfectos; mujeres que mantienen la casa perfecta, que tienen modales perfectos, y son perfectas conversadoras: ¡Ah, y que también son perfectamente sexis!

La continua comparación que nos aleja de nuestra sabiduría interna puede manifestarse como depresión o ansiedad. Tratar de ser perfecta hace que me estrese. Me vuelve impaciente con mis hijos. Respondo con enojo cuando me siento fuera de control, cuando se me hace tarde, cuando la cena se quema, cuando mi ropa no combina, cuando no recuerdo comprar la comida para el almuerzo escolar, etcétera.

La respiración, la respiración profunda que se aprende y se practica en la meditación y sobre el tapete es mi única cura en estos casos. Saber cómo hacer una pausa y reflexionar. Observar el barullo. Reconocer los síntomas del agobio, la vergüenza, el cansancio. Hacer saber a los niños cómo me estoy sintiendo, reconociendo que soy incapaz de hacer las cosas que habíamos planeado, siendo abierta con ellos, practicando la autocompasión. Tengo la esperanza de que el hecho de ser abierta con Miro la ayude a ser honesta y compasiva consigo misma cuando se encuentre en las garras de los pensamientos y los sentimientos que la alejan de su centro de autoaceptación.

Imaginar lo que podemos llegar a ser

Durante mi adolescencia, vi imágenes en los medios de comunicación de mujeres en papeles estereotipados como esposas y amas de casa. La mujer era sumisa, y su propósito consistía, primordialmente, en agradar a su hombre y cuidar de su familia. Esta imagen nunca me cayó muy bien, y alrededor de los 16 años ¡tuve claro que jamás me convertiría en una de esas mujeres! Yo quería opciones; quería ser la heroína de mi propia vida, con libertad para descubrir y cumplir mi destino. Tener el valor de escuchar esta respuesta y proporcionar un espacio y la energía para escuchar esa voz interna auténtica son algunos de los regalos del yoga. Este sentimiento de conexión es lo que quiero transmitirle a Miro. Quiero que se conecte con su naturaleza auténtica. Quiero que tenga la libertad de encontrar sus pasiones.

Más recientemente, he recibido el doloroso desafío de tratar de protegerla de la avalancha de imágenes sexualizadas que se cruzan en su camino: el porno suave de la publicidad en anuncios espectaculares, la sexualidad abierta de MTV y el vestuario que hace ver mayores a los de su edad. Justo cuando está comenzando a buscar modelos a seguir y mentores externos, la mayoría de las imágenes de mujeres que se muestran en los medios de comunicación están desnudas o casi no llevan ropa puesta; son cosificadas, presentan una imagen plácida y tienen como propósito agradar a los hombres; son vacías, delgadas y blancas. Todavía no hemos llegado al mundo del porno por internet, pero estoy preparándome para más y más explicaciones y formas de expresar una conexión poderosa con su propia sexualidad y sus opciones. ¿Dónde encuentran nuestras adolescentes un espacio seguro y protegido para explorar su condición de ser mujeres que tratan de imaginar aquello en lo que van a convertirse?

Hasta hace poco tiempo había evitado en especial hacer comentarios sobre las representaciones sesgadas de las mujeres, para no atraer la atención de Miro hacia ellas y crear su interés. Sin embargo, ahora veo evidencias en Miro y en sus amigas de que están adaptando su juego para alinearlo con la imaginería de los medios a los que están expuestas. Cuando cantan, bailan, se visten y juegan, las observo desempeñando el papel de sirenas lánguidas que hacen pucheros y son sexis. Quiero darle a Miro la oportunidad de representar una gran cantidad de personajes: una fuerte guerrera, una princesa, una chamana, una madre o una presidenta. Con el fin de equilibrar las imágenes cosificadas de las mujeres con las que Miro se encuentra, trato de atraer su atención hacia ejemplos menos publicitados. En Sydney tenemos una alcaldesa, una gobernadora y una primera ministra, así que hablamos de cómo es su vida y lo que pueden lograr. Con regularidad expreso mi entusiasmo por las mujeres que nos rodean que eligen vidas que les apasionan.

Yogawoman: Creando un nuevo paradigma en los medios

Cada madre trabajadora que conozco se esfuerza por encontrar un equilibrio entre el trabajo y la familia. Estar disponible para atender las necesidades de Miro tanto física como emocionalmente es siempre un desafío. Uno de los momentos más memorables al mezclar mi trabajo con la familia fue cuando creamos la película *Yogawoman*. Contar la historia de más de cincuenta yoguinis fuertes y apasionadas de todo el planeta originó una conversación de tres años en nuestra casa que celebró a las mujeres en todas sus magníficas etapas de vida. Creamos la película para resaltar las formas en las que las mujeres están utilizando el yoga para apoyarse en su propio poder. Ver a estas mujeres representando su vida real en la pantalla grande fue inspirador y proporcionó a mujeres de todas partes del mundo modelos a seguir; también las invitó a formar parte de una comunidad para construir sus auténticas voces. Nuestra película, un elemento radicalmente contrario a los medios dominantes, ofrecía 90 minutos repletos de sabiduría y herramientas prácticas para crear juntas un nuevo paradigma.

Con el tapete como laboratorio, existen muchas cosas por descubrir sobre nosotras mismas a medida que nos adaptamos al pasar por los diferentes ciclos de nuestra vida. Sobre el tapete, en este espacio tranquilo, vemos nuestros hábitos, enfrentamos nuestros límites, sentimos nuestro dolor y respiramos para superar los bordes de nuestro miedo. Esta herramienta es invaluable para mi vida y para la crianza de los hijos. Como madre, a menudo siento el dolor y los deseos de Miro como si fueran propios. En lugar de reaccionar, culpar, querer coludirme con su angustia y volverme víctima de nuestras circunstancias, el yoga me ha proporcionado alternativas para ofrecerle. Juntas practicamos apoyarnos en las experiencias de la vida –dolor, sufrimiento, alegría, fracaso, éxito– y aprender que podemos experimentarlas sin temor. Siempre se puede aprender de cada circunstancia, y con la respiración como herramienta podemos participar plenamente en la vida en su totalidad.

Hay momentos en los que me siento abrumada simplemente por la tarea de mantener mi entereza, pero veo con claridad que ser madre se ha vuelto parte de mi práctica yóguica. Mi aprendizaje consiste en permanecer en el "tapete familiar", inclinarme ante los desafíos y estar presente para este papel que te cambia la vida. Si puedo ayudar a Miro a construir una sensación de conciencia de sí misma que sea respetuosa, amable, compasiva y que la ayude a aceptarse independientemente de las provocaciones de los medios de comunicación y de otras instancias externas, sentiré que habré hecho bien mi trabajo como madre y que habré logrado algo en mi propio camino hacia mi condición auténtica de ser mujer.

Referencias

[1] Steve Biddulph, *Raising Girls*, Nueva York, Harper, 2013.

[2] L. Smolak, *National Eating Disorders Association/Next Door Neighbors Puppet Guide Book*, NEDA, 1996.

[3] Justin Healy, *Body Image and Self-Esteem*, Thirroul, NSW, Australia, Spinney Press, 2008.

[4] J.H. Crowther, E.M. Wolf y N.E. Sherwood, "Epidemiology of Bulimia Nervosa", en M. Crowther, D.L. Tennenbaum, S.E. Hobfoll y M.A.P. Stephens (eds.), *The Etiology of Bulimia Nervosa: The Individual and Familial Context*, Washington, D.C., Taylor & Francis, pp. 1-26.

[5] Jane Kirby, "Many Girls 'Damaged' by Their Mum's Dieting", en *The Independent*. Disponible en www.independent.co.uk/life-style/health-and-families/health-news/many-girls-damaged-by-their-mums-dieting-1811258.html. Consultado en marzo de 2014.

[6] Carol DiPirro, "What Is a Yogic Diet?", en *My Yoga Online*. Disponible en www.myyogaonline.com/healthy-living/nutrition/what-is-a-yogic-diet. Consultado en marzo de 2014.

Kate McIntyre Clere es cofundadora de Second Nature Films, después de una exitosa carrera como actriz y directora de teatro. Es coproductora, directora y escritora de la galardonada película *Yogawoman*, el primer largometraje documental sobre las mujeres y el yoga. A lo largo de su vida adulta, Kate ha practicado y enseñado yoga, con lo que ha logrado tener equilibrio y fortaleza en sus funciones de cineasta, esposa y madre.

www.yogawoman.tv

Foto de la autora por Clara Gottgens.

Claire Mysko

Desintonizarse de la locura del baby bump de los medios:
Cómo el yoga prenatal me ayudó a encontrar un verdadero equilibrio en mi imagen corporal

La caminata hacia mi clase de yoga prenatal en el YMCA me llevó por los vecindarios de Brooklyn llenos de casas de piedra rojiza y carritos de bebé marca Bugaboo. Solía atravesar el zumbido de los claxons y el estrépito de Flatbush y dirigirme a Atlantic Avenue, donde las esencias especiadas que salían de las tiendas de Medio Oriente rápidamente daban paso a los aromas "artesanales" que salían de las cafeterías que vendían café a sobreprecio y bizcochos recién horneados con ingredientes orgánicos propios de la localidad. Fue un alivio poder oler comida y no sentir oleadas de náuseas de inmediato. Mi Verano de Cerveza de Jengibre había terminado oficialmente. Había logrado llegar a mi segundo trimestre y el aire fresco del otoño hacía que todo se sintiera nuevo y lleno de posibilidades. ¡Estaba embarazada! Finalmente podía abandonar mi mantra de "no vomites, por favor no vomites" y elaborar algo un poco más alegre y que afirmara la vida. Esto era en todos sentidos increíble.

En ese recorrido –que hice dos veces por semana durante el resto de mi embarazo– solía pasar junto a un pequeño puesto de revistas. Era más grande que un puesto callejero pero no lo suficientemente grande como para ofrecer muchas opciones. No había títulos artísticos ni importados, pero tenían todos los periódicos. Apoyados en la ventana, los encabezados decían: "¿Vientre de embarazada o demasiados burritos?". "¡Los antojos del embarazo al descubierto!". "¡Cómo es que logró recuperar su cuerpo después de tener un bebé!". Acababa de terminar la coautoría de un libro sobre cómo la fijación obsesiva de nuestra cultura con el peso antes, durante y después del embarazo resulta profundamente dañina para las mujeres y, por ende, para nuestros hijos. Había pasado meses en el papel de la "experta en imagen corporal" entrevistando a mujeres sobre sus historias personales. Y ahora yo estaba embarazada.

Como perfeccionista en recuperación con una historia de desórdenes alimenticios, estaba decidida a no estresarme por tener el embarazo perfecto. No iba a volverme loca pensando en si estaba bien hacerme pedicure (¡los químicos!) o en cuánto debía reducir el tamaño de mis capuchinos (¡la cafeína!). Sin embargo, había algunas toxinas que sí me estresaban: las toxinas que hacían que casi 80% de las mujeres que mi coautora y yo entrevistamos para nuestro libro dijeran que su preocupación número uno relacionada con su cuerpo en el embarazo era el miedo a subir de peso y a no poder perderlo después de dar a luz. Sabía que había cosas específicas que podía hacer para evitar estar en ese 80%, así que las hice al pie de la letra: seguí a pie juntillas las indicaciones del libro que escribí. Seguí mi propio consejo y eliminé el peso de la ecuación. Permití que mi obstetra me pesara, pero nunca vi la cifra ni llevé registro de ella. Seguí comiendo de forma intuitiva. Guardé mis *jeans* apretados y mis faldas de tubo poco tiempo después de recibir el resultado positivo de mi prueba de embarazo; de otra manera, cuando mi cuerpo comenzara a expandirse rápidamente, se dispararía en mí el deseo de tratar de meterme en cualquier cosa. Establecí límites con mis seres queridos. Tenía un sólido sistema de apoyo a la mano. Llevaba un diario. Un verdadero diario. Por supuesto, no podía planearlo todo, especialmente viviendo en una ciudad como Nueva York, cuna de gimnasios de alto nivel que cobran membresías equivalentes a una hipoteca y donde la mentalidad de que belleza es igual a delgadez está tan firmemente arraigada que las imágenes y los mensajes son un ataque diario a los sentidos. Rápidamente me quedó claro que si quería tener un embarazo que repercutiera de forma positiva en mi cuerpo necesitaba fortalecer mis recursos internos y encontrar una manera de desintoxicarme de las presiones externas. Mi práctica de yoga prenatal servía a ambos propósitos.

El poder de hacer

En cada clase de yoga me tomaba un momento para sondear a quienes se encontraban en el salón, el cual estaba lleno de mujeres en diversas etapas del embarazo. Algunas, como yo, titubeaban y se tambaleaban hasta que encontraban sus raíces para la postura del árbol. Se trataba de un espacio cuyo propósito era encontrar el equilibrio en nuestro propio cuerpo cambiante. Lucha contra los kilos de más y fracasarás. Esa fue una verdad que me tranquilizó en el estudio de yoga y en mi vida fuera de él.

El embarazo es un período en el que nuestro cuerpo obra una enorme magia. Desafortunadamente, vivimos en un ambiente con un exagerado enfoque en nuestra apariencia —cuántos kilos subimos, cómo vestimos nuestras "protuberancias", cómo deberíamos apresurarnos a recuperar nuestra figura tan pronto como ese pequeño bultito de alegría llegue— que puede hacer que todo se sienta menos mágico. Las industrias de la dieta, el ejercicio, la moda y la belleza han despertado al hecho de que la ansiedad prenatal y posparto de las mujeres relacionada con la apariencia suma mucho dinero. Entra a escena la colección de maternidad Spanx y contratos multimillonarios para estrellas como Mariah Carey, quien describió su cuerpo embarazado como "rancio" y luego se convirtió en portavoz de Jenny Craig, y Jessica Simpson, quien fue avergonzada públicamente y recibió el escarnio público por los kilos que subió durante el embarazo, y poco tiempo después firmó un contrato que la hizo subirse a una báscula de los Weight Watchers hecha de oro puro.

A menudo, el embarazo ofrece una valiosa oportunidad de sintonizarnos con nuestro propio poder y desintonizarnos de las demás tonterías. Pilas y pilas de investigaciones apuntan al hecho de que las niñas y las mujeres se benefician de aprender a apreciar lo que su cuerpo puede hacer. Este conocimiento interno puede alejarnos del peligroso sendero de valorarnos según nuestra apariencia o según la talla en la que podemos entrar. Para mí, el yoga fue una forma visceral de honrar aquello por lo que mi cuerpo estaba a punto de pasar. Al inicio de la clase, la instructora nos pedía que compartiéramos lo que había ocurrido esa semana. Uno por uno, los dolores y los malestares se revelaban, salían a la luz las perturbaciones del sueño y se destacaban los logros obtenidos. Y luego pasábamos a la práctica de trabajar con ese cuerpo, con todas sus imperfecciones desordenadas producidas por el crecimiento del bebé. Para mí, cada movimiento era un paso dirigido a hacer las paces y no la guerra.

Escapar del modo de batalla

Como mujeres, hemos aprendido a considerar nuestro cuerpo como un adversario: como una entidad que debe ser vencida y controlada. Crecemos escuchando que el postre es un pecado y que deberíamos satisfacer todos nuestros antojos con yogur bajo en grasa. Asimilamos la mentira de que si somos "delgadas y hermosas" podremos obtener mucho más en la vida que si somos "fuertes y poderosas". En una cultura que hace prácticamente imposible que nos sintamos confiadas en nuestro cuerpo, quizá no resulte tan impactante saber que 65% de las mujeres estadounidenses admiten tener desórdenes alimenticios.[1] Su conducta podría no encajar en el criterio de diagnóstico de desórdenes alimenticios como la anorexia, la bulimia o la compulsión por comer, pero su fijación por la comida y el peso es una fuerza extremadamente negativa en sus vidas. La obsesión por contar las calorías, por hacer dietas de forma crónica, por hacer ejercicio en demasía y por comer en secreto son algunos de los patrones dañinos que conforman nuestra epidemia nacional de desórdenes relacionados con la alimentación. Y enfrentémoslo: si dos terceras partes de las mujeres se ubican en algún punto de este espectro, resulta lógico pensar que un buen número de ese porcentaje seamos madres o vayamos a serlo. Sería una hermosa fantasía utópica imaginar que el embarazo es un maravilloso respiro de todas las presiones relacionadas con el cuerpo; una época para bañarnos en un brillo parecido al de una diosa que habrá de eclipsar todos esos horribles murmullos de "no ser suficientes". ¿Y saben qué? Para algunas mujeres, el embarazo en verdad es un proceso de ese tipo que no implica ningún esfuerzo. Lo juro. He conocido a ese tipo de mujeres. Han sido encantadoras y maravillosas y algo así como impresionantes. Yo no soy una de ellas.

Me había recuperado de mi desorden alimenticio desde hacía más de una década cuando descubrí que estaba embarazada. También me encontraba en una buena posición en lo referente a mi imagen corporal. Tenía algunos días malos de vez en cuando, pero la mayoría de las veces me sentía bastante feliz con mi apariencia: algo muy diferente a esa desconfianza casi constante con la que viví durante tantos años. No tenía forma de saber si el embarazo alteraría ese sano equilibrio que tanto me había costado alcanzar. Sin embargo, si no iba a sentirme como una diosa radiante (lo que no sucedió), quería estar totalmente segura de no regresar a ese punto oscuro y familiar en el que me sentía absolutamente terrible con respecto a mi cuerpo. Así pues, dejé que mi cuerpo hiciera lo que estaba haciendo. Me sentía bien con las transformaciones la mayor parte del tiempo, y me permití tener momentos en los que no me sentí bien. Me hice a mí misma la promesa de que buscaría ayuda cuando me encontrara en esos momentos en los que no me sentía bien para que no se convirtieran en espirales descendentes. Y no lo hicieron. Me di cuenta de que era más dura conmigo misma cuando estaba más agotada por el estrés de las temibles pruebas médicas (que te ponen a pensar en la posibilidad de tener algo), por la agonía de estar a punto de vomitar debido a las náuseas matutinas (que es uno de los nombres atroces menos apropiados que hay en el mundo, pues las mías no se limitaban a las horas previas al mediodía), o por el agotamiento que venía de mover mi trasero embarazado de aquí para allá por toda la ciudad en medio del tránsito neoyorquino. (¡Gente, despeguen la vista de sus iPhones! Ofrezcan el asiento, por amor de Dios). Me sintonicé con mis disparadores de la vida real e hice mi mejor esfuerzo por desintonizarme de los mensajes de los medios que hacen muy fácil que nos critiquemos a nosotras mismas. Nos venden la idea de que "administrar" nuestra apariencia con productos, alimentos y planes respaldados por actores secundarios nos ayudará a manejar los sentimientos y los miedos propios del embarazo y de la nueva maternidad, que a menudo parecen tan desorganizados, insostenibles y —sí, voy a decirlo— vergonzosos. No se supone que seamos vulnerables ni que nos volvamos locas con este extraordinario evento de vida que cambiará prácticamente todos los aspectos de nuestra existencia. Sin embargo, ¿preocuparse por el peso? Bueno, *por supuesto*, eso está bien. De hecho, se espera que lo hagamos.

¿Quieren saber cuáles son las frases de moda relacionadas con el embarazo que más hacen que se me erice la piel? Es la orden insidiosa y opresiva de "recupera tu cuerpo". Es la desagradable lista obligatoria que nos dice "cómo fue que ella lo logró" que acompaña el perfil de cada celebridad que aparece en una revista femenina y que ha dado a luz en los últimos 24 meses. Es la embestida incesante de los cuerpos "posbebé" con bikini. La razón por la que estas promesas vacías son tan efectivas es porque los publicistas y los creadores de anuncios han identificado con éxito que muchas mujeres experimentan una pérdida de identidad (ya saben, al más puro estilo existencial) cuando ingresan a las filas de la maternidad. Y con signos de dólares destellando en los ojos, lo han promocionado y proselitizado al grado de que nos apresuramos a creer que la clave para recuperarla consiste en perder peso. No es solo nuestro sentido de valía personal lo que se ha adherido a nuestra apariencia: también es nuestro sentido mismo del yo.

Ser una mamá versada en los medios de comunicación me ha ayudado a mantener abiertos mis ojos críticos, especialmente cuando paso por puestos de revistas o cuando doy clic en los blogs de entretenimiento que producen un placer culposo. Estar en terapia me ha ayudado a hablar de todo ello y a trabajar las vulnerabilidades que solían llevarme a restringirme, a darme atracones o a purgarme. Fue mi práctica prenatal de yoga lo que me llevó a un punto en el que mi movimiento físico entrelazó los hilos de quién era yo con la persona en la que me estaba y me estoy convirtiendo. Sigue siendo, y siempre será, una obra en proceso. Definitivamente, el yoga no tenía que ver con los kilos que estaba subiendo o con cuándo los perdería.

El silencio y el Savasana

Voy a decirlo. El Savasana es mi parte favorita del paquete de yoga prenatal. No solo porque me encontraba tan increíblemente cansada que la "postura del cadáver" me parecía totalmente lógica, sino porque la quietud que había en ella me sostenía. El embarazo viene con una cantidad desmesurada de ruido: preguntas acerca de nuestras elecciones, expectativas sobre quiénes deberíamos ser y cuál debería ser nuestra apariencia.

Las sirenas están sonando: no subas demasiado de peso; come esto, pero no aquello; sigue al pie de la letra tu plan para perder el peso que ganaste con el bebé. Y luego empiezan a surtir efecto las alarmas: Soy demasiado inteligente, demasiado feminista como para preocuparme por cómo luce mi trasero en pantalones de maternidad. ¡Maldita sea! ¿Cómo voy a proteger a mi bebé de los problemas de imagen corporal y los desórdenes alimenticios que consumieron tantos años de mi vida? La estática es paralizante, pero salimos perdiendo si simplemente tratamos de seguirnos moviendo a través de todo ello. El yoga me enseñó que el remedio es encontrar la quietud, escuchar lo que el silencio tiene que decirte. Recostada en ese frío piso de madera, con las luces apagadas, apuntalada cada vez por más y más cojines a medida que los meses avanzaban, solía escuchar la respiración de otras mujeres en el salón, cada una de ellas enfrentando su propia embestida de presiones. Adentro y afuera. Algunos suspiros. Algunos tosidos. No estaba sola. Más adelante en mi embarazo, solía sentir a mi bebé —posteriormente, mi hija— nadando, y sus patadas y sus movimientos se hacían gloriosamente más audibles para mí, ahí, en esa habitación, que en cualquier otro espacio. No estaba sola.

Para mí, el yoga prenatal jamás fue una práctica solitaria. Tenía que ver con la conexión, con las mujeres que estaban a mi alrededor y con mi bebé. Los mensajes siempre presentes sobre moldear y modelar nuestro cuerpo para satisfacer algún ideal fabricado, efectivamente, están desconectándonos de lo que realmente importa en relación con el embarazo y la maternidad. Nos desconectan también entre nosotras, alejándonos de las conversaciones que van a impulsarnos a un estado más saludable. Imagina si en lugar de "¡Te ves fantástica! ¡Casi no se te nota que estás embarazada! Me gustaría tener ese hermoso vientre abultado", comenzamos con un sencillo "¿Cómo estás?". Esta pregunta enmarcó mi experiencia prenatal de yoga. La verbalicé. La interioricé. La practiqué.

Referencias

[1] UNC School of Medicine, "Survey Finds Disordered Eating Behaviors Among Three Out of Four American Women", *UNC School of Medicine*, 22 de abril de 2008: www.med.unc.edu/www/newsarchive/2008/april/survey-finds-disordered-eating-behaviors-among-three-out-of-four-american-women. Consultado: marzo 2014.

Claire Mysko, experta en imagen corporal, liderazgo y alfabetización mediática. Su libro *Girls Inc. You're Amazing! A No-Pressure Guide to Being Your Best Self* fue nombrado en la Lista Amelia Bloomer, proyecto de la American Library Association que reconoce los libros feministas destacados para lectoras jóvenes. Es coautora de *Does This Pregnancy Make Me Look Fat? The Essential Guide to Loving Your Body Before and After Baby*.

www.clairemysko.com

Foto de la autora por Kate Glicksberg.

Dra. Dawn M. Dalili

Rx: Yoga

¿Alguna vez has pasado por algo desafiante y has pensado: "Aprendí la lección. No lo volveré a hacer más"?

El problema con esta línea de pensamiento es que muchas de nuestras lecciones más importantes y más desafiantes requieren repeticiones (y algunas veces tres o cuatro veces seguidas). Cada vez que pasamos por una repetición, aprendemos la lección de una manera un poco más profunda.

Así ocurrió con mi práctica de yoga.

Esta vez, en particular, fue en el otoño de 2009. El calor abrasador del verano en Arizona apenas comenzaba a ceder, y yo estaba regresando al tapete después de una larga interrupción. La puerta del estudio se abrió y dejó salir el calor, el vapor y el potente olor de más de cincuenta cuerpos sudorosos que habían tomado la clase anterior. Ese olor familiar y penetrante no disminuyó mi emoción por estar de vuelta en el tapete o en un estudio. Agitando la mano frente a mi rostro para abrirme paso por la humedad mientras entraba en la habitación, encontré la esquina trasera, donde esperaba tener un poco más de espacio y quizás el aire un poco más fresco. La habitación lentamente se llenó a mi alrededor, y no encontré el lujo del espacio ni el del aire fresco.

No había estado en un estudio en más de tres meses, y no me sentía segura acerca de qué esperar de esta clase. La última vez que estuve sobre un tapete me sentí fuerte, poderosa, hermosa, incluso mágica. Ese día estaba emocionada, nerviosa, mareada, ansiosa, y... para ser honesta, también estaba cansada y adolorida. Sentía como si mi cuerpo no fuera mío.

Después de unos cuantos minutos, la instructora entró al salón. Encendieron el estéreo, bajaron la intensidad de las luces y comenzamos en la postura del niño. Mis caderas tronaron cuando lancé hacia atrás mi peso, pero me sentía bien al recargarme en ellas.

Recuerdo haber pensado mientras presionaba en mi primer Perro Boca Abajo: "¿Que no se supone que esta es una postura de descanso?". Mis brazos no parecían tener la fuerza requerida para soportar mi cuerpo. Mis caderas y los tendones de mis corvas estaban demasiado rígidos como para permitir que mis piernas participaran en soportar el peso de esta postura. Mi cuello no recordaba cómo relajar la tensión arraigada en sus fibras.

Ese día yo era una principiante en la práctica del yoga: a empezar otra vez.

El primer inicio

La primera vez que fui nueva en el yoga, era casi diez años menor y mi cuerpo era fuerte, a pesar de que mi mente era un tanto rígida e inflexible. Había entrado al estudio de yoga con renuencia después de que un quiropráctico me sugirió que estirara los tendones de la corva para evitar otra lesión en la espalda. El yoga era simplemente un medio para alcanzar un fin. Mi objetivo estaba bien definido y era muy específico. La meta era mejorar mi flexibilidad de modo que pudiera seguir corriendo.

Definitivamente, me identificaba como atleta, y tenía claro que no me interesaba ninguna de las "tonterías hippies" que venían con la meditación, los cantos o con una práctica espiritual. Por mera obligación, regresé al tapete tres veces por semana para estirarme y sudar: nada más.

¿Soy mejor que ayer?

Vista desde fuera, mi práctica era inocente, incluso benigna. No levitaba y tampoco contorsionaba mi cuerpo como se ve en las portadas de las revistas. Simplemente me tocaba los dedos de los pies sin doblar las rodillas. Nadie se daba cuenta de cómo me sentía por dentro. En este punto, seguía convencida de que el yoga –como todo en la vida– tenía que ver con metas y objetivos. Secretamente emocionada por tocarme los dedos de los pies, miré hacia arriba para ver si estaban cayendo globos del cielo. No había ninguno.

Sin embargo, lo que siguió cambió mi práctica y puso de cabeza mi vida.

"Ahora puedes trabajar para extender tu columna y la espiral interna de tus muslos". La instrucción era simple: toma la longitud, el espacio y la experiencia que has creado y crea más longitud, más espacio y una experiencia más profunda.

Para mí, correr siempre había tenido que ver con dos variables: velocidad y distancia. Encontraba consuelo en actividades con resultados medibles. Diariamente consultaba mis tiempos al correr para evaluar el progreso. Así es como yo respondía a la pregunta "¿Soy mejor que ayer?". Los días en los que la respuesta era "no" eran grises y estaban llenos de reproches.

Cuando me alentaron a explorar la amplitud y la longitud, me pareció que era algo vago. "¡No puedo medir eso!".

Mi mundo se abrió. Y mi mundo se cayó en pedazos.

La guía de mi instructora abrió puertas que instintivamente sabía que llevaban a más puertas y, detrás de ellas, a todavía más puertas. Ella demostró que el yoga era un sendero que siempre estaba expandiéndose. Entre más lejos viajaba por este camino, más me convertía en una principiante. Aunque no cayeron globos a mi alrededor, ¡dentro de mí había fuegos artificiales! Comencé a cuestionar mi dependencia de los resultados medibles como indicador de mi valía y como el determinante de mi bienestar.

Esa noche me deshice de mis tenis para correr.

No era miembro del club de la licra

Intercambié mi membresía del gimnasio por una membresía en un estudio de yoga y experimenté con clases que incorporaban cantos y meditación, pero todavía estaba apegada a mi imagen de lo que significa ser yogui. Esta imagen era larga, delgada, flexible, de apariencia sexy y atractiva y vestida con licra.

Mi cuerpo era corpulento gracias a veinte años de jugar futbol soccer y correr. No podía pararme de manos ni hacer otros equilibrios con los brazos, y me sentía terriblemente cohibida vestida con licra.

Solía sentarme antes de la clase y observar alrededor de la habitación preguntándome si alguna vez haría las cosas que veía hacer a otras. Me preguntaba si alguna vez me vería como se veían las demás. Compré la idea de que tenía que comer de determinada forma y vestirme de determinada manera para que fuera *yoga*.

Estaba convencida de que los yoguis tenían un club exclusivo, y yo no pertenecía a él. Podía pagar por tomar las clases, pero simplemente era una extraña que observaba desde fuera.

Esta creencia cambió poco a poco a medida que participé en clases más pequeñas y más tranquilas que de manera natural alentaban una experiencia más introspectiva y personal. Recuerdo el día en que un instructor —en cuya clase yo era nueva— susurró en mi oído: "Considera que cómo se siente podría ser más importante que cómo se ve". A menudo sugería que hiciéramos secuencias cortas con los ojos cerrados, no para desafiar nuestro equilibrio, sino para ir hacia dentro y sentir las posturas. Cuando cerraba los ojos, sentía una serenidad que no podía alcanzar cuando observaba y me comparaba con otras personas.

¿Sacada de la isla por votación?

Vivía en San Francisco, así que tenía acceso regular a algunos de los instructores de yoga más famosos del mundo. Por supuesto, su sabiduría influyó en mi progreso. No obstante, mis tres mejores instructores fueron situaciones que me forzaron a recomenzar mi práctica de yoga una y otra vez: un accidente en bicicleta que me fracturó una costilla y me impidió practicar por un período de seis semanas; un accidente de esquí que me fracturó la rodilla, que requirió múltiples cirugías para ser reparada y me impidió caminar durante más de tres meses, y el embarazo, un viaje que cambió todo lo referente a mi cuerpo y a mi relación con él.

Después de años de práctica, me estaba volviendo más larga, delgada y flexible, como las otras personas que tomaban clases. Sin darme cuenta, me había apegado más profundamente a lo que mi cuerpo podía hacer. Sin embargo, estos sabios instructores me forzaron a ver las formas en las que me definía a mí misma. Cuando me lesionaba, entraba en pánico. *¿Voy a engordar? ¿Voy a perder mi membresía en este club?*

Cada una de estas situaciones me forzó a cuestionar todo lo que había asumido sobre mí misma y sobre el yoga. Las lesiones y los cambios de vida me llevaron un paso más allá de las metas y de los resultados medibles que marcaban mi sentido de valía y me acercaron un paso más a la presencia y aceptación de lo que es.

Poco a poco el yoga se fue convirtiendo en una plataforma para aprender sobre mí. Su práctica me llevó a preguntas como: *¿Quién soy?, ¿Cómo me siento? ¿Qué quiero de la vida?*

Dar a luz a todo lo que soy

Durante el embarazo, comencé a sentirme verdaderamente femenina por primera vez.

En mi infancia fui una verdadera tomboy. Jugaba futbol soccer y trepaba árboles; si no estaba cubierta de tierra no me sentía feliz. Me sentía absolutamente fuera de lugar en la secundaria cuando otras chicas gravitaban hacia las porras y el baile y yo seguía queriendo perseguir una pelota. No quería vestirme con falda o vestido, ni maquillarme, pero el dolor de no encajar era tan palpable que mientras escribo estas líneas se me hace un nudo en el estómago. No fue hasta que encontré el yoga a los 21 años cuando comencé a explorar un lado más femenino en mí.

Cuando me embaracé habían pasado más de diez años desde la última vez que me purgué después de una comida, y lo que descubrí es que todavía veía el cuerpo como algo que se debía moldear y controlar. Habiendo batallado con una forma de comer desordenada y con desórdenes alimenticios durante la adolescencia, mi suavidad y mis curvas no eran algo que recibiera con gusto. Tal y como ocurrió cuando me lesioné, cuando descubrí que estaba embarazada uno de mis primeros miedos fue engordar.

Y luego, un día, lo sentí moverse. Sentí la vida dentro de mí y descubrí mi magia. Vi mi cuerpo como un recipiente que crea y apoya la vida, y dejé ir toda mi ansiedad respecto al peso y la forma. Seguí practicando yoga, pero con una tranquilidad y una suavidad que no había experimentado antes. Mi práctica de yoga se convirtió en una exploración. Era por nosotros, no por mí.

En 41 semanas había subido aproximadamente 25 kilos, y jamás me había sentido más cómoda con la comida ni con mi cuerpo. Me sentía confiada. Fuerte. Femenina. Grácil.

Mi experiencia de dar a luz fue igualmente afirmante. Mi hijo nació en casa con la ayuda de mi partera. Mi madre estaba ahí para apoyar. Después de seis horas intensas, sostuve a mi hijo, y a los 30 años de edad aprendí el significado de la palabra *amor*.

Abracé la luna bebé, como le dice mi partera al período de recuperación y vinculación de cuatro semanas posterior al parto. Encontré humor en las cosas extrañas que mi cuerpo hacía, como rociar leche cuando estaba en la regadera. Veía la piel suelta que rodeaba mi vientre y la consideraba un lugar confortable en el cual mi hijo podía apoyar la cabeza durante su siesta. Quedé atrapada en la magia del proceso. Estaba asombrada por lo que mi cuerpo había hecho y lo que estaba haciendo para apoyar y nutrir a esta hermosa personita. Ninguna fatiga podía robarme el orgullo o la alegría que recorría todo mi cuerpo.

Al final de la luna bebé quise regresar al tapete. Y lentamente, como cuando pescas un resfriado, comencé a tener pensamientos sobre recuperar el cuerpo que tenía previo al embarazo.

Rx: Yoga

El horror

Aunque no pensé que fuera posible, el salón de yoga en aquel día ajetreado se puso todavía más caliente. Mi cuerpo se calentó y los dolores desaparecieron. El sudor se acumuló en mi frente. Las salutaciones comenzaron a parecerme familiares, como cuando te pones al día con una amiga que no has visto en años. Lentamente comencé a relajarme al hacer las posturas.

En dos ocasiones mi instructora señaló mi vientre y sugirió que involucrara mi centro. "¿No está involucrado?", pensé mientras miraba hacia abajo para ver mi ombligo, el cual obstinadamente se rehusaba a responder a mis mayores esfuerzos de subirlo y meterlo. "¿Por qué no se mueve? ¿Alguna vez va a moverse?".

El parloteo mental estaba a su máximo nivel, y comencé a sentirme muy cohibida. "¿Debería utilizar licra?… Vaya, mírenla; es hermosa… ¿Alguna vez mi cuerpo hará eso nuevamente?".

Más o menos 30 minutos después de haber iniciado la práctica, mientras el sudor goteaba por mi cuero cabelludo y por mi frente, mis pechos comenzaron a gotear. Pronto mi playera estaba empapada, pero no de sudor. Estaba goteando leche.

Vergüenza. Humillación. Horror. Si hubiera podido envolverme en mi tapete y desaparecer, lo habría hecho.

Comenzar de nuevo

Cada vez que tenía a Everett en mis brazos, recordaba mi magia. Me sentía espiritual de un modo diferente a como lo había experimentado, incluso en el yoga y la meditación. Cuando veía a mi hijo, mi conexión con la vida no podía ponerse en duda.

A pesar de esa conexión profunda, entré al estudio de yoga y me sentí cohibida, insegura y gorda. Perdí completamente el contacto con lo que, apenas momentos antes, parecía algo hermoso, mágico y conectado con la fuente de la vida. No podía completar las clases sin tomar descansos. No podía pararme de manos ni saltar elegantemente hacia adelante después del Perro Boca Abajo. Mis pechos, que eran del triple de tamaño de como los tenía antes del embarazo, se interponían en todo. Me sentía rara y me cohibía el hecho de parecerlo.

Sin embargo, tenía suerte. Esa no era mi primera experiencia como principiante en el tapete de yoga. La primera vez, mi cuerpo era fuerte y mi mente rígida. Esta vez, mi cuerpo era más suave y también mi mente. Tenía el regalo de diez años de aprendizaje lento y constante que culminaron con mi primera experiencia de amor.

El yoga me enseñó a ver hacia dentro. Recuerdo el susurro: "Considera que cómo se siente podría ser más importante que cómo se ve".

El yoga me enseñó a darme cuenta de mis juicios y a ser curiosa. En mi primer entrenamiento para ser instructora, aprendí a sostenerme con frecuencia en la frase "¡Mira qué interesante!". A través del yoga, aprendí a estar presente cuando tenía la tentación de distraerme con una experiencia incómoda. El yoga me enseñó a permitir que las cosas ocurrieran, en especial cuando forzarlas resultaba ser completamente ineficaz. Comenzar una y otra vez me enseñó que soy mucho más resistente de lo que había reconocido que era.

En algún punto del camino había aprendido que solo podía amar a otra persona en la medida en la que me amara a mí misma. Aceptando esto como verdad, me di cuenta de que debo amarme a mí misma tanto como amo a Everett.

Alejándome de la vergüenza, alejándome de la forma como pensaba que me veían los demás, y alejándome de todos los "debería" y "no debería" con los que había estado reprendiéndome, decidí obsequiarme el regalo del amor.

La siguiente vez que entré al estudio, me aseguré a mí misma de que era más probable que todas las personas que estaban haciendo paradas de manos antes de la clase estuvieran viéndose a sí mismas en el espejo y no a mí, así que ¿qué importaba si modificaba cada postura para que se adaptara a mi cuerpo? Cuando me sentía cansada o desanimada, me imaginaba a Everett y sentía mi conexión con algo muy superior a lo que yo jamás podría comprender. Dejé de ser quisquillosa y abracé la nueva forma de mi cuerpo.

Mi tapete de yoga, yo misma

¿Acaso practicar yoga sanó mi imagen corporal, o fue la aceptación final de mi cuerpo lo que salvó mi práctica de yoga? Quizás nunca sepa la respuesta. Lo que si sé es que el yoga y mi relación con mi cuerpo están íntimamente entrelazados. Mi tapete de yoga es un lugar seguro para que yo sea yo, y hubo un momento en el que fue el único lugar en el que me sentía segura para explorar mi relación con mi cuerpo y con mi ser. A medida que me sentí cómoda con revelarme a mí misma sobre el tapete, poco a poco pude expresar mi autenticidad. Mi práctica de yoga se ha convertido en el lugar en el que descubro mi verdad.

Y esa verdad no siempre es bonita. Algunas veces, me subo al tapete y encuentro enojo, frustración, tristeza y enjuiciamiento. Otras, encuentro amplitud, relajación y paz.

El yoga ha abierto un diálogo con mi cuerpo. En estas conversaciones mi cuerpo me ha enseñado que no importa cuánto empuje, mi cuerpo empujará de vuelta con más fuerza, dándome cualquier recordatorio que necesite para escuchar sus necesidades, y no lo que mi mente piensa que necesita. Es infinitamente más eficaz soltar las riendas. Mi cuerpo me ha enseñado que jamás será perfecto, pero siempre resulta interesante explorar las creencias acerca de la perfección.

Rx: Yoga

He tomado muy en serio las lecciones que he aprendido en el tapete, y ahora las aplico a través de mi práctica como médica naturópata. Me hice naturópata porque me identificaba profundamente con la idea de practicar una medicina que honre al cuerpo, la mente y el espíritu. Sin embargo, mi educación me dejó un entendimiento profundo del cuerpo pero un entendimiento superficial de la mente y del espíritu. Afortunadamente, mi tapete me ha enseñado el resto.

Las hierbas, los suplementos, una dieta saludable, el ejercicio y las agujas de acupuntura bien colocadas son útiles para ayudar a un cuerpo a sanarse, pero palidecen en comparación con el tiempo, la paciencia, la compasión y la aceptación. La disposición que tenga una persona de ir hacia dentro, escuchar y responder a la retroalimentación que el cuerpo le brinda no es solo la clave para una práctica de yoga significativa; es la clave para una vida significativa.

Everett tiene ahora 4 años, y desde que regresé al tapete después del embarazo he tenido la oportunidad de comenzar de nuevo unas cuantas veces. He abandonado mi resistencia al proceso, reconociendo que estos grandes desafíos son la puerta de entrada a los más grandes regalos de la vida.

Las lecciones que he aprendido sobre el tapete, mis lecciones como madre –y más aún, mis lecciones de comenzar una y otra vez– me brindan una perspectiva profunda de compasión como médica y mentora. A menudo mis pacientes se sorprenden cuando les digo "¡Eso es genial!" después de que vienen y me dicen que de una u otra forma han vuelto a las andadas. Se asombran porque pueden ver que en verdad me parece genial. ¡Y en verdad es genial! Es genial porque se pusieron al descubierto de nuevo. Es genial porque son bendecidos con la oportunidad de ser principiantes una vez más y de experimentar el comienzo con una nueva perspectiva informada. Es genial porque han aprendido algo sobre la forma en la que enfrentan los desafíos.

Jamás habría podido acompañar de forma segura a alguien en su proceso de aprendizaje si no hubiera sido por mis propios conflictos con el hecho de comenzar una vez más.

Dawn M. Dalili, ND, es médica naturópata graduada en el estado de Arizona. Vive con su hijo en la parte noroeste de Florida, donde enseña yoga y trabaja como consultora en salud natural y bienestar. Dawn cree que la salud a menudo es un reflejo de un sentido más profundo del ser, y aborda la salud y el bienestar mediante el sendero de la imagen corporal y la autoestima.

www.dawndalili.com

Foto de la autora por Sherri Butler Photography.

Shana Meyerson

"¡Soy fea! ¡Soy tan fea!"

Conozco a una yoguini (quizá tú también la conozcas... es bastante famosa en el mundo del yoga) tan flexible como una banda de goma, fuerte como un toro y elegante como un cisne. Resulta que conoce los sutras de arriba abajo y, en todos los sentidos, es el epítome de la yoguini moderna.

Sería una perfecta modelo de portada de cualquier revista de yoga del planeta. Es preciosa y tiene curvas. No interpreten esto. No utilizo la palabra *curvas* como eufemismo de gordura. Tiene un cuerpo fuerte pero femenino. No es talla 0; *quizá* sea talla 4. Y, de acuerdo con una exitosa publicación de yoga, eso es demasiada gordura como para adornar su portada.

Es curioso que, antes de decir esto, jamás me hubiera dado cuenta de que todas las modelos de portada de yoga son mujeres lindas, delgadas y perfectamente proporcionadas. Antes de escuchar esta historia les habría dicho que *cualquiera* puede ser modelo de portada si se dedica lo suficiente a su práctica. Yo pensaba que podía estar en una portada algún día. Sí, cómo no. No había la más remota posibilidad de que pusieran mi trasero talla 6 en su portada. Simplemente, permítanme decir que si alguna vez mi inclinación por los postres fue una barrera para entrar, ahora esa barrera es de concreto.

Por cierto, permítanme tomarme un momento para mencionar que aunque la talla 6 es mucho menor a la que utiliza la mujer estadounidense promedio (que se viste con talla 14), sigue siendo considerada demasiado grande en la cultura mediática dominante. "Talla extra" sería el término exacto que utilizan.

Me imagino que yo estaba tan atrapada en el ideal yóguico de que el valor de una persona viene de dentro, y no de fuera, que simplemente asumí que las publicaciones de yoga del mundo enarbolarían ese mismo ideal.

Estaba equivocada.

De la boca de niños de 3 años de edad

Desde 2002 he estado enseñando yoga a personas de todas las edades, desde infantes hasta personas de edad avanzada. También he visto cómo ha evolucionado (o involucionado) la práctica con su explosiva popularidad, desde que se basaba en la conciencia y la atención plena principalmente hasta basarse sobre todo en la autoindulgencia y la estética.

En el mejor de los casos, he trabajado con salones llenos de mujeres de todas formas, tallas y antecedentes, todas las cuales salen de la práctica sintiéndose hermosas. En el peor de los casos, he trabajado con una niña de 3 años de edad (la hija de dos estrellas de cine que ya era un pequeño bombón con brillo labial) que a mitad de la clase se mantuvo gravitando hacia el espejo y gritando en voz alta "¡Soy fea! ¡Soy tan fea!".

¿Qué va a hacer con todo ello la sociedad?

Una de las metas máximas del yoga es aprender a ver más allá del maya, de la ilusión. El concepto del *maya* consiste en que nuestro mundo está coloreado por nuestro conocimiento y nuestra experiencia, por nuestros prejuicios y nuestras inclinaciones. Vemos el mundo según somos entrenados para verlo, y no como realmente es. Puesto en el contexto de la imagen corporal, el *maya* sería la dismorfia corporal: vernos como "gordos" o "feos" como indicadores subjetivos de nuestra valía (o de la ausencia de ella).

Cuando los filtros de nuestra imagen corporal están teñidos con Photoshop, cirugías plásticas y modelos de pasarela talla 0, se hace difícil aceptar simplemente las caderas de embarazada, los senos de pastelillos y las líneas de expresión que vienen naturalmente con la edad y, sí, con las sonrisas.

Tristemente, estos mismos juicios que los adultos colocan sobre sí mismos a menudo los proyectan en sus hijos. En su mayor parte, las expectativas son bienintencionadas. Todo mundo quiere que su hijo o hija prospere y sea aceptado… Y las personas bonitas (léase: delgadas) son personas populares. Sin embargo, con demasiada frecuencia estas intenciones equivocadas se vuelven hirientes y vergonzantes. Por ejemplo, decirle a una niña de 5 años que no puede comer pastel en una fiesta o poner a dieta a una niña de 9 años o decirle a una adolescente que está gorda enfrente de alguien que esté cerca.

Así es como terminamos con un ejército de niñas humilladas, con baja autoestima, convencidas de que están gordas (léase, feas) y que son unas buenas para nada. Y los demás niños tampoco están ayudando a mitigar esa percepción. La actividad rampante de poner apodos, hostigar y hacer *bullying*, todo ello contribuye a tener niños que odian su cuerpo y que se odian a sí mismos. Necesitamos superar esta espiral de autodestrucción para crear autoestima en todos los niños, para facultarlos de modo que se amen a sí mismos.

Necesitamos el yoga

Ojalá lo hubiera tenido cuando era niña.

Niñas crueles

Al haber crecido en la parte sur de California, la imagen corporal deficiente no era algo que tuvieras que infligirte a ti misma. Tus compañeros te hacían ese favor.

En lo personal, dejé de pasear por la playa cuando estaba en secundaria porque no me gustaba como me veía en bikini. Eso sí, yo no era lo que podría considerarse gorda. De hecho, era una atleta consumada que se ejercitaba (¡duro!) durante horas todos los días. Sin embargo, tampoco era lo que podría considerarse delgada. Y las otras chicas sí lo eran. Todos los días pasaba horas tratando de amarrar una sudadera a mi cintura justo a la altura correcta, justo en el ángulo correcto, en un intento por recortar visualmente mi cintura. Mi novio no tenía permitido tocarme el vientre.

Y luego, finalmente, en mi primer año de universidad, decidí limitarme solo a un tazón de granola y a un tazón pequeño de verduras, además de practicar al menos dos formas de ejercicio al día. Aun así, todo lo que podía ver era que estaba gorda. Gorda, gorda, gorda, gorda, gorda.

Vaya que necesitaba el yoga.

Una mujer frente al espejo

Como adulta que descubrió el yoga a los 30 años, fue la primera vez en mi vida que alguien me dijo que estaba bien caerse. Así es. Está bien caerse. Esta fue una revelación enorme, especialmente para alguien a quien toda su vida se le había dicho que necesitaba ser perfecta. ¡Qué motivante fue aprender que lo mejor que puedo hacer es lo mejor que puede esperarse de mí! Y, todavía más, darme cuenta de que en un determinado momento siempre estoy dando lo mejor que tengo para dar.

Cuando era adolescente, verdaderamente creía que tenía que ser la mejor en todo: la presidenta de cada grupo, la capitana de cada equipo. Y tenía una sola meta en la vida, una sola. Iría a Stanford. Durante los cuatro años de la preparatoria fui la primera de la clase, la mejor en la prueba SAT, la mejor en los equipos, ganando premios y recibiendo honores, y en general creyendo que era invencible. Luego vino el temido sobre delgado, y mi mundo se vino abajo. No iría a Stanford. No era "La niña de oro". En lo que a mí tocaba, no era digna del papel en el que esa %&#$% carta estaba escrita.

Durante diez años –*diez años*– me disculpé por ser inútil y despreciable por no lograr entrar a esa escuela. Eso fue hasta que entré a la clase de yoga de Bryan Kest. Pude haber jurado que me hablaba a mí cuando dijo que estaba bien caerse. Fue como vivir en esa canción de "Matándome suavemente"… ¿Cómo me conocía tan bien si jamás nos habíamos visto? ¿Cómo es que él sabía lo que necesitaba escuchar? (O, tal vez, ¿es justamente lo que todos necesitamos escuchar?).

Cuando aprendemos a aceptar que somos perfectos por el simple hecho de ser nosotros mismos, por defecto aprendemos que todos los demás también lo son. Llevémoslo un paso más allá: si puedo aceptar la perfección de mi ser actual, entonces, a la vez, debo aceptar el cuerpo que me contiene. El proceso de aprender la autoaceptación es difícil. Desde que somos pequeños se nos enseña a ser al mismo tiempo críticos y humildes: en cierto modo, dos lados de la misma moneda y de nosotros mismos.

Dar y recibir

En yoga existe cierto código de ética —los *yamas* y *niyamas*— que nos lleva más allá de esta ilusión y abuso de uno mismo. El primero de los yamas, *ahimsa* o la no violencia, dice que debemos ser amables con nosotros mismos tal y como somos amables con otras personas. Esta es, digamos, la regla de oro del yoga. Nos recuerda que cada momento de cada día podemos ser nuestro mejor amigo o nuestro peor enemigo. Al final, todo se reduce a la relación que tenemos con nosotros mismos y a lo cómodos que nos sentimos en nuestro cuerpo.

La razón por la que comencé el yoga mini yoguis® para niños fue porque quería dar a los niños este regalo que yo no recibí hasta que tuve 30 años. No podía dejar de pensar cuán diferente habría sido mi vida si hubiera conocido el yoga a los 3 años en lugar de a los 30; si hubiera sabido que no podía fallar.

Ahora, cuando trabajo con niños, trabajo muy duro para asegurarme de que cada niño se sienta bien consigo mismo y se sienta empoderado. No importa cuáles son las metas de pérdida de peso que tengan los niños con los que trabajo, me aseguro de que entiendan que la razón por la que estoy aquí no es para que se vean más lindos, más delgados o más perfectos, sino más bien para ayudarlos a ver cuán perfectos son ya.

Optimismo corporal sin necesidad de pompones

En mis clases de yoga para niños, el enfoque se centra en el esfuerzo y no en lo que está "bien" o en lo que está "mal". Probablemente, la práctica de yoga para niños es el único ámbito en la vida de un niño en el que la competencia y la perfección no entran en juego. El yoga reconoce que todas las personas son perfectas de forma inherente tanto en sus idiosincrasias como en imperfecciones. De hecho, caerse es un indicador verdaderamente fantástico del esfuerzo… Algo que debe ser aplaudido y celebrado, no condenado.

Por supuesto, es importante —en especial con los púberes y los adolescentes— que tus estudiantes no piensen que los estás mimando o que estás siendo condescendiente con ellos. No es suficiente simplemente esperar que un niño te diga que está gordo y luego reaccionar con un "No, no lo estás". Es importante saber qué niños tienen baja autoestima y asegurarnos de ser *proactivos* a la hora de reforzar el pensamiento positivo… incluso antes de que el pensamiento negativo aparezca.

Cuando tengo niños con baja autoestima o con una imagen corporal pobre, trabajamos con mantras, repitiendo una afirmación positiva una y otra vez en nuestra cabeza para excluir los demás pensamientos. Y si un estudiante dice algo negativo sobre sí mismo, rápidamente trabajamos para cambiar el pensamiento y cambiar las palabras.

Cuando un adolescente con una imagen corporal pobre entra a la clase, tirando de su playera o negándose a quitar su pesada sudadera, hago el comentario de lo bien que se ven ese día y *de inmediato* su energía cambia, porque lo digo como si de verdad lo pensara (¡y lo pienso!), y no como una foca bien entrenada que siempre responde por reflejo "No eres feo".

¿Qué tienen en común los niños y las niñas?

Por supuesto, estos asuntos no están limitados a los adolescentes ni a los púberes. La conciencia de la imagen corporal comienza a una edad muy temprana. De acuerdo con el *Daily Mail* de Gran Bretaña, el número de niños menores de 10 años que son tratados por anorexia se duplicó en 2011 en comparación con las cifras de 2010, en que *niñas de tan solo 5 años de edad* estaban siendo tratadas por casos severos. También estiman que 25% de las niñas de 10 años de edad se encuentran en una dieta de pérdida de peso autoimpuesta.[1]

En mi experiencia personal, quizá la tendencia más desconcertante en la conciencia de la imagen corporal es el número creciente de niños que se están obsesionando con su peso y con su cuerpo. Aunque nuestra conciencia de este problema se ha enfocado principalmente en las niñas, estoy conociendo cada vez más y más niños que padecen esta misma problemática.

Tengo un niño en particular con el que he trabajado por años. Cargó con su gordura de bebé quizá durante un poco más de tiempo que algunos otros, pero nunca se vio que tuviera sobrepeso o que estuviera fuera de forma. Pasé mucho tiempo ayudándolo a elevar su autoestima y diciéndole lo fabuloso que era (no solo por fuera, sino particularmente por dentro), y mientras estuvo en mis clases pareció funcionar. Se sentaba más erguido, sonreía más y caminaba con orgullo. Sin embargo, en la escuela los niños seguían haciéndolo pedazos, y cada semana teníamos que empezar de nuevo y yo tenía que recordarle lo increíble que era en realidad.

Luego se fue a Nueva York a pasar el verano con su prima, una novata de la Universidad de Nueva York a la que le gustaba ir de un antro a otro. Este chico de 17 años de edad regresó al final del verano casi con cinco kilos menos y claramente sintiéndose mejor consigo mismo. Incluso me presumió lo mucho que había comido ese día. Y había sido *mucho*. Esto vino del mismo niño que normalmente estaba tan avergonzado de su peso y su apariencia que para él comer era una adicción vergonzosa y algo de lo que no quería hablar. Y luego, cuando me acerqué a él, me di cuenta de que acababa de lavarse los dientes. A las cuatro de la tarde. Rápidamente descubrí que acababa de vomitar la comida, y quise llorar.

Jamás había visto a este chico más feliz que cuando descubrió la bulimia.

Y este es el desafío: si sigo hablando de lo bien que se ve y reafirmo su autoestima, sabrá que su desorden alimenticio está "funcionando". Y si no lo hago, pensará que no está funcionando y es probable que lo lleve a extremos mayores.

¿Tú qué harías?

Varas y piedras

Las cosas que las personas nos dicen cuando somos muy pequeños —particularmente lo que más nos lastima— son las cosas que tienden a permanecer. Más allá de la imagen corporal negativa con la que crecen los niños que son ridiculizados, está la imagen corporal distorsionada que llevarán consigo toda su vida. No es raro que alguien que recibió burlas siendo niño siempre lleve cargando esa etiqueta de "niño gordo" a lo largo de su vida adulta… sin importar lo delgado que sea o las medidas que tenga que tomar para llegar a este punto.

La belleza del yoga —particularmente a una edad temprana— es su naturaleza carente de juicio. A diferencia de otros deportes populares que reverencian la estética física, forzando a los niños a hacer dieta (o incluso a morirse de hambre) y a pasar por heridas, el yoga anima a los estudiantes a amar a la persona que son y a estar conscientes de sus heridas o limitaciones. Eso no quiere decir que el yoga promueva la complacencia. No lo hace. Sin embargo, sí promueve el estudio constante de uno mismo y la introspección (*svadhyaya*), de modo que vivas de acuerdo con tu propio ideal de la mejor versión de ti mismo que puedas ser, en lugar de que lo hagas con el ideal de alguien más.

Por supuesto, no todos los niños tienen problemas con su imagen corporal. Algunos se sienten bastante orgullosos y son desinhibidos en relación con su cuerpo, independientemente de su forma y su talla. Tengo una niña con la que trabajo, de 8 años de edad, es muy alta y delgada. Tiene afición por los shorts muy cortos y por los tops pequeños que dejan ver su vientre. A su hermanita de 10 años le gusta ponerse tatuajes falsos en la parte baja de la espalda, apenas por arriba de sus minifaldas. Y a su madre le parece bien esto. Siempre que se sientan bien consigo mismas, pueden ponerse lo que deseen.

Ahora, miro en retrospectiva algunas fotografías de mi hermana y mías cuando éramos niñas en la década de 1970 y las prendas que utilizábamos. Curiosamente, no son tan distintas a las de estas niñas (quitando los tatuajes). Pero esa era una época diferente. En aquel entonces éramos tan solo niñas que sudábamos por estar jugando y queríamos estar frescas. Actualmente, con la constante cosificación e hipersexualización de las mujeres —¡y de las niñas!—, las niñas pequeñas no pueden ponerse ropa muy corta sin que los hombres las miren lascivamente como depredadores.

Del otro lado de la moneda, tengo a otra niña, de 3 años de edad, preciosa, que tiene mucho sobrepeso para su edad. Sin embargo, a ella no le importa en absoluto. Démosle el nombre de Vivian. Le encanta arremangarse la blusa, levantarse la blusa, quitarse la blusa. No es cohibida en lo más mínimo. Saludable.

Está en una clase de cinco niños de entre 3 y 4 años de edad, y después de la meditación a los niños les encanta apilarse en una torre sobre mi regazo, uno a la vez, en posición de flor de loto. Un día había cuatro niños en la pila, y Vivian comenzó a trepar hasta arriba para ser la "cereza del pastel". De repente, otra niña gritó: "¡Ella no! ¡Nos va a lastimar!". Y Vivian se desinfló como globo pinchado.

No sé cómo explicarlo, pero podría decir que Vivian sabía que la niña no se refería a que *una persona extra* podría lastimarlos (siempre tenemos cinco niños). Quería decir que Vivian los lastimaría. Y en lugar de ello, Vivian fue la que salió lastimada.

Rápidamente apagué el incendio quitando a todos de la torre y ofreciendo a Vivian el tan codiciado espacio que se encontraba directamente sobre mi regazo. Luego hablé con los niños acerca de que todo mundo tendría su turno y que yo jamás haría algo que los lastimara, y les hablé sobre ser amables. Con todos. Siempre.

Mi pequeño vientre

También trabajo mucho con adultos y tengo un canal en YouTube, YOGAthletica, que cuenta con una gran audiencia. Hace algunos meses alguien publicó el comentario "Me encanta tu pequeño vientre" en mi video más popular. Y me mortifiqué. El mundo entero podía ver el comentario y reírse.

Ahora bien, no sé si el comentario era un cumplido real o una pulla, pero seguí adelante e hice clic en "me gusta", no porque apreciara el comentario o porque me pusiera feliz, sino porque estaba orgullosa de no borrarlo.

Con todo el yoga y la práctica que llevo a cabo, día tras día, no voy a fingir que no me gustaría tener un abdomen más plano, quizás unas caderas un poco más pequeñas. Demonios, sería genial perder unos tres kilos. Quizá diez. No me quejaría si fueran 15… porque soy una yoguini, pero sigo siendo humana. Hago mi mejor esfuerzo por aceptar mi cuerpo, pero, a final de cuentas, siempre recuerdo que lo que verdaderamente importa es lo que hay en el interior.

Y, con toda franqueza, en verdad me gusta lo que veo.

Referencias

[1] Sophia Borland, "The Anorexia Victims Aged Five: Doctors Blame Ultra-Slim Celebrities as Almost 100 Under-9s Are Treated in Hospital", *Daily Mail*. Disponible en www.dailymail.co.uk/news/article-2020765/ Children-aged-FIVE-treated-anorexia-Doctors-blame-ultra-slim-celebrities.html. Consultado en marzo de 2014.

Shana Meyerson fundó el yoga mini yogis® para niños, en marzo de 2002. Como pionera en la comunidad de yoga para niños, Shana ha enseñado a instructores de todo el mundo a dar clases a los niños de una forma divertida, segura y atenta. Su enfoque intuitivo e interactivo de enseñanza le permite cambiar de forma positiva la vida de niños con un desarrollo típico y la de niños con necesidades especiales. Entrenada en yoga clásico por uno de los yoguis más renombrados, Sri Dharma Mittra, Shana considera su enseñanza como un regalo a la dulce inocencia de los niños y a la vida que está frente a ellos.

www.miniyogis.com

Foto de la autora por Madoka Hamlin.

Parte cinco

Género y sexualidad

En esta sección se nos pide considerar cómo se manifiesta el yoga para personas de distintas identidades de género y orientaciones sexuales. Con este enfoque, los autores nos llevan por un debate sobre cómo el yoga y la imagen corporal distan mucho de ser una conversación limitada a las mujeres (como a menudo es vista), sino que más bien forma parte de una consideración mucho más amplia para todos nosotros.

Rosie Molinary inicia con su historia personal sobre las distintas formas en las que se sentía separada de su cuerpo, particularmente por la manera en que la vieron y la trataron los hombres a lo largo de los años. Comparte cómo, de una forma bastante inesperada, el yoga se convirtió en un camino para reclamar su cuerpo como propio con amor.

A continuación, la doctora Kerrie Kauer nos lleva por su experiencia como atleta, en especial una vez que salió del clóset. Utilizándola como trampolín, comparte también su investigación sobre deportividad y sexualidad y sobre cómo ambas se entrecruzan en el cuerpo, y lo que el yoga puede hacer para ayudar a integrar la forma como todos nos sentimos en relación con nuestro cuerpo. Bryan Kest nos permite enseguida adentrarnos en sus experiencias de la masculinidad mientras crecía emulando a su rudo padre, y cómo el yoga le proporcionó una manera de redefinir tanto la masculinidad como su relación con su propio cuerpo.

Posteriormente, Ryan McGraw termina el libro con su experiencia como yogui con parálisis cerebral. Después de haber asumido que el yoga no era para él, y de esperar que sus amigos no se dieran cuenta de que estaba practicándolo porque no encajaba con las ideas que ellos tenían sobre lo que significa ser hombre, encontró en el yoga su camino tanto dentro como fuera del tapete, y al hacerlo nos inspira a hacer lo mismo.

Finalmente, la doctora Audrey Bilger comparte su experiencia de aislamiento como la única lesbiana fuera del clóset en un campus universitario, el enfrentamiento resultante con un ambiente hostil, y cómo el yoga la ayudó a pasar por todo ello y a reconciliarse con su cuerpo.

Rosie Molinary

El encuentro con mi cuerpo

—Mi tío dice que las chicas puertorriqueñas están M-U-Y BIEN — sisea, y sus manos me buscan a tientas en la multitud que aborda el autobús después de la escuela. Él está en tercer grado; yo estoy en cuarto. A estas alturas ya he crecido avergonzada de mi cuerpo, de mi apariencia, de quien se supone que debo ser porque (según yo lo veo) hablo español.

Esto es lo que ocurre todos los días después de la escuela. Un grupo de niños que han decidido que soy un objetivo por mi condición de puertorriqueña se arremolinan en la puerta del autobús cuando trato de subirme a él, extendiendo las manos, tratando desesperadamente de sentir un poco de mi inexistente trasero.

Los alejo con un manazo. Me cubro el cuerpo. Digo que no. El asunto no mejora.

Comprobando

Cuando por fin me subo a ese cilindro de estaño oscuro, busco un asiento junto a la ventana al otro lado del autobús, de modo que no puedan verme. Con el tiempo, simplemente comienzo a perder el autobús después de la escuela. Un maestro me ve, me sube a su coche y me lleva a casa. Aunque no le digo lo que ocurre, sigo perdiendo el autobús o encontrando razones para quedarme después de la escuela porque es la única forma que conozco de mantenerme a salvo.

Muy pronto encontraré otra forma de hacerlo. Voy a disociarme de mi cuerpo. Voy a atarlo, cubrirlo, ignorarlo. Fingiré que no existe. No obtendré placer de él. Lo desconoceré, porque lo que estoy aprendiendo de los chicos que me rodean es que mi cuerpo es diferente y, si le doy rienda suelta, podría ser peligroso para mí. Podría ponerme en camino de ser lastimada.

Tengo tanto miedo de que mi cuerpo reciba cualquier tipo de atención que me alejo de él. Lleno mi mente con tantos conocimientos como puedan caber en ella. Hago todo el bien que puedo. Me convierto en la encarnación misma de la chica buena, porque mi cuerpo, según entiendo, podría ser muy malo y algo debe compensarlo.

Aun así, hay momentos en los que mi cuerpo me asusta. El día de mi graduación de la preparatoria me puse un vestido que mi madre me había hecho. Era un vestido *halter* largo de color blanco que me caía hasta los tobillos, mostrando modestamente solo mis hombros y mi cuello. Días antes, una amiga me cortó mis largos rizos. Mi cabello caía en una melena corta que se balanceaba. En el espejo no me reconocía, pero por propia voluntad le sonreí a esa niña. Imaginaba que era diferente a mí, y que ella sería quien se iría a Carolina del Norte a comenzar una nueva vida en la universidad. Me asusté cuando me di cuenta de que me gustaba cómo se veía. Hasta ese momento, en su mayor parte, ni siquiera había sabido cómo me veía.

Esa noche, cuando un amigo me vio, se quedó con el ojo cuadrado. "Te ves como una zorra", me dijo. Había música sonando y no pude descifrar las palabras de mi amigo debido a la música. Por un segundo, pensé que me había dicho que me veía linda. Una especie de vergüenza orgullosa recorrió mi rostro. Era una de las pocas veces en las que había pensado en mi cuerpo y, sobre todo, que me había sentido orgullosa de él.

—¿Qué? —le grité en el oído, porque esta es la clase de cumplido que quiero estar segura de haber escuchado. Quería saber si él veía a la chica que yo había visto en el espejo cuando estaba alistándome. Quería saber si era ella en quien estaba convirtiéndome.

El encuentro con mi cuerpo

—TE VES COMO UNA ZORRA —dijo todavía más fuerte, en tono de desaprobación.

La vergüenza orgullosa se divide en dos aspectos de la vergüenza: vergüenza por verme como una zorra y vergüenza por haber estado orgullosa de mi cuerpo y mi apariencia por un segundo.

El cuerpo como una realidad compartida

Aunque ignoraba a mi cuerpo, seguía desarrollándose. Tenía senos que no quería que nadie notara; una figura curvilínea que me mortificaba. Dejé que mis rizos que caían ocultaran mi rostro, que me ocultaran a mí misma. Donde vivía en aquel momento, mi cuerpo era del tipo que pocas personas tenían. Trataba de creer que yo tampoco lo tenía.

Cuando tenía veintitantos años, la experiencia de una poderosa nueva atracción resultaba debilitante, porque me quedaba petrificada por lo que sentía. Cuando el aprecio hacia un amigo se convertía en algo más, trataba de hacerlo a un lado, estando plenamente consciente de que enamorarme de él significaría que ya no podría vivir en mi mundo disociado. Una noche, nos encontrábamos en medio de una situación volátil. Como chica buena, sé cómo suavizar casi cualquier cosa. Cuando la crisis pasó y solo quedamos para hablar del asunto yo y la persona que me atraía, él avanzó hacia mí y yo lo miré tímidamente. Mis ojos se mantuvieron viendo su rostro anguloso con sus ardientes ojos verdes, memorizándolo.

—Lo hiciste muy bien—. Deslizó sus dedos bajo mi mentón, levantándolo hacia él. Cerré los ojos y luego volví a abrirlos para encontrarlo acercándose a mí, sorprendiéndome con uno de nuestros muchos besos que habrían de repetirse durante años.

—Sal conmigo —me suplica. Eso es lo que más deseo hacer. Ser así de fácil. Ser la clase de mujer que puede subirse a su *jeep* de color plomizo y contemplar la ciudad con él, con su mano casualmente colocada sobre mi muslo, mientras vamos del bar al club; de gritar en un partido de futbol televisado a bailar sin inhibiciones con la música de Eminem en una pista de baile abarrotada, pegada a él, respirando uno el aire del otro. No obstante, también me aterroriza la lista de posibilidades que semejante decisión podría crear.

—No puedo —murmuro, colocando mi mano en su brazo y luego alejándome lentamente. Mis dedos tocan la parte interna de su antebrazo durante todo el tiempo que puedo antes de que la distancia sea demasiada.

A lo largo de los años había luchado contra esta poderosa atracción. Mis sentimientos por él me aterrorizaban, abrumada por lo mucho que podía perder, así que juego a lo seguro lo más que puedo. Nos besamos y me alejo. Me comparte detalles íntimos de su vida que jamás le había contado a nadie. No estoy a la altura de su candor. Siente mi alejamiento y me confronta.

—¿Por qué estás tan malditamente cerrada? —me preguntó una tarde de sábado.

No pude responderle, así que hice lo que había aprendido a hacer cuando las cosas se ponían difíciles: me fui. La distancia que pongo es nuestra metáfora viva. A medida que me alejo de él —con lágrimas que me causan escozor por saber la verdad de que crear este espacio es tanto lo último que quisiera estar haciendo como lo más importante que puedo hacer—, me abrumo con preguntas. Si realmente le abriera mi corazón, ¿lo perdería? ¿Cómo podría permitirle conocer mi cuerpo cuando tengo miedo de ese cuerpo, me avergüenzo de ese cuerpo y ni siquiera yo misma lo conozco? ¿Podría ser lo suficientemente buena como para tener por siempre a ese hombre? ¿Es siquiera *suficientemente buena* lo que tengo que ser, o *suficientemente fiel*? Y si era lo suficientemente fiel, ¿cómo podría serle fiel a alguien más —a su alma y a su cuerpo— cuando ni siquiera había aprendido a serme fiel a mí misma?

Con el tiempo, confirmé que lo que es esencial en mí —lo que él ama de mí— no viene de mi cuerpo. Lo que es esencial en mí es la forma en la que trabajo incansablemente por lo que me apasiona; la forma en la que siento y vivo mi compasión; la forma como abrazo mi historia y mi herencia; mi autosuficiencia y mi independencia; mis extraordinarios límites y mi confianza en evolución. Sin embargo, aunque no soy mi cuerpo, comienzo a entender que mi cuerpo es mi vehículo, mi sistema para disfrutar y experimentar la vida. Habitar verdaderamente el cuerpo es una realidad personal compartida; es tanto expresión como sensación. Todavía no he sintetizado esta lección. Sé que quiero ser la encarnación de esta forma de ser, así que comienzo a tener hambre de saber cómo podría venir ella a mí, cómo podría yo llegar a ella. Todavía no sé cómo saciar esa hambre.

Invitar a la sensación

Pasan cada vez más años por mí. Exploro el amor y, por muchas de las mismas razones, huyo de él. Como maestra de preparatoria apasionada, vivo la disociación de mi cuerpo en formas totalmente nuevas. Trabajo demasiado duro y durante demasiado tiempo. No me alimento bien. La vida sigue entregándote la lección que necesitas aprender hasta que la aprendes —según llegué a comprender más adelante—, pero todavía no llego a eso. Así que sigo dando y no me lleno de nuevo. Sigo actuando como si no tuviera tiempo de cuidar mi cuerpo, cuando de hecho ocurre lo contrario.

Al final, todo eso me alcanza. Mi cuerpo se agota y yo me rindo frente a una enfermedad épica que me fuerza a sentarme en casa durante semanas para sanar y recuperarme.

Me doy cuenta de que no sé enseñar de una forma diferente, de que dar clases en preparatoria es mi adicción, y descubro que tengo que hacer algo diferente en lo profesional si quiero tener éxito en lo físico. Salir huyendo sigue siendo la única herramienta verdadera en mi caja de herramientas cuando las cosas se ponen difíciles.

Vuelvo a comenzar desde lo que parece ser el fondo. Dejo la carrera que pensé que tendría hasta mi retiro. Comienzo un programa de maestría en Bellas Artes que me fuerza, por fin, a reclamar mi propia voz. Y encuentro el yoga, el cual me lleva, finalmente, a asentarme en mi cuerpo.

Algo más grande

El yoga vino a mí en un correo electrónico. El colegio en el que trabajo como administradora ofrece una clase de yoga semanal a la hora de la comida. Como todavía tengo más tendencia a trabajar que a aprovechar el descanso para comer, viene a mí una certeza cuando leo por vez primera el correo electrónico.

Necesito esto, me digo a mí misma con una determinación que me asusta. Conscientemente no puedo descubrir por qué necesito el yoga, pero en el subconsciente parece una verdad. No estoy segura de si pienso que mis caderas lo necesitan o mi corazón, pero aunque no sé nada sobre el yoga, aunque no conozco a nadie que lo practique, necesito hacerlo. Me inscribo antes de convencerme de que necesito esa hora para trabajar más.

Me presento a mi primera clase de yoga en shorts de soccer y con la playera de un concierto. Ocupo un lugar en el salón de conferencias donde da la luz del sol y me siento en mi tapete de estera, saludando con una sonrisa a cada persona que entra, anticipando la clase. No tengo idea de lo que vendrá, de cómo el simple hecho de tratar de no trabajar una hora, cuando normalmente habría exprimido tanta productividad de mí misma como me fuera posible, podía llevarme a algo totalmente diferente, a algo más grande que apenas un pequeño descanso una vez por semana.

A medida que le doy sentido a mi práctica, semana tras semana, adquiero más confianza en el flujo y en las posturas. Respiro. No me preocupa si soy buena en alguna de ellas, porque sea lo que sea que esté haciendo, como quiera que lo esté haciendo, se siente bien hacerlo, y eso es suficiente. Ni siquiera tengo que ser la chica buena y seguir todas y cada una de las instrucciones o sugerencias del instructor. Tomo las modificaciones. Respiro cuando se siente bien hacerlo. No me obligo a trabajar tan duro si todo lo que quiero hacer es descansar en la posición del niño. Cierro los ojos durante toda la práctica y me olvido de que alguien está ahí. En ese tapete, miércoles tras miércoles, solo somos yo y una suave voz que me guía. Estoy a cargo de mi cuerpo y de lo que está sintiendo, y me doy cuenta de que en la medida en que mi cuerpo libera algo físico, yo también libero algo emocional. Conforme me flexiono hacia delante, hago la postura del Guerrero y luego me doblo hacia atrás, logro entender que estoy a cargo de mí misma. Y mi cuerpo y lo que él siente no es algo que deba temer. Si no me gusta algo, no tengo que hacerlo; pero no tengo que esconderme para no hacerlo. Simplemente puedo decidir decir sí o no en un momento dado. Mi cuerpo no está separado de mí, pero tampoco soy mi cuerpo. Es el vehículo que he recibido para experimentar esta vida, y he estado negándome a mí misma parte de su expresión.

Las partes de un todo

Conforme me da menos miedo sentir mi cuerpo físicamente, conforme logro entender que sentir mi cuerpo no va a matarme, me encuentro pidiendo la misma postura en cada clase. Por favor, llévanos a la postura de la Paloma, coreo silenciosamente cada clase. Y cuando lo hace, me quedo en esa postura, no con la tranquilidad de las posturas de flexión hacia atrás, que siento tan naturales, sino con un grito interno. Lo que comprendo mientras me doblo por encima de mi mentón es que, cuando estoy pidiendo la postura de la Paloma, de lo que tengo ansia es de sentir mi cuerpo. Después de toda una vida de tratar desesperadamente de no sentir nada en mi cuerpo, estoy rogando por tener la postura que produce mayores sensaciones físicas para recuperar el tiempo perdido, para despertar mi certeza.

Me inundan las emociones y brotan lágrimas de mis ojos mientras mantengo la postura. Pienso en correr a toda velocidad, como siempre lo he hecho. Y, sin embargo, de lo que me doy cuenta mientras inhalo y exhalo y me entrego de manera más profunda a la sensación, es de que no hay nada que necesite más en este momento que esta postura. Es más, no puedo tratar de abrirme paso para salir de ella. Tengo que estar en esta postura para trascenderla; no puedo huir para escapar de ella; tengo que respirar en ella. Tengo que experimentar lo que mi cuerpo siente y necesita y lo que tiene que decir. Por primera vez, verdaderamente.

Cuando lo hago, todo cambia un poquito; y cuando hilvano prácticas como esa, días como esos, todo el panorama cambia, el continente cambia. Mis paredes se derrumban; mis límites, también. Ya no estoy limitada por la forma como mi cuerpo —o la experiencia de mi cuerpo por alguien más— podría traicionarme. Estoy al tanto de cómo mi alma puede cuidar de mi cuerpo y de cómo mi cuerpo puede hacer lo mismo por mi alma. Soy una fuerza colaboradora, incentivada tanto por la sensación como por la expresión.

Ese es el regalo del yoga. Te enseña lo que más necesitas saber. Para mí, se relaciona con construir el todo con las partes que yo pensaba podían existir de forma separada. El yoga sana lo que está más roto, cuida lo que más necesita cuidado, te lleva a perdonar lo que más gracia necesita y te anima a enfrentar lo que más necesita consideración. El tapete se convierte en un laboratorio personal; las posturas, en tu experimento.

Pronto, la clase semanal de yoga en el salón de conferencias del colegio ya no es suficiente. Algunas veces cierro la puerta de mi oficina y dirijo mi cuerpo y mi alma hacia lo que más necesita del tapete. Encuentro clases de yoga fuera del lugar de trabajo. Me doy cuenta de que puedo darme este regalo en cualquier momento. No tengo que esperar a que alguien me lleve hacia mi cuerpo. Puedo hacerlo por mí misma.

Hacer la conexión

Una vez que he sido incentivada físicamente, descubro que me poseo de forma más personal. Me doy cuenta de que mi cuerpo no tiene por qué atemorizarme; de que nadie jamás va a controlar mi cuerpo, solo yo; de que los chicos que estaban junto a la puerta del autobús ya se fueron de mi vida, y de que, aun si no se hubieran ido, ahora tengo todo lo que necesito para alejarlos. No tengo que correr de nadie. No tengo que correr de mi cuerpo. Sin embargo, puedo correr. Y lo hago. Hago bicicleta. Hago flexiones. Aprendo a nadar. Practico surf. Bailo. Pinto. Escribo mis verdades. Me permito enamorarme ridículamente, a pesar del riesgo inherente. Viajo. Saludo con un Namasté. Vivo con cada parte de mí.

Alguien podría concluir que el yoga ha ayudado a mi imagen corporal, y definitivamente lo ha hecho, pero es mucho más que eso. Lo que el yoga hizo fue conectar todo mi cuerpo, ayudándome a reimaginarme de modo que yo ya no fuera las partes dispares de un cuerpo y un alma. El yoga me sirvió como un catalizador hacia la unidad personal. Me enseñó a no tener miedo de ninguna sensación; que puedo respirar a través de todo ello y llegar al otro lado; que tengo todo lo que necesito dentro de mí. Jamás había tenido miedo de hacer el trabajo mental y emocional, pero siempre había tenido miedo de experimentar la sensación de cualquier cosa. El yoga me enseñó que algunas veces invitar a la sensación es lo mejor que puedes hacer por ti mismo. Todo lo que tienes que hacer es conectarte con tu alma y respirar, porque ya tienes todo lo que necesitas en lo profundo de ti.

Archivo este pequeño trozo de información: siempre será fácil disociarme de mi cuerpo. Cuando las cosas se pongan difíciles, elegiré mi estado por defecto, que es ser completamente cerebral y todo corazón sin tener a la vista ninguna conciencia de mi cuerpo. De este modo creo un mundo sensible al hecho de que tengo en mí la capacidad de disociarme, y hago lo que puedo por evitar que ocurra y por darme cuenta cuando eso ocurre. Y como me llevó tanto tiempo descubrirlo, enmendarlo, crear un mundo donde todo lo que soy puede vivir, hago lo que puedo por facultar a otros para que creen un mundo donde puedan ser todo su ser, de modo que todos podamos estar listos para el amor de nuestra vida que, resulta, no era esa persona que tanto nos atrajo años atrás, sino nosotros mismos.

Rosie Molinary es autora y educadora que motiva a las mujeres a abrazar su yo auténtico de modo que puedan vivir su pasión y su propósito y entregar sus dones al mundo. Rosie es autora de *Beautiful You: A Daily Guide to Radical Self-Acceptance* e *Hijas Americanas: Beauty, Body Image and Growing Up Latina*. Rosie imparte la materia de Imagen Corporal en la Universidad de Carolina del Norte en Charlotte, ofrece talleres y retiros para mujeres y habla por todo el país sobre autoaceptación, imagen corporal, alfabetización mediática, experiencia latina y justicia social.

www.rosiemolinary.com

Foto de la autora por Deborah Triplett.

Dra. Kerrie Kauer

El yogui atlético: sexualidad e identidad a través del cuerpo

Soy una bebé Título IX. El Título IX es una ley federal que establece que "ninguna persona en los Estados Unidos será excluida –por razón de su sexo– de participar en cualquier programa educativo o actividad que reciba asistencia financiera federal, ni podrán negársele los beneficios de esta ni ser sujeto de discriminación".[1] Nací en 1975, dos años después de su implementación, y al haber crecido en Pittsburgh, tuve muchas oportunidades de participar en deportes y actividades atléticas organizadas, así como la fortuna de recibir el principal beneficio de las niñas y mujeres Título IX: la igualdad de oportunidades en educación. Aunque muchas personas asumen que el Título IX es una ley promulgada para el atletismo, su propósito inicial fue una reforma educativa para terminar con la discriminación sexual, particularmente en el terreno de la educación superior; sin embargo, se aplica a todos los sectores educativos que reciben asistencia financiera federal.

Estuve increíblemente activa en mi juventud. Nadaba, corría en pista y campo, jugaba softbol, voleibol y basquetbol, y participaba en toda forma de actividad física posible durante los descansos. Me encantaba la sensación de esforzarme y probar nuevas cosas: trepar árboles, practicar BMX con mi hermano mayor, patinar sobre ruedas y sobre hielo. Era fuerte, capaz; estaba entera y me sentía viva cuando participaba en cualquier tipo de deporte o actividad física competitiva. Me sentía libre.

Libertad en el cuerpo

En ese período de mi vida, pocas veces me preocupaba por la forma o el tamaño de mi cuerpo, y tenía una imagen corporal positiva. Sin embargo, no era inmune a los debates que surgían a mi alrededor entre compañeras de equipo, padres y entrenadores. Una de mis compañeras de equipo —que era una de mis mejores amigas de aquel momento— batallaba con su imagen corporal y su peso, y con regularidad hacía comentarios sobre mi capacidad de "comer todo lo que yo quería" o sobre el hecho de que era de cierta talla. Sin embargo, mi madre frecuentemente me hacía comentarios sobre mis hábitos alimenticios, advirtiéndome que algún día tendría que cambiar mi dieta porque mi cuerpo cambiaría y comenzaría a subir de peso. Por lo regular, escuchaba esto después de que me devoraba uno o dos paquetes de galletas con chispas de chocolate después de mi práctica de basquetbol. En su mente, ella me estaba cuidando. El foco de atención nunca estaba en lo saludable de lo que comía, sino en lo que me estaba permitiendo comer.

Como la mayoría de los adolescentes, comencé a navegar por mi identidad sexual a principios de la preparatoria y tuve mi primera experiencia amorosa durante mi primer año con otra chica. Había mucha vergüenza y secrecía alrededor de mis sentimientos, y mantuve esa parte de mi identidad oculta hasta después de graduarme de la universidad. Ser una persona atlética me hacía sentir más cómoda que ser hiperfemenina o que mantener las formas tradicionales de ser mujer o la condición de femineidad. No me atraían los vestidos ni las prendas con adornos, así que los deportes eran algo natural para mí y me ayudaban a sentirme cómoda con mi cuerpo. Paradójicamente, escuché muchos comentarios discriminatorios y expresiones homofóbicas despectivas de las personas que me rodeaban en los deportes, ya fueran entrenadores, compañeras de equipo o incluso los medios de comunicación deportivos.

Con mensajes como estos y con otras ideologías heteronormativas que la sociedad estadounidense perpetuaba, creía que necesitaba mantener mi sexualidad en secreto. Estos mensajes ocurrieron e incluso se intensificaron una vez que salí de la universidad. Varias de mis entrenadoras eran lesbianas, pero una nube de silencio se cernía sobre su sexualidad, y siempre había rumores y acusaciones flotando alrededor de atletas más jóvenes o más nuevas en cada uno de mis equipos. Estos silencios alrededor de la sexualidad me enviaban un mensaje muy claro de que ser lesbiana era algo de lo cual había que avergonzarse y que debía esconder. Durante los cuatro años de mi licenciatura, no conocí a una sola lesbiana que estuviera "fuera del clóset" en mi universidad, y ciertamente, yo no era lo suficientemente valiente como para ser la primera.

Fue durante mi educación universitaria cuando mi cuerpo comenzó a cambiar y empecé a asociar con mi cuerpo más sentimientos y emociones negativas que positivas. Como muchas estudiantes universitarias, subí mucho de peso, aunque todavía estaba muy activa jugando basquetbol universitario. También comencé a beber alcohol por primera vez en mi vida, y mi cuerpo reaccionó subiendo y bajando de peso consistentemente durante la temporada y fuera de ella. A lo largo de toda mi carrera, los entrenadores solían discutir regularmente sobre el cuerpo de otras atletas, diciendo cosas como "Fulanita de tal se ve como si se hubiera comido una vaca; subió mucho de peso".

Sin embargo, el cambio en mi cuerpo no solo se le atribuía al cliché de la chica novata de 15 años. Debido a todo el entrenamiento en pesas y al acondicionamiento físico, jamás me quedaron bien los vestidos; mi espalda era demasiado ancha y mis hombros demasiado pequeños. Hasta hoy, todavía camino con tacones como si se tratara de tenis de bota para basquetbol. La mayoría de los *jeans* no me quedaban porque mis cuadríceps eran más musculosos que lo que la entrepierna de cualquier pantalón permitía, así que con frecuencia optaba por amplios pantalones de mezclilla de hombre. Después de pasar una vida entera como atleta, a mediados de mi temporada *senior* me desgarré el ligamento cruzado anterior (LCA) y necesité cirugía reconstructiva. Mi identidad como atleta estaba destrozada; estaba deprimida e inactiva, y recurrí a la comida y al alcohol para llenar el vacío que había en mi alma.

La estética atlética

Fue también durante esta época cuando la "estética atlética" se volvió más una norma, mucho más que las imágenes de chicas esqueléticas que circulaban en los medios de comunicación a principios de la década de 1990. El ideal dominante de belleza comenzó a cambiar al mismo tiempo que yo pasé de jugar basquetbol a ser entrenadora universitaria. Recuerdo haberme suscrito a la revista *Condé Nast's Women's Sports & Fitness*, una publicación que solo circuló durante cuatro años.[2] Apenas un año antes, fue lanzada con éxito la Asociación Nacional de Basquetbol Femenil (ANBF), los equipos olímpicos femeniles estadounidenses ganaron una cantidad de medallas sin precedentes y la imagen de la atleta femenina se volvió más normalizada. Recuerdo claramente el deseo de verme tan tonificada y musculosa como las mujeres que aparecían en las revistas, y recuerdo haberme sentido frustrada por no poder alcanzar ese objetivo. Las imágenes de la revista encajaban en lo que Pikko Markula y compañía describían como "firmes, pero torneadas; en forma, pero sexis; fuertes, pero delgadas", y por paradójico que eso fuera, yo estaba decidida a moldearme conforme a este ideal poco realista para mi cuerpo.[3]

Como han argumentado muchas estudiosas feministas, esta nueva publicidad de la salud y la belleza encaja en el feminismo visto como mercancía o en la idea de que las acciones del cuerpo son el centro de liberación de las mujeres; en otras palabras, has tenido éxito como mujer cuando puedes parecerte a esas imágenes. Como el cuerpo está tan envuelto en la apariencia externa de la propia salud, se ha asociado al cuerpo que no se ve "saludable" (es decir, delgado y tonificado) con una laxitud individual y moral. Estimulada por el capitalismo de consumo, esta estética atlética floreciente trabaja para vender productos en el mercado (por ejemplo, membresías para gimnasios, bótox, cirugía de banda gástrica, medicamentos) al tiempo que crea imágenes poco realistas para la mayoría de las mujeres en Norteamérica. Las atletas que tienen una apariencia demasiado musculosa o fuerte son etiquetadas como masculinas y lesbianas, o de algún modo como mujeres fallidas.

El yogui atlético

A medida que ha cambiado esta imagen con el tiempo, el cuerpo atlético femenino se ha vuelto ligeramente más aceptable siempre que se encuentre dentro de los límites normativos de la musculatura. Los atletas hombres rara vez tienen que luchar contra normas paradójicas sobre el cuerpo masculino. Parte de lo que se define como masculinidad en la cultura occidental es la condición física, y aunque algunos deportes son considerados más femeninos (por ejemplo, la gimnasia, el patinaje artístico), los cuerpos masculinos en estos espacios todavía requieren fuerza y musculatura que los marcan como masculinos en la esfera pública. Las atletas mujeres que enfrentan esta paradoja también han tenido que pasar por mucho para representar a su género de forma apropiada en las expectativas sociales. Esto significa, a menudo, acatar los deseos de los medios de mostrar una imagen ultrafemenina, *heterosexy*, y la plétora de imágenes provocativas, semidesnudas y desnudas de atletas femeninas que ha llegado a un punto sin precedentes.

Como profesora universitaria, una tarea que encargo a mis estudiantes es que busquen en Google la frase "atleta femenina" y este punto queda increíblemente claro. Resulta particularmente interesante notar que la mayoría de las atletas femeninas exitosas, en términos de sus proezas y de su éxito atlético (es decir, sus victorias) son a menudo invisibles, mientras que las atletas femeninas menos exitosas pero que se ajustan más al ideal de belleza reciben más promoción, portadas en revistas y comerciales de televisión. La tenista Anna Kournikova es el mejor ejemplo en la historia deportiva moderna de una atleta femenina que jamás ganó un torneo individual, y sin embargo recibió más atención de la prensa y promoción que cualquier otra atleta durante esa época basándose únicamente en su apariencia física.

Los deportes y la seguridad

Como entrenadora joven, consumí este ideal y pronto me obsesioné con mi programa de ejercicio, seguí las rutinas que se mostraban en las revistas y comencé a hacer dieta. Al final del camino, caí en el espectro de los desórdenes alimenticios que no eran clasificados como un desorden alimenticio clínico, sino como *una alimentación y una imagen corporal desordenadas*, un problema que enfrenta una cantidad significativa de mujeres en Estados Unidos. Comer de forma desordenada (así como los desórdenes alimenticios clínicos) también incluye una serie de conductas relacionadas con la adicción al ejercicio o con hacer ejercicio de forma exagerada. Ahora, después de años de reflexión, no me sorprende que mis conflictos con mi cuerpo ocurrieran al mismo tiempo que salí del clóset ante mi familia y mis amigos como lesbiana, y mi inseguridad relacionada con mi valor en el mundo se entrelazó con la apariencia externa de mi cuerpo.

Este período de mi vida estuvo plagado de contradicciones y confusión. Por una parte, los deportes eran como un punto de descarga para mí, o un lugar seguro para estar cerca de compañeras de equipo o mujeres con una mentalidad similar. Mi experiencia personal durante estos años formativos me llevó a creer que las mujeres lesbianas se sentían más cómodas con su cuerpo. Lo que me encantaba (y me encanta) de la comunidad lésbica que recién estaba descubriendo era que había tanta diversidad en cuanto a cuerpos y representación del género en las comunidades con las que me asociaba, que las imágenes dominantes raras veces eran un punto de discusión. Sin embargo, la investigación sobre las lesbianas y la imagen corporal apoya y al mismo tiempo refuta mis experiencias. De acuerdo con algunos estudios, las lesbianas están menos preocupadas por la apariencia física, interiorizan en menor medida la norma de delgadez de los medios de comunicación, están menos involucradas en mantener una apariencia ideal y es menos probable que utilicen el ejercicio para controlar su peso.[4]

Sin embargo, algunas estudiosas feministas han argumentado que las lesbianas pueden no diferir de las mujeres heterosexuales en cuanto a la insatisfacción hacia su cuerpo o en lo referente al hábito de comer de forma desordenada puesto que han experimentado la misma socialización de género durante su desarrollo y, así, están presionadas por alcanzar el mismo cuerpo culturalmente ideal que las mujeres heterosexuales. En otras palabras, el género es más relevante para la relación con el cuerpo que la identidad sexual. Con este fin en mente, las investigaciones han mostrado que las mujeres lesbianas y heterosexuales son similares en términos de la búsqueda de la delgadez,[5] de las conductas relacionadas con la bulimia[6] y de la insatisfacción con el cuerpo.[7,8] Lo que yo argumentaría que es importante en esta investigación y en mis propias experiencias es que esencializar a los grupos resulta problemático, trátese de "todas las mujeres" o de "todas las lesbianas", pero la sociedad, así como la comunidad del yoga, lo hace todo el tiempo. Hablaremos de esto un poco más adelante.

El cuerpo profesional

Fui entrenadora de mujeres en basquetbol durante tres años antes de cursar una maestría en Psicología Deportiva. Cuando miro hacia atrás, veo que parte de lo que me interesaba hacer era ayudar a las atletas jóvenes a que se sintieran bien con su cuerpo y con su identidad sexual, probablemente porque yo necesitaba esa ayuda y esa curación. Comencé a leer sobre las experiencias de otras mujeres en los deportes y sobre cómo les afectaba la homofobia. Comencé a estudiar el cuerpo de una forma más crítica, acerca de cómo los cuerpos se han construido socialmente, y las formas en las que la sexualidad, el género, la raza y la clase social ayudan a definirlos. (Y, más recientemente, orienté mi investigación a explorar las conexiones que existen entre el cuerpo, la justicia social y el trabajo antiopresivo con el yoga).

Dos años después de terminar mi programa doctoral, me mudé a la parte sur de California para ocupar una posición de titular en la academia. Todavía estaba muy activa y disfrutaba correr un promedio de seis a ocho kilómetros al día. Después de años de correr, me dio osteoartritis —un problema común asociado con la cirugía de reconstrucción del LCA— debido al desgaste de mi rodilla. Me dolía tanto la rodilla que no podía dar una conferencia de pie, y mi forma de ejercicio más reconfortante, correr, lentamente estaba desapareciendo de mi rutina diaria. Una amiga me sugirió el Bikram yoga, y después de mi primera clase quedé enganchada. Después de tres semanas ya había dejado de tomar los medicamentos antiinflamatorios y comencé a recuperar en gran medida la movilidad de mis rodillas, tobillos y cadera.

El yoga y sentirme cómoda en el cuerpo

Como muchos occidentales que son introducidos al yoga, fui a sanar una lesión y descubrí los muchos beneficios que el yoga brindaba a mi mente, mi cuerpo y espíritu. El Bikram fue el punto de entrada perfecto para mí, porque me parecía desafiante y carecía de la "superficialidad" que típicamente había asociado con el yoga; me proporcionó algo de la estructura y el militarismo que me parecían tan familiares debido a mi experiencia con los deportes. Varios años después de haber comenzado a practicar el Bikram, empecé a diversificarme para encontrar otras prácticas, y de forma regular adopté las clases de Ashtanga y de vinyasa flow poco después de hacer mi primer intensivo de liderazgo con "Off the Mat, Into the World", una organización que conecta el activismo comunitario con la comunidad del yoga.

Uno de los efectos más profundos de la práctica tiene que ver con la relación conmigo misma y con mi cuerpo. Soy más amable conmigo misma… la mayor parte del tiempo. Como mujer en esta sociedad, incluso con toda mi política feminista, sigo sin ser inmune a la inundación de mensajes sobre belleza y delgadez y a las expectativas poco realistas que la cultura tiene de la forma y el tamaño de mi cuerpo. Muchas de las imágenes que son distribuidas por la publicidad y los anuncios de yoga encajan claramente en el complejo industrial de salud/buena condición física/cuerpo que perpetúan las mismas imágenes que vi en la revista *Condé Nast*.

Aunque me encantaba la práctica del Bikram yoga y los efectos sanadores que recibía, me fui cansando de los comentarios constantes sobre remodelar el cuerpo, perder peso y caber en esos diminutos shorts del Shakti yoga. Me sentía frustrada por el constante énfasis de género sobre cómo se movían los cuerpos. El cuerpo de los hombres era "menos flexible debido a su fuerza muscular". Los instructores a menudo perpetuaban los estereotipos que describen a las mujeres como más débiles, pequeñas y que se la pasan poniendo objeciones, y generalizaba a todos los hombres como fuertes y más musculosos. Cuando hago posturas específicas que me resultan desafiantes porque tengo hombros tensos por los años de levantar pesas, no quiero escuchar que solo los hombres batallan con este problema. Cada vez me frustraban más las normas esencializadoras asociadas al género que eran lanzadas en esas clases, y al final dejé de asistir al Bikram yoga.

Aunque en lo que se refiere al lenguaje neutral de género otras formas de yoga no son perfectas y muchas de ellas tampoco adoptan perspectivas *queer* sobre la sexualidad, encontré diversos estudios de yoga que no perpetuaban la vergüenza o el odio hacia el cuerpo. Me sentí segura en otras formas de yoga: abrazada, de hecho. Mi cuerpo ha resistido una gran cantidad de homofobia y vergüenza por haber ocultado mi identidad cuando era más joven, particularmente cuando era una atleta. Mi cuerpo recordaba mi yo de 14 años que se escondía y salía a hurtadillas para llamar a su novia. Mi cuerpo recordaba mi yo de 19 años que se sentía confundido y atemorizado cuando todo lo que quería hacer era llorar con mi mamá, pero tenía demasiado miedo de decepcionarla. Aunque a lo largo de mi posgrado y de mi vida profesional tuve las herramientas intelectuales, ha sido a través del yoga como siento que he podido desvincularme de muchos de los mensajes culturales que he recibido sobre mi identidad sexual, y eso me ha llevado a una mayor libertad y a un mayor amor por mí misma.

Agradecimiento

Este no es un proceso lineal, y tampoco creo que haya "llegado" a algún lugar en este viaje. Como ocurre con la mayoría de las cosas, mi relación con mi cuerpo se encuentra en una negociación constante, y aunque este diálogo ha cambiado ligeramente a lo largo de mi vida como atleta y ahora como yogui, sigue siendo una experiencia paradójica. Desde que estaba haciendo mi posgrado en Kinesiología hasta mi posición actual como titular, he estado rodeada de personas interesadas en la condición física, en los cuerpos atléticos, en el moldeado y planificación del cuerpo, y en la quema de calorías. Aun cuando estuve en grupos feministas específicos, aprendí que muchos de los que estamos en esta disciplina luchamos con nuestra propia imagen corporal y con desórdenes alimenticios clínicos.

Mi experiencia en un departamento de kinesiología puso un foco de atención constante en mi propio cuerpo y en la expectativa de que mi cuerpo debía verse de una forma particular. Vi mucha discriminación del profesorado de los departamentos de kinesiología hacia la forma corporal de algunos estudiantes de posgrado y de otros miembros del profesorado, ¡incluso en prácticas de contratación! En el salón de clases también me siento hiperconsciente de mi propio cuerpo. ¿Acaso era lo suficientemente delgada y con la suficiente condición física como para aspirar a que los estudiantes de la materia de Fisiología del Ejercicio o de Psicología Deportiva pensaran que estaba calificada para darles clases? Las investigaciones muestran que en el área académica las mujeres no son tomadas con tanta seriedad, y las mujeres obesas en particular son tomadas todavía menos en serio, así que sabía que lo que estaba sintiendo intuitivamente estaba bien fundamentado.

Cuando era niña sentía que encarnaba mi experiencia deportiva. No obstante, en algún punto del camino ocurrió un cisma, y en lugar de sentirme plenamente integrada adopté una perspectiva mecanicista sobre mi cuerpo. El yoga me ha llevado de regreso a la verdad. El discurso en el yoga ha sido lo opuesto, pues mi instructora constantemente me recuerda que el yoga es un viaje y que podría llevarme varias vidas completar una postura, y que lo más importante es la respiración. Esa mentalidad y esa filosofía me ayudaron a anclarme y a disminuir la cantidad de vergüenza que siento a causa de mi cuerpo. En algunas de mis clases donde hay espejos –que típicamente se asocian con la objetivación del cuerpo– aprendo a amarlo y a apreciar el hecho de poder mantener una postura de equilibrio de pie o al menos mi capacidad de sonreír cuando me caigo. Y aunque sé que el yoga ha estado saturado con el mismo comercialismo y feminismo comercial que saturan otras actividades de Occidente, tengo la esperanza de que probablemente pueda llevar a más niñas y mujeres a una mayor aceptación y amor por el cuerpo. Aunque no toda la intención del yoga tiene que ver con liberarse de los confines jerárquicos del capitalismo de consumo y del amor al propio cuerpo tal y como es, sé por experiencia propia que con el instructor correcto, con la intención correcta y con un cambio de mentalidad en relación con el cuerpo, el yoga puede convertirse en una herramienta para desmantelar estos sistemas.

Referencias

[1]   R. Acosta y L. Carpenter, "Women in Intercollegiate Sport: A Longitudinal Study Twenty-Three Year Update, 1977-2000", *Women in Sport and Physical Activity Journal*, 2000, pp. 141-144.

[2]   "Condé Nast Set to Close Down a Magazine", *The New York Times*. Disponible en www.nytimes.com/2000/06/28/business/conde-nast-set-to-close-down-a-magazine.html. Consultado en marzo de 2014.

[3]   P. Markula, A. Yiannakis y M. Melnick, "Firm but Shapely, Fit but Sexy, Strong but Thin: The Postmodern Aerobicizing Female Bodies", *Contemporary Issues in Sociology of Sport*, 2001, pp. 237-258.

[4]   S.M. Strong, D.A. Williamson, R.G. Netemeyer y J.H. Geer, "Eating Disorder Symptoms and Concerns About Body Differ as a Function of Gender and Sexual Orientation", *Journal of Social and Clinical Psychology*, 19, 2000, pp. 240-255.

[5]   P. Wagenbach. "Lesbian Body Image and Eating Issues", *Journal of Psychology and Human Sexuality*, 15, 2003, pp. 205-227.

[6]   K. Heffernan, "Eating Disorders and Weight Concern Among Lesbians", *International Journal of Eating Disorders*, 19, 1996, pp. 127-138.

[7]   F. Moore y P. K. Keel, "Influence of Sexual Orientation and Age on Disordered Eating Attitudes and Behaviors in Women", *International Journal of Eating Disorders*, 34, 2003, pp. 370-374.

[8]   A.K. Yancey, S.D. Cochran, H.L. Corliss y V.M. Mays, "Correlates of Overweight and Obesity Among Lesbian and Bisexual Women", *Preventive Medicine*, 36, 2003, pp. 676-683.

La **Dra. Kerrie Kauer** es profesora adjunta de Kinesiología en la Universidad Estatal de California, en Long Beach. Ha sido defensora de niñas y mujeres deportistas e incorpora una filosofía feminista y de justicia social en su salón de clases y en su activismo. Su investigación ha analizado los aspectos sociales y psicológicos de la salud, la autoestima, la imagen corporal y la homofobia en relación con las niñas y mujeres que practican deportes y desarrollan una actividad física. Ha colaborado con el Desafío Global Seva de Off the Mat, Into the World para crear conciencia y obtener recursos para sobrevivientes de tráfico sexual, y completó su entrenamiento de RYT de doscientas horas con Cloud Nine Yoga en 2012.

Foto de la autora por Lauren Rauscher.

Bryan Kest

De tal palo tal astilla

Yo quería ser un macho. Ya saben, un tipo grande, alto, con los músculos marcados, que pudiera patear algún trasero importante. Cuando era chico, un cuerpo de 1.90 metros y 100 kilos de masa muscular representaban mi imagen ideal de masculinidad. Y esta era la imagen que mis amigos y yo perseguíamos cuando íbamos al gimnasio. Se suponía que un hombre debía ser musculoso y fuerte, pero un "verdadero hombre" tenía que ser capaz de pelear. De hecho, yo pensaba que si un hombre no podía intimidar y dominar físicamente a otro hombre no era un verdadero hombre. Tipos como Sylvester Stallone, Dolph Lundgren, Clint Eastwood y Arnold Schwarzenegger eran el epítome de este ideal.

Sin embargo, yo fui expuesto a la masculinidad violenta antes de que tipos como Arnold y Sylvester aparecieran en la pantalla grande. Yo era como cualquier otro niño que crecía en los suburbios de Detroit, o en cualquier otra parte de Estados Unidos, viendo superhéroes supermusculosos como *Hulk, el hombre increíble* en las caricaturas de los sábados por la mañana. Detroit, una ciudad donde la gente trabaja mucho y gana muy poco, no era la única que propagaba estas imágenes y actitudes para niños y hombres. ¿Qué niño no quiere ser un valiente héroe? Es lo que se nos ha dicho que deberíamos querer, un mensaje transmitido a lo largo de generaciones de hombres.

Comenzando en casa

De hecho, lo primero que influyó en mi idea de un "verdadero hombre" vino incluso antes de mis caricaturas favoritas. Mi icono más grande era mi padre, y él encajaba en todos los parámetros de la masculinidad. Medía 1.85 metros; era grande, fuerte y agresivo. Tenía un juego de pesas en nuestro sótano y poseía un arma. No solo fue la primera influencia en mí, sino la más grande, y su versión de la masculinidad era apoyada por todo lo que yo veía en los medios de comunicación (los cuales, con toda certeza, también influyeron en él) y tuvo un impacto en las otras imágenes hacia las que posteriormente gravité.

Mi papá dominaba todo el tiempo. Lo vi meterse en varias peleas a golpes en las calles. Si alguien le cerraba el paso cuando conducía, él pisaba a fondo el acelerador y luego ambos bajaban de un salto y se peleaban cuando el semáforo estaba en rojo. Vi a un tipo acercarse a mi padre con un bat de beisbol, corriendo directamente hacia nuestro auto. Yo estaba sentado en el asiento trasero, muerto de pánico.

Recuerdo que tenía 8 años de edad, que vivía en Detroit y que una de nuestras vecinas gritaba: "¡Hay un ladrón en la casa! ¡Hay un ladrón en la casa!". Todavía puedo ver a mi padre cortando cartucho y corriendo hacia su casa, y yo atrás de él. No saltaba de un edificio a otro y no tenía alas que le brotaban de la espalda, pero en la medida en la que se puede ser un héroe de acción y un humano, él lo era.

Mi padre sembró la violencia y la agresividad en mí, y luego se fue. Yo tenía 10 años y no había nadie que nos controlara. Mis hermanos y yo le teníamos un miedo de muerte, pero no le temíamos a mamá. Él se fue y se desató el infierno en casa. Yo estaba enojado y nada me detenía. Sin embargo, yo no era un caso raro. Era simplemente un niño lo suficientemente fuerte y lo suficientemente agresivo como para cumplir con esta imagen cultural de la masculinidad.

A la deriva

Había toneladas de testosterona en esa casa incluso después de que mi padre se fuera. Yo era uno de cuatro hermanos pendencieros que se retroalimentaban unos a otros. Peleábamos y luchábamos sin parar, y mi mamá tenía dos casas fuera de nuestra casa: la oficina del director y la sala de emergencias. Incluso teníamos nuestro propio asiento en la sala de emergencias.

Reprobé quinto año porque no me apliqué. No hacía la tarea y ni siquiera pensaba en mis calificaciones. Como reprobé y como necesitaba una disciplina que mi madre no podía darme, me envió a un internado militar donde estuve expuesto a más violencia todavía. Me golpearon todo el año que viví ahí. Cada uno tenía su arma de elección, ya fuera un palo de hockey o una raqueta. Todos los castigos eran físicos y cada semana lloraba cuando tenía que irme de casa. Le rogaba a mi madre que no me enviara de vuelta. Así pues, cuando el año terminó regresé a la escuela pública. Pero eso no duró mucho.

Hacía lo que quería, en lugar de lo que se suponía que debía hacer. Para cuando estaba en sexto grado fumaba hierba y no me importaba la escuela. En séptimo grado, fumaba en el baño, faltaba a la escuela cuando tenía oportunidad de hacerlo y no hacía ningún tipo de trabajo escolar. No estoy seguro de cómo logré llegar a noveno grado, pero ese fue el último año de escuela de mi vida.

Prometí a mi madre que regresaría, pero nunca lo hice. Trabajaba, me drogaba y me metía en problemas. Muchas veces fui a dar a la corte y fui puesto bajo libertad condicional como menor de edad. Sorprendentemente, logré evitar los centros de detención. Sin embargo, cuando estaba en mi segunda década de vida, fui a la cárcel algunas veces, ya fuera en una celda de detención o cumpliendo una sentencia corta. Ni siquiera me importaba ir a la cárcel: la veía como un lugar donde terminaban los chicos rudos y sonaba bien haber estado en ella. Era parte de la reputación callejera. Además, no tenía mucho por qué vivir que hiciera que la cárcel se viera mal.

Del machismo al yoga

Mi padre no solo cumplía los requisitos de la masculinidad, sino que había alcanzado el "sueño americano". Era un médico exitoso y tenía una bella esposa, cuatro niños hermosos y una enorme casa en los suburbios. Y seguía siendo jodidamente desgraciado. El sueño americano no se había cumplido.

Tuvo un colapso nervioso y eso lo hizo comenzar su búsqueda. Solía arrastrarme a esas iglesias donde cantaban *góspel*. Estaba buscando a Jesús o algo, cualquier cosa. Sin embargo, eso no le daba lo que buscaba, así que probaba algo más.

Finalmente, mi padre se retiró a los 42 años y se mudó a Hawái sin nosotros. Era una locura: éramos una familia judía norteamericana. No abandonabas todo para tomar una decisión como esta. Ve a la escuela, hazte doctor, y sé un buen chico. En lugar de ello, se divorció de su esposa, dejó a sus cuatro hijos y se mudó a la selva. Es la historia más horrorosa que podríamos imaginar tener en nuestra familia. Sin embargo, se enamoró de Hawái y eso lo apartó de la sociedad en la que vivimos y sus interminables presiones.

Y en Hawái descubrió el yoga. Comenzó porque le dolía la espalda y alguien le dijo que el yoga lo ayudaría. Así que lo probó y le agradaron sus efectos, especialmente en lo concerniente a su mentalidad. Él era una olla de presión. Cuando estaba en Detroit, no lograba llegar al trabajo sin que algo escandaloso le ocurriera porque era muy agresivo. Entre el yoga y el hecho de que vivía entre *hippies* de los sesenta que se habían mudado a Maui, era menos probable que perdiera los estribos. Se sentía más relajado y en paz ahí, y el yoga liberó la tensión que había en su cuerpo y en su mente.

Sabía que el yoga era lo mejor para sus hijos, pero sabía que jamás lo practicaríamos si nos lo pidiera. Así que me forzó a practicarlo después de que mi madre lo llamó y le dijo: "Necesitas llevártelo". Mi papá apareció y me preguntó si quería vivir con él en Hawái. Le dije que sí y le di la oportunidad de establecer su única regla. "Practicas yoga todos los días o te largas de mi casa".

Karma

Mi papá me presentó a David Williams, el pionero occidental del yoga Ashtanga, con quien había estado trabajando durante un mes o dos. Fui con él todos los días, y odiaba hacerlo. Levantar pesas buscando el físico masculino ideal me había hecho rígido. Evitaba estirarme porque resultaba demasiado doloroso y mi ego no podía ver ningún beneficio. ¿Qué iba a darme la flexibilidad? No estaba dándome nada que yo considerara importante. Odiaba el yoga, pero después de seis meses de practicarlo no podía negar cómo me sentía, y me sentía fantástico. Además, era una forma de yoga tan vigorosa que mantuvo mi masa muscular, lo cual también lo hacía gratificante para mi ego.

Era innegable: este era el camino que necesitaba tomar. Era el camino que sabía que necesitaba tomar. Mi otro instructor, Brad Ramsey, estaba abrazando las enseñanzas espirituales del yoga e hizo que fueran importantes para mí, además de la práctica física. Era un muchacho agresivo, pero no era estúpido, y me inspiró a investigar más sobre el yoga. Era difícil negar su sentido práctico y su racionalidad. Simplemente, me parecía lógico.

Las enseñanzas yóguicas me ayudaron a comprender la falibilidad de esa personalidad de "tipo rudo", exponiendo sus verdaderas debilidades. Esas enseñanzas me llevaron a soltar mi deseo de tener la aprobación de otras personas, principalmente de las personas que me parecían interesantes y con las que me parecía divertido salir. Después de todo, no quería salir con una bola de malditos maricas. Quería salir con los chicos rudos, activos, adictos a la adrenalina, que querían saltar de los acantilados.

Esa conciencia inició mi batalla interna entre el ángel y el diablito. El ángel señalaba que estos tipos no eran el mejor grupo con el cual salir. Eran machos, agresivos e incluso superficiales. Pero me encontraba dividido porque ellos hacían las cosas divertidas. Yo quería surfear y cortejar mujeres, y no me importaba meterme en algún pleito en el camino. Los chicos divertidos eran justo así, pero me di cuenta de la debilidad de su actitud mental. Peleé esa batalla durante mucho tiempo, viviendo en ambos mundos. Solía cantar

"Hare Krishna" con mi maestro de yoga y luego iba y salía con los chicos rudos. Vivía una doble vida.

Un día, cuando caminaba por una de las calles de Hawái, llegó un punto de quiebre. Como un tipo blanco que venía del continente a vivir entre los lugareños, con frecuencia me miraban con desprecio, y si hacía contacto visual, se desataba una pelea. Me ocurría todo el tiempo, pero yo no iba a ceder. Si tú me miras, yo te miro. Sin embargo, recuerdo el día en que decidí no volver a hacerlo nunca más. Quizás pareció sumisión o debilidad, pero decidí mirar hacia otro lado cuando las personas hacían contacto visual conmigo. Tomé la decisión consciente de no caminar por ese camino nunca más.

El gran cambio

No obstante, aun después de esa decisión, mi doble vida continuó durante varios años, especialmente después de que me mudé nuevamente a Detroit. Había vivido con mi papá en Hawái durante un año, pero ¿de cuántos acantilados puedes tirarte? Me aburrí y me fui a Michigan, y comencé a salir con mis antiguos amigos solo para regresar a las mismas andadas peligrosas y casi siempre ilegales de antes, pero ahora llevándolas todavía más lejos. Quizás aprendí yoga, pero no lo practicaba de forma regular. Compraba comida orgánica en el día, y peleaba y fumaba con mis amigos en la noche.

Sin embargo, después de dos incidentes particularmente malos y una redada antidrogas, me aparté del mundo. Dediqué algunos de los siguientes años de mi vida a mi propia transformación. Me enfoqué en mi salud, me inscribí en la universidad y comencé a tomar clases de nutrición, además de que empecé un régimen de yoga por las mañanas, levantamiento de pesas por la tarde y salto de cuerda por la noche. Estaba llevando a cabo un cambio y me encontraba completamente solo. Fue un período de transición; retirarme de mi adicción. A través de mis nuevos intereses conocí nuevas personas. Ya fuera por medio de mi seminario de macrobiótica o de mis clases de *fitness*, estaba desarrollando una nueva comunidad, atrayendo hacia mí a personas que eran como mi nuevo yo.

Aunque mi enojo y mi agresividad no se evaporaron de la noche a la mañana, esa mentalidad estaba disminuyendo constantemente en mí. En mi vida, el poder siempre había tenido que ver con la dominación y la agresión. No obstante, ahora entendía que el verdadero poder existe de otra forma, como el ejemplo que dio Jesús y como las enseñanzas del yoga. La otra mentalidad jamás puede ganar. Es imposible. Esa mentalidad te mantendrá en la cárcel, y estar en la cárcel no es ganar. ¿Cómo puedes sentirte satisfecho en la cárcel?

Comenzar a enseñar

Una amiga se mudó a Pacific Palisades, California, y me contrató para que le llevara su auto. Me pareció que Los Ángeles era lo mejor después del pan en rebanadas, y pensé: "Hombre, tengo que vivir aquí". Así que, a los 20 años, me mudé al oeste. Acabé en Inglewood y viví en mi auto, en el parque, durante varios meses. Me levantaba por la mañana, entrenaba en un gimnasio afiliado al que asistía en Detroit, y luego me iba a trabajar en diversos restaurantes de la ciudad. Durante ese primer año, no solo atendía mesas y cortaba sándwiches, sino que también era entrenador físico y, sin que mis clientes se dieran cuenta, introducía algo de yoga en sus sesiones. También comencé a compartir la práctica con mis compañeros de trabajo que tenían curiosidad por este asunto del yoga. Con el tiempo comencé a enseñar *fitness* y yoga en algunos gimnasios locales y tenía cada vez más clientes particulares. Solía subirme a mi motocicleta, dirigirme a Malibú, ir de mansión en mansión, entrenando y enseñando yoga a clientes privados. Y con el paso del tiempo me invitaron a enseñar yoga en un centro para trastornos de la alimentación y fui contratado por el Center for Yoga. Dar clases de yoga se convirtió en un trabajo de tiempo completo en una época en la que había muy pocos estudios en el condado de Los Ángeles y muy pocos instructores.

Aunque estaba enseñando, todavía estaba atrapado en mi imagen y en mi ego. No obstante, prediqué con el ejemplo y trabajé en mis asuntos. Y las cosas en las que ponía énfasis entonces y en las que sigo poniendo énfasis ahora son los asuntos que estaba enfrentando. Mientras enseñaba, trabajaba con lo que había experimentado directamente –mi enojo, mi violencia, la rivalidad y mi ego–, y notaba cómo las personas se identificaban con ello. Quedaba claro que no era el único que se enfrentaba con el problema de lidiar con la decepción y el estrés por no satisfacer las expectativas culturales unidimensionales.

Lo que enseñaba entonces y sigo enseñando ahora es cómo enfocar la práctica; una forma, paso a paso, de combatir todas esas imágenes tóxicas y sacarlas de tu cabeza. El yoga te brinda las herramientas para llevar a cabo cambios tangibles. No obstante, el verdadero yoga no se limita a las posturas físicas. Es una conciencia y un estado mental que cultivas a medida que pasas por las asanas. Sin esa cualidad meditativa, las posturas no son yoga y no son curación. De hecho, algunos utilizan la práctica física para aferrarse a la juventud o para gratificar su ego en diversas formas, con lo que exacerban aquellas cosas que más les duelen. Siempre digo "Si traes tu porquería al yoga, conviertes tu yoga en porquería".

Con la conciencia, una práctica física de yoga se convierte en una herramienta para sondear tu cuerpo. Tienes la oportunidad de darte cuenta. Casi no hay nada sobre lo que puedas ser más crítico y que puedas enjuiciar más que tu cuerpo. En una práctica física, surgen la crítica y el juicio, y se convierte en una oportunidad de dejar de alimentar la energía mental y de ser leal de forma inconsciente a estas características. Y cuando practicas eso, esas características comienzan a disminuir porque no están recibiendo lo que necesitan para fortalecerse. Las observas, pero sonríes (porque te atrapaste en el acto) y les quitas tu atención y se la regresas a cualquier cosa que esté ocurriendo en tu vida en ese momento.

Una sola talla no le queda a todo

La vanidad y el ego son el programa con el que nos han alimentado los medios desde que fuimos capaces de abrir los ojos. Vemos el cuerpo de una bailarina o de un atleta, tonificado y hecho jirones, y asumimos que es saludable, pero la verdad es que está completamente fastidiado. Eso no tiene nada que ver con estar saludable. Estas personas —bailarinas que vomitan la comida y hacen sus presentaciones lesionadas; atletas que toman drogas y abusan de su cuerpo forzándose constantemente y muriendo a los 50 años por lo severos que fueron consigo mismos cuando tenían 20— no tienen nada que ver con la salud, pero pensamos que la ejemplifican.

En la búsqueda de la vanidad, continuamente estamos comparándonos y compitiendo no solo con otras personas sino con nosotros mismos. ¡Y es ridículo! No puedes compararte y competir de forma racional con nadie, ni siquiera contigo mismo —a menos que no te respetes—, porque somos muy diferentes y siempre estamos cambiando. No hay nada más patético que compararse y competir, pero en eso se basa la carrera de las ratas. Tenemos eslóganes que describen esa mentalidad, incluyendo "Seguir el ritmo a los Jones".* Sin embargo, los Jones son personas que están verdaderamente hechas un lío.

Envejecer con gracia

Siempre he enseñado lo que practico y mi retórica lo ha reflejado. Sin embargo, el contenido de mi rutina y el objetivo de lo que comparto verbalmente en clase han cambiado a lo largo de los años. Han cambiado porque yo he cambiado. Ahora tengo dos discos de titanio en la columna, y ya no soy un veinteañero. Las rutinas necesitan cambiar para permanecer saludables; eso es lo que practico, y sigue funcionando. He simplificado lo que hago en mi práctica actualmente, pero sigue siendo desafiante. A los 50 no será como cuando tenía 20, y a los 70 no será como cuando tenía 50. Lo mismo se aplica a mi enseñanza: no sería auténtico si no enseñara lo que practico o si simplemente recordara viejas

---

* La expresión "Keeping up with the Joneses" se refiere a la tendencia a compararse con el prójimo, como un parámetro para definir el nivel social, no obstante que esta tendencia se interprete como signo de inferioridad socioeconómica y cultural [N. de la T.].

rutinas de algún momento de mi historia que ya no encajan en este momento.

Permanezco en el momento y puedo reconocer el cambio. Quería hacer flexiones parado de manos en mi práctica esta mañana y luego me di cuenta de que no podía hacerlas, y seguí adelante. Hace algunos años habría hecho 15 sin ningún problema. Sin embargo, eso no está ocurriendo ahora. No tenía la fuerza, y no hubo juicio ni crítica. Si hubiera habido juicio, simplemente lo habría notado, habría sonreído y habría seguido adelante. Eso es envejecer con gracia. Y ha sido así porque he seguido mis propios consejos. Me enojo menos, soy menos pretencioso, menos apegado a toda esta porquería, porque el yoga funciona. Todavía tengo un largo camino por recorrer, pero ya he avanzado mucho. Lo que he logrado me ha inspirado a seguir adelante porque puedo ver que está funcionando. Si me ha funcionado a mí, puede funcionarles a otras personas, y lo ha hecho.

Bryan Kest, quien acuñó el término Power Yoga —que ahora está presente en todas partes—, es instructor de fama mundial y dueño de los estudios Santa Monica Power Yoga. Bryan es también el creador del yoga basado en donativos. Practica yoga desde 1979, cuando tenía 15 años de edad, en Hawái, con David Williams, la primera persona en llevar el yoga Ashtanga a los Estados Unidos. También estudió en la India en 1989 con K. Pattabhi Jois. Además de enseñar localmente en su estudio de Santa Mónica y de impartir su programa de enseñanza a escala internacional, Bryan permite a cualquiera practicar yoga en cualquier parte con su serie de videos en vivo que se encuentra en Power Yoga On Demand.

www.poweryoga.com

Foto del autor por kwakualston: kwakualston.com

Ryan McGraw

Hacer más haciendo menos

A los 19 años de edad tomé mi primera clase de yoga. Mi mamá me había estado pidiendo durante meses que la tomara. Pensaba que sería muy benéfico para mi fortaleza, mi flexibilidad y mi bienestar mental. Como tengo parálisis cerebral (PC), hacer ejercicio para mantener mi fuerza y mi flexibilidad es algo muy importante. Sin embargo, estaba convencido de que el yoga no era para mí. Después de todo, era un hombre en su último año de preparatoria y en mi mente el yoga era un ejercicio florido reservado para las mujeres. ¡Definitivamente, no era bueno que un chico adolescente hiciera yoga!

La otra razón de mi aprensión era tener parálisis cerebral. Corrían preguntas por mi mente: ¿Podría ejecutar con éxito una clase de yoga? ¿Cómo me vería en una clase de yoga? ¿Sería exhibido debido a mi discapacidad? Aunque estas preguntas estaban en mi cabeza y eran parte de mi aprensión, que mi masculinidad pudiera ser cuestionada por mis amigos y por otras personas era mi preocupación número uno.

Finalmente cedí y decidí probar una clase en nuestro gimnasio para complacer a mi mamá. No recuerdo las posturas que se hicieron en la clase, pero lo que sí recuerdo es haber tenido una sensación única de paz después del *savasana*: esa sensación que te queda después de una buena práctica de yoga. Esto me sorprendió porque toda mi vida había sido una persona activa. En aquella época, nadaba seis veces por semana en preparación para una competencia, pero jamás sentí esa sensación profunda de paz y conexión después de una sesión de entrenamiento. No obstante, simplemente lo menosprecié como un "sentimiento raro", y cuando mi mamá me preguntó si había disfrutado la clase, simplemente le dije que había estado bien.

Seguí tomando clases de yoga durante todo aquel verano. La mayor parte de las clases fueron con mi instructor y hasta hoy amigo, Chris. Chris y yo tuvimos una conexión casi de inmediato. ¡Me hizo sentir bien con el hecho de ser un hombre que practicaba yoga! No solo eso, sino que era, y sigue siendo, un instructor fantástico e inspirador por su gran comprensión del yoga.

A medida que fue pasando el tiempo, esos sentimientos de aprensión por ser un hombre con parálisis cerebral que practicaba yoga comenzaron a disiparse. Ciertamente, no desaparecieron por completo. Todavía los noto cuando soy el único hombre en una clase de yoga o cuando la clase está haciendo una postura que no puedo llevar a cabo. Aunque sigo notando estas cosas, no me causa ningún problema estar en una clase donde solo hay mujeres o expresar cierta postura de forma diferente a como la expresan los demás compañeros de clase.

¿Los chicos y el yoga?

Debo admitir que durante los primeros dos años en los que practiqué yoga dudé en comentarles a mis amigos hombres que practicaba (y que me *gustaba*) el yoga. Cuando se lo hice saber a algunos de ellos, la noticia fue recibida con una risa y un comentario condescendiente sobre mi masculinidad. Aunque expresaron esos comentarios en broma, me hicieron sentirme cohibido. La imagen exterior típica de un hombre adulto joven es la de levantar pesas en el gimnasio, no la de hacer yoga al compás de música suave en una habitación con luces tenues. Simplemente no es "bueno". Y ciertamente no es "masculino".

A lo largo de los años he invitado a algunos de esos amigos a tomar yoga conmigo. Han quedado admirados por lo físico que es el ejercicio. Han dicho: "Mis músculos están muy tensos", "Ese fue un ejercicio duro", "Necesito hacerlo más seguido". Su percepción del yoga cambió después de tomar una clase. Pienso que con la popularidad creciente del yoga y con la llegada de nuevos estilos de yoga basados en *fitness* a lo largo de los últimos diez años se ha vuelto cada vez más aceptable culturalmente que los hombres practiquen yoga. Sin embargo, no sé si la percepción del yoga entre los hombres en la preparatoria y a inicios de la etapa adulta ha cambiado. Hay mucha presión de los compañeros a esta edad y se pone mucho énfasis en encajar. A medida que fui madurando estuve cada vez más cómodo con el hecho de ser un hombre que practicaba yoga. Conforme maduré, las personas que estaban a mi alrededor maduraron también, y el yoga simplemente se convirtió en algo que hacía.

A lo largo de los dos años siguientes tomé clases en varias partes, principalmente para mi beneficio físico. Durante esa época entendí cómo el yoga podía beneficiarme en términos físicos. Mi meta era llevar a cabo la expresión plena de cada postura. Por ejemplo, quería tocar el piso en la *trikonasana* (postura del triángulo) o seguir el ritmo de la clase cuando estaban haciendo las salutaciones al sol de forma rápida. Quería hacer las posturas y atacar las posturas como todos los demás en la clase, sin entender el riesgo potencial de lesión en el que me ponía. Por ejemplo, uno puede ser capaz de tocar el suelo en la *trikonasana*, pero si te dejas ir sobre la espalda baja, totalmente fuera de alineación, inestable y sin respirar de forma apropiada, te pones en gran riesgo de sufrir una lesión. Así, en este punto de mi viaje por el yoga no entendía los principios de la adaptación y los beneficios positivos de la modificación en lo referente a mi cuerpo.

Yoga tradicional

Cuando estudiaba el segundo año de la universidad, me interesé cada vez más en el yoga por sus beneficios terapéuticos. Una noche decidí tomar una clase en un estudio de yoga que acababa de abrir. Era una clase de nivel 2/3, pero me imaginé que podía manejarlo.

Había conocido brevemente en el pasado a la instructora de la clase, Karina Mirsky, así que pensé que no habría ningún problema. Sin embargo, ¡hubo problema!

Karina pensó que me convendría regresar a una clase de nivel 1 o de nivel ½. No obstante, logré convencerla de que estaría bien. Durante la clase quedó claro que el asunto no era si podía hacer las posturas (hice las posturas en la forma en la que solía hacerlas), sino si podía hacerlas de una forma segura. Karina hizo lo que pudo para mantenerme seguro en la clase haciendo ajustes para mí. Vio que corría el riesgo de lesionarme en diversas posturas porque mi cuerpo estaba desalineado. Necesitaba encontrar una forma de adaptar o modificar algunas de las posturas..

Después de la clase hablamos y decidimos que debía tener una sesión privada. Realmente no sabía qué esperar de una sesión privada con ella, pero sabía que había trabajado con personas con discapacidades previamente tanto en yoga como en masaje.

Cuando comenzó la sesión, Karina anunció que comenzaríamos nuestra práctica en una silla. Pensé que sería interesante, pues nunca había practicado yoga sentado en una silla, pero estaba más que dispuesto a probarlo. Hicimos algunas posturas en la silla: elevación de brazos, un giro, una flexión hacia el frente sentado, y probablemente algunas más que no recuerdo.

En lo que se puso énfasis a lo largo de esta sesión fue en la importancia de adaptar las posturas a mis necesidades individuales. No necesitaba alcanzar la expresión plena de cada postura porque hacerlo podía ser dañino. Necesitaba descubrir la expresión de la postura que se adaptara a *mi* cuerpo. Cuando adaptaba las posturas a las necesidades de mi cuerpo, mi cuerpo estaba mejor alineado. Como resultado, seguía obteniendo los beneficios de la postura aunque la forma de la postura pudiera ser diferente a la de los otros cuerpos que había en la clase.

Como tengo parálisis cerebral espástica y todo mi cuerpo se ve afectado, hago diversas modificaciones. A pesar de que no adapto cada postura de yoga, ¡probablemente podría hacerlo! Las posturas que necesito adaptar más son las de pie, porque a menudo pierdo el equilibrio en ellas. Cuando estoy fuera de equilibrio, activo los músculos equivocados para hacerlas, poniendo así una tensión innecesaria sobre mi cuerpo y no me siento cómodo en la posición. Un ejemplo de una adaptación que hago es la postura del triángulo con la espalda contra la pared, llevando mi mano al respaldo de una silla. Por supuesto, las posturas de pie no son las únicas que adapto. Como mi espalda baja se arquea cuando hago posturas sentado, siempre me siento sobre una cobija (que es una adaptación muy común que se practica en muchas clases de yoga). La complejidad de la adaptación que elijo a menudo depende del ritmo de la clase en la que me encuentro, pero siempre trato de que mi cuerpo esté seguro en las posturas.

Aunque no estuve totalmente de acuerdo con esta filosofía después de una única sesión de yoga, algo había hecho clic en mí. Comencé a trabajar más con Karina y apliqué estos principios de adaptación a las clases regulares de yoga que tomaba, preocupándome más por hacer las posturas de forma apropiada que por intentar seguir el ritmo de la clase. Me volví cada vez más entusiasta respecto al yoga y quise obtener tanto conocimiento sobre esta disciplina como me fuera posible, y para lograrlo asistí a talleres y realicé prácticas en el estudio de yoga de mi amigo Chris durante los veranos de mi segundo y tercer año de la universidad.

Más capas

A medida que mi práctica de las *asanas* comenzó a volverse mía, descubrí que los aspectos mentales y espirituales de mi práctica comenzaron a caer en su lugar. Atribuyo esto al hecho de que, al respetar las necesidades de mi cuerpo en lugar de batallar con las posturas, pude enfocarme en otras cosas cuando practicaba una postura. Pude volverme consciente de mi respiración, que es la base de las posturas del yoga. Con la respiración pude profundizar en mi práctica, a través del aliento y respetando las necesidades de mi cuerpo.

Mediante la combinación de respiración y movimiento, pude sentir de mejor manera una calma cuando practicaba. Pero para poder ser capaz de enfocarme en la respiración cuando practico necesito respetar las necesidades de mi cuerpo. Por ejemplo, si estoy haciendo una flexión hacia adelante de pie, puedo tocar el suelo. Sin embargo, es muy probable que no tenga una respiración consistente y que no esté haciendo la postura de forma alineada. Si llevara mis manos a una silla o a algunos bloques, sería mucho más probable que estuviera conectado con mi respiración y que tuviera una respiración mucho más consistente. La alineación del cuerpo aumenta la calidad de la respiración, lo cual, a su vez, refuerza la calidad de la mente. La conexión de las tres resulta vital para el yoga.

En 2008 me mudé a Chicago para comenzar un posgrado y encontré un gran número de extraordinarios instructores de yoga durante los primeros meses. Un día, después de una clase, el instructor me preguntó si alguna vez había ido a la clase suave en el Círculo de Yoga. Un amigo me había hablado de esta clase pero nunca había asistido a una. La clase parecía bastante interesante y era exactamente lo que estaba buscando, ya que ponía énfasis en la adaptación de las posturas. Era una clase en la que un aprendiz del instructor Gabriel Halpern trabajaba contigo de forma personal. No era una clase especial o privada de terapia de yoga; simplemente era otra clase de yoga en el programa.

Un día, durante el invierno de 2009, decidí probar una de las clases. El Círculo de Yoga es un estudio de yoga Iyengar. El yoga Iyengar es un estilo de yoga que se basa en una alineación anatómica precisa. Cuando entré al estudio quedé impactado por la cantidad de accesorios que tenían. El estudio no solo tiene los accesorios básicos del yoga, como mantas, almohadas, bloques y correas, sino que tenía *muchos* otros, todos con el propósito de que el practicante de yoga lleve a cabo la forma de la postura apropiada para su cuerpo. Recuerdo haberme sentido como un principiante en esa primera clase porque Gabriel quería que hiciera posturas básicas. En mi mente, yo era un practicante de yoga experimentado, que había practicado yoga durante seis años antes de ir a esa clase aquel día. Después de la clase le pregunté a Gabriel qué otras clases programadas se adaptarían a mis necesidades. Me recomendó que simplemente asistiera a la clase suave por ahora hasta que aprendiera más acerca de cómo adaptar las posturas a mi cuerpo. Esto lastimó mi ego ya que había estado practicando durante años y había modificado las posturas según fuera necesario para beneficiar a mi cuerpo, o al menos pensaba que lo había hecho.

Aunque mi ego estaba herido y no dejé de asistir a otras clases de yoga, comencé a ir al Círculo de Yoga cada semana. Ahí aprendí a adaptar mis posturas en un nivel completamente distinto; un nivel que requería que pusiera más atención en las necesidades de mi cuerpo. Los accesorios estaban ahí para brindarme apoyo, y me animaban a utilizarlos según fuera necesario para maximizar la integridad de mi práctica de yoga. Encontré una mejor comprensión de mi cuerpo. Permítanme darles un ejemplo para explicar mejor lo que quiero decir. En el *supta padangusthasana* (un estiramiento supino del tendón de la corva), una pierna se levanta de forma recta en el aire y la otra se tiende estirada hacia afuera sobre el piso. Si no puedes tocar los dedos del pie que está extendido en el aire, puedes lazar un cinturón alrededor del pie y sostener ambos extremos del cinturón. Esta sería la adaptación que se alienta en la mayoría de las clases de yoga. Sin embargo, el yoga Iyengar lleva la adaptación todavía más allá para que el practicante reciba un apoyo. La forma en la que yo haría esta postura implicaba recostarme con los pies contra la pared. La parte posterior de mi pierna, que está en el piso, se apoya sobre una manta doblada ya que no llega al piso, y coloco un bloque contra la pared de modo que verdaderamente pueda presionar con el pie. Luego paso un cinturón alrededor del otro pie y levanto esa pierna solo para apuntar el lugar donde todavía puedo mantenerla estirada.

Esta clase de atención al detalle hizo que mi práctica fuera más sólida. Me sentía más integrado con mi cuerpo con el énfasis en la alineación y creando una conexión mente-cuerpo más fuerte. No solo estaba teniendo una mayor conciencia corporal, sino que estaba obteniendo una mayor conciencia mental de mi práctica y de otras áreas de la vida fuera del tapete de yoga.

Compartir el yoga con otras personas

Desde el momento en que descubrí cómo utilizar la adaptación, quise tomar el entrenamiento para ser instructor de yoga y llevar el yoga adaptativo a otras personas. Hasta antes de llegar al Círculo de Yoga, no sentía que estuviera listo para profundizar en un entrenamiento para convertirme en instructor, aunque había asistido a muchos talleres con instructores expertos y había tomado una parte de un entrenamiento para instructores para mi propio conocimiento. Fueron todas mis experiencias combinadas del yoga lo que me dio la confianza de asumir finalmente el compromiso. Sé que cualquier persona puede tomar un entrenamiento para instructores de yoga, pero para mí era muy importante tener una práctica sólida y comprender el yoga dentro y fuera de tapete.

Otra factor que contribuyó a mi decisión de tomar el entrenamiento para instructores y llevar el conocimiento del yoga a los estudiantes fue leer el libro *Waking: A Memoir of Trauma and Transcendence*, de Matthew Sanford. Matthew tuvo una lesión de médula espinal cuando sufrió un accidente automovilístico a los 13 años. Cuando estaba en la rehabilitación tradicional, los doctores y terapeutas le dijeron que se enfocara en recuperar la fuerza de la parte superior de su cuerpo, ya que jamás recuperaría el control de la parte inferior. De ese modo, los médicos le dijeron que ignorara la parte baja de su cuerpo.

Matthew fue por la vida sintiendo que siempre faltaba algo. Él creía que era posible recuperar el control de sus extremidades inferiores, pero no sabía cómo tener acceso a ese control; esto es, hasta que descubrió el yoga. A través del yoga, Matthew pudo establecer una conexión mente-cuerpo y una vez más tener un cuerpo totalmente integrado. Esto es algo con lo que pude identificarme en mi propio cuerpo cuando experimenté el yoga de una manera como jamás lo había hecho. Matthew se convirtió posteriormente en instructor de yoga Iyengar y creó Mind Body Solutions, una organización sin fines de lucro cuya misión es despertar la conexión entre la mente y el cuerpo.

Aunque yo sabía que el yoga podía beneficiar a cualquier persona, una parte de mí cuestionaba si podía convertirme en un instructor certificado de yoga como persona con una discapacidad. ¿Cómo podría demostrar la forma correcta de las posturas de yoga? ¿Cómo ajustaría a los estudiantes? ¿Cómo podría mantener a los estudiantes seguros?

La respuesta a cómo podría enseñar era verdaderamente sencilla y estuvo frente a mí todo el tiempo: adaptaría la enseñanza a mis capacidades. La meta sigue siendo dar a los estudiantes la mejor experiencia posible, pero tengo que respetar mis capacidades mientras lo hago. Esto puede significar enseñar yoga sentado o utilizar palabras para ajustar a los estudiantes en lugar de tocarlos. Si estoy dando una clase de yoga adaptativo a personas de distintas capacidades, tengo asistentes que ayudan a los estudiantes a hacer las posturas de yoga. Cuando enseño, mi meta no consiste en impresionar a los estudiantes llevando a cabo la forma avanzada de una postura de yoga; más bien, mi meta consiste en lograr que hagan una postura de forma segura y correcta de modo que puedan recibir sus beneficios.

El entrenamiento para instructores que tomé en Prairie Yoga era exactamente lo que buscaba. Alentaba la adaptación, la alineación apropiada y excelentes habilidades generales de enseñanza. Sentí que me dio una base sólida para enseñar a los estudiantes y me enseñó mucho sobre mi propia práctica.

El entrenamiento para instructores es tan solo un paso en mi viaje por el yoga, y todavía tengo mucho que aprender como practicante. Mi experiencia colectiva con el yoga es lo que me llevó al punto en el que me encuentro hoy. La única forma en la que voy a ser un instructor y estudiante exitoso de yoga, especialmente con el yoga adaptativo, es seguir aprendiendo. Todo mundo tiene un cuerpo único; así pues, no existe una sola adaptación de una postura que se aplique a todos. Cada practicante de yoga necesita practicar el yoga basándose en su capacidad, recordando que no existe una expresión correcta o incorrecta del yoga.

Ryan McGraw es instructor de yoga y defensor de las personas con discapacidad. También tiene una maestría en Discapacidad y Desarrollo Humano. Como persona con una discapacidad, Ryan cree que el yoga puede ser accesible y ser adaptado a todo tipo de personas. Siente que todo mundo debería poder recibir los beneficios del yoga.

Foto del autor por Karen McGraw.

Dra. Audrey Bilger

Virabhadrasana en el ámbito académico:
Salir del clóset con un corazón abierto

Guerrero I

Un paso al frente, flexiona la rodilla que queda enfrente, eleva los brazos por encima de la cabeza, mira hacia arriba y levanta tu corazón

Contraofensiva lésbica. Mientras leo esta frase en un trozo de papel que encuentro en mi buzón de la escuela, siento una sacudida que me recorre todo el cuerpo. Eché un vistazo en el centro de apoyo de la facultad y pude ver que habían colocado una página así en todos los cubículos. Cuando la examiné con mayor detenimiento, comprendí exactamente lo que quería decir. Yo era la lesbiana y esto era la guerra.

He estado impartiendo clases de Inglés y Estudios de Género en una pequeña universidad privada del sur de California desde mediados de la década de 1990, y cuando en la primavera de 2001 descubrí en el cuarto de correos lo que resultó ser un memorándum conspiratorio filtrado, al principio pensé que era más el tipo de intriga que se da en los campus: conservadores *versus* liberales; tradicionalistas *versus* multiculturalistas. Resulta que este documento era un plan estratégico de batalla elaborado por un cuadro anónimo de profesores de derecha: una lista de cosas por hacer para debilitar al presidente y decano de la universidad que recientemente había asumido el cargo, quien era percibido por los que antes estaban en el poder como progresista, y por tanto como amenaza al statu quo. El memorándum, conformado por una serie de viñetas, incluía los nombres de los donadores para que fueran contactados, junto con otras acciones que, si se llevaban a cabo, casi con toda seguridad provocarían el derrocamiento del nuevo régimen. Quienquiera que hubiera elaborado el documento lo había dejado en una fotocopiadora, y alguna otra persona había decidido arrojar luz sobre este nefasto plan haciendo fotocopias para toda la facultad.

Cuando la mayoría de las personas piensan en el ámbito académico, probablemente imaginan un ambiente bucólico de eruditos despistados y silenciosos pasillos de biblioteca. Aunque la frase ampliamente reconocida "publica o muere" da a entender el potencial de hostilidad y lucha, los no académicos saben muy poco sobre los abusos que ocurren frecuentemente al interior de la "torre de marfil".

Más grandes son los tiburones

Mi esposa y yo a menudo bromeamos sobre cómo, a pesar de lo áspero que es su mundo laboral dominado por hombres —está en el negocio de la música—, el ámbito académico puede ser todavía más brutal. Entre más pequeña es la pecera, más grandes los tiburones.

En cuanto vi que se estaba gestando cierta forma de "contraofensiva" lésbica, supe que yo era el único blanco posible. Mi escuela tenía una inclinación conservadora tan marcada en aquel momento que antes de ser titular se me advirtió que no saliera del clóset como lesbiana. Una vez que tuve la titularidad y logré salir del clóset, me convertí en un recurso para diversos estudiantes homosexuales hombres que buscaban reconciliar su orientación sexual con este ambiente restrictivo; sin embargo, a pesar de mi visibilidad, no conocía a ninguna otra lesbiana en el campus.

Mis colegas conservadores claramente se sentían amenazados por mí. ¿Por qué otra razón habrían propuesto un *contraataque*? En términos militares, un contraataque es, después de todo, una respuesta a una acción previa llevada a cabo por una fuerza enemiga. De lo que me di cuenta mientras me encontraba en el cuarto de correos observando la evidencia de su hostilidad fue que estaba expuesta. Había sido señalada, no por razón de la calidad de mi trabajo, sino porque me atrevía a ser abierta en cuanto a mi identidad. Mi ser mismo era considerado "ofensivo", y mi cuerpo recibió el primer golpe. Me preparé para un posible ataque. Me quedé inmóvil: con la mandíbula trabada, los hombros tensos y la columna rígida.

Preparada para la batalla

Como el clima en mi campus ya había sido frío para mí desde que comencé a estar ahí —la facultad solo tenía algunas mujeres en aquel entonces—, siempre me tensaba cuando caminaba por el campus. Al principio, dejé de ponerme falda y tendí a vestirme con colores oscuros, aunque me encanta la ropa y, si se me da la libertad de decidir, me gusta vestir de colores, con estampados y adornos. En el salón de clases y en las reuniones, podía notar que los cuerpos femeninos no tenían autoridad en esta comunidad. Después de salir del clóset, comencé a estar todavía más consciente de mi cuerpo en el campus. Ciertamente, no pertenecía a la red de exalumnos de nadie. Era alguien raro y diferente. El camuflaje era estratégico. Pensé que *podía* estar fuera del clóset, e incluso *expresar* mi opinión, pero no necesariamente *destacar*. Aquellos que sabían podrían saberlo, y los que no, pensé, me dejarían en paz.

Para hacer las cosas todavía más complicadas, cuando comencé a dar clases aquí había llegado acompañada por un esposo, quien se convirtió en exesposo poco tiempo después de que salí del clóset ante mí misma y me identifiqué como lesbiana. Cuando pasas de ser heterosexual a ser gay, tu cuerpo físico no cambia. Te ves en el espejo y ves los ojos que siempre has visto. Tienes el mismo color de piel, la misma altura, las mismas estadísticas vitales y calzas del mismo número. Podrías elegir ponerte *piercings* y tatuajes; podrías adoptar un guardarropa que anuncie tu homosexualidad al mundo, o podrías, como yo lo hice, simplemente continuar con tu vida y no mostrar de ningún modo externo la metamorfosis que ha ocurrido. Al haber vivido más de treinta años como mujer heterosexual, no estaba consciente de mi privilegio heterosexual hasta que lo perdí. Jamás imaginé que tendría que armarme para la batalla.

Ciertamente, las batallas que enfrenté fueron menores comparadas con las que emprenden los niños afeminados abandonados en las calles, o las de las lesbianas y homosexuales en países en donde se encarcela a los homosexuales, o las de cualquiera que se encuentre en medio de guerras reales y violentas. La metáfora de la guerra me la lanzaron colegas militaristas, que estaban involucrados en las guerras culturales donde me tenían a mí como objetivo, y sentía cómo su malicia se filtraba por mis venas. Caminar por el campus requería una dosis diaria de valor.

El memorándum contraofensivo lésbico me forzó a entrar a las trincheras. Cada vez tuve más miedo por mi seguridad personal y por mi carrera. Desconfiaba casi de cualquier persona con la que me topaba. Me la pasaba cuidándome. Incluso consideré dejar este trabajo por el que había luchado tanto. Pelear o huir, esas parecían ser las opciones.

Conocer al guerrero

A medida que se desarrolló el drama, encontré solaz en mi práctica de yoga de mucho tiempo. Cada mañana desenrollaba mi tapete, aquietaba mi respiración y entraba en un estado de equilibrio. Descubrí por vez primera el poder sanador del yoga cuando era estudiante de posgrado, ya que sufría de dolores de espalda y de cabeza. Desde el inicio mismo, mi práctica trajo equilibrio y estabilidad a mi mundo. En lugar de tensarme en medio del conflicto, aprendí a dirigir mi respiración a los desafíos: inhalar para tener fuerza y exhalar para tener flexibilidad. El yoga hizo más que eliminar padecimientos físicos; mejoró la calidad de mi trabajo académico y de mi vida.

Como soy estudiosa de la literatura y escritora, siempre me han gustado en particular los aspectos metafóricos del yoga. En la postura de la Montaña, mis pies se asentaban y mi mente se expandía hacia el cielo; en la postura del niño, me doblo y me siento segura y protegida. Tiene lógica que al final las metáforas del yoga que se representaban diariamente en el tapete me trajeran tranquilidad cuando las fuerzas en mi escuela conspiraban para librar una batalla conmigo. Logré ver mi situación de manera más clara en mi práctica diaria y comprendí que no tenía que involucrarme en un conflicto interminable y que tampoco tenía que huir. En lugar de ello, podía ser una guerrera y superar los desafíos con elegancia y dignidad, renovando continuamente mi energía y manteniendo el rumbo. Tomaría el camino del guerrero y prevalecería.

Guerrero II

Separa una de las piernas, apunta con los dedos de los pies hacia fuera, flexiona la rodilla, extiende los brazos, gira la cabeza para que quede viendo sobre el brazo derecho, y eleva tu corazón

El día D

Una vez que el memorándum contraofensivo lésbico se hizo público como parte de lo que claramente era un plan para fracturar al colegio, la facultad se encontraba levantada en armas. La administración convocó a una reunión especial, y yo contaba con miedo las horas a medida que la fecha se acercaba. Sabía que, sin importar cómo se desarrollara la discusión, yo estaría bajo los reflectores.

No pude dormir la noche anterior. La adrenalina recorría mis venas. Tenía una idea bastante clara de cuáles de mis "colegas" estaban detrás del memorándum, y sus rostros seguían apareciendo ante mí. Me imaginaba que los enfrentaba directamente. Quería verlos castigados. Unas horas antes del amanecer, me levanté, tropezándome en la penumbra de mi estudio. Encendí la computadora y abrí un archivo.

Decidí que confrontaría a mis antagonistas en esa reunión. No tenía dónde esconderme, y ya no quería hacerlo. Como sabía que sería imposible permanecer en calma y decir lo que tenía que decir, escribí un discurso. Lo mecanografié frenéticamente, expresando el dolor de haber estado dentro del clóset, describiendo las miradas despectivas de individuos homofóbicos que me quemaban la piel, compartiendo historias sobre estudiantes gays que venían a mí para compartir su sufrimiento y frustración. La contraofensiva lésbica —diría al final— era una afrenta no solo para mí sino para las aspiraciones de la educación superior, y expresé mi fe en que nuestra comunidad pudiera mejorar.

Al principio, mi esposa trató de convencerme de no hablar. Estaba ansiosa, pero, como posteriormente explicaría, reconoció en mi rostro esa mirada de determinación y certeza. Me abrazó y me dijo que estaba orgullosa de mí.

Antes de salir de casa, llamé a un amigo gay que estaba familiarizado con las políticas de mi campus y le dije lo que planeaba decir.

—Vas a estar muy sola —dijo preocupado.

Después de colgar pensé en esa cuestión. Ya me sentía sola. ¿Cómo podría hacerme sentir todavía más sola el hecho de expresarme? Quería ser escuchada y entendida. En el auto, de camino a la escuela, me llegó una idea, y añadí mentalmente otro paso a mi plan.

El momento de la verdad

Cuando entré en el gran salón de conferencias donde iba a llevarse a cabo la reunión, me preparé para lo que pudiera venir. ¿Estaba todo mundo observándome o solo me sentía expuesta? Mis ojos buscaban a las personas que yo creía que eran responsables de la conspiración. Probablemente habría cinco o seis personas en el grupo, supuse. Todos estaban presentes. No quería temblar, pero no podía evitarlo.

Lo que de inmediato me quedó claro fue que quienes habían escrito ese memo no serían "expuestos" en esa reunión. Algunos representantes de la administración hablaron sobre investigaciones que estaban llevándose a cabo y que tenían que ver con posibles problemas legales provocados por el memorándum. Tomé en mis manos mi escrito, esperando una oportunidad de pasar al frente.

En cuanto se abrió un espacio para los comentarios, me abrí paso hacia el frente. Me había sentado deliberadamente cerca del podio. Con todo, mis pasos eran vacilantes y me temblaban las rodillas. Expresé mis comentarios con tanta fuerza como pude, levantando la mirada ocasionalmente pero sin poder evaluar la reacción de mi audiencia.

Después de concluir la declaración que había preparado, dirigí toda mi atención al recinto y a estudiar la situación. Quería evitar sentir el aislamiento que a mi amigo le preocupaba fuera mi destino.

—Ahora quiero saber quién está de acuerdo conmigo en deplorar la intolerancia de este memorándum —anuncié—. Quiero ver manos levantadas.

Miré alrededor y vi que unas cuantas personas se movían en sus asientos incómodamente, pero otras parecían receptivas y favorables.

Una persona gritó:

—¿Sobre qué estamos votando? ¿Se trata de un voto oficial?

Mantuve mi postura.

—Solo necesito saber con quién estoy trabajando. Levanten la mano si se unen a mí para denunciar el memorándum y si apoyan un clima cordial para la comunidad LGBT.

Para mi sorpresa, prácticamente todos —incluso aquellos que yo sabía que eran responsables del memo (cubriéndose las espaldas, no lo dudo)— levantaron la mano. Podría decir que tuve un apoyo unánime.

Regresé a mi asiento y de algún modo logré resistir el resto de la reunión sin colapsarme. A lo largo de los siguientes días, la bandeja de entrada de mi correo electrónico se llenó con mensajes de solidaridad, tanto de personas que conocía bien como de aquellos con los que apenas había cruzado palabra. Más adelante, ese mismo año, recibí un premio al mérito votado por todo el profesorado.

Encarnar al Guerrero

A pesar de las muchas muestras de apoyo que recibí, este incidente tuvo graves repercusiones. Cada vez me sentía más cansada y agotada. Las personas que escribieron el memo jamás fueron nombradas ni señaladas en público. Las veía en los pasillos y en las reuniones del profesorado. Aunque el clima mostró algunas señales de mejoría, seguí escuchando historias de los estudiantes acerca de sus sentimientos de rechazo y ansiedad. Continué con mi práctica de yoga y me beneficié de las infusiones regulares de tranquilidad que encontré en ella; pero todavía tenía que comprender la lección del guerrero.

Guerrero III

Eleva los brazos por encima de la cabeza, mira hacia arriba, lleva una pierna al frente; flexiónate desde la cintura, levanta del suelo la pierna que tienes atrás y lleva tu torso de modo que quede paralelo al piso, con la mirada hacia el frente y el corazón elevado.

Un par de años después de combatir la contraofensiva lésbica, me encontraba en una clase de yoga. Cuando la instructora nos alentó a realizar una flexión hacia el frente, repentinamente me di cuenta de que había muchas cosas que quería liberar. Pensé en mi escuela y en cómo me disgustaba pasar tiempo ahí. Albergaba enojo y un remanente de temor. Se esperaba que luchara por otra promoción, pero me rehusé a ponerme a merced de unos bravucones ante cuyos ojos me sentía constantemente juzgada y quienes me tenían por deficiente.

La negatividad que provocaba que mi cuerpo se tensara en el trabajo realmente no estaba dirigida hacia mí como lesbiana fuera del clóset. La cultura académica solo gira alrededor de calificaciones, evaluación y valoración. Para obtener una cátedra tienes que pasar años en posgrado, terminar un doctorado y luego pasar por una búsqueda de empleo donde compites contra cien o más candidatos.

Debes enviar artículos y libros para su publicación y enfrentarte a comités de revisión en todas partes. Es un verdadero suplicio.

Los practicantes de yoga han entendido desde hace mucho tiempo el valor de ser honestos. En la secuencia del Guerrero y en las flexiones hacia atrás celebramos el coraje del corazón y cultivamos el equilibrio y el aplomo en medio de las incesantes agitaciones de la vida.

Esa mañana, sobre el tapete, en la clase de yoga, seguí la guía de mi instructora y dirigí mi exhalación hacia la postura, relajando los músculos, cuya tensión no había notado siquiera unos momentos antes, a medida que liberaba conscientemente la carga que había llevado a cuestas. Sentí que mi corazón se involucró y que mis sentidos se despejaron.

Luego comprendí que si quería prosperar en mi trabajo, en lugar de seguir absorbiendo el estrés en mi cuerpo y existir en modo de supervivencia, necesitaba abrir mi corazón. Todo el tiempo que había practicado yoga consideré la secuencia del Guerrero desde una perspectiva beligerante. La vida es una lucha, había pensado. El yoga será mi refugio, una barricada, un lugar de protección.

Al estar de pie y erguida una vez más después de la flexión hacia adelante y preparándome para entrar en la *Virabhadrasana*, me sentí completamente ligera y presente. Mi corazón se expandió, como en aquella caricatura donde el Grinch enmienda su designio de boicotear la Navidad al liberar el enojo y crear un espacio para el amor.

Feroz

La postura del Guerrero, según llegué a entender, implica permitirte ser vulnerable, ofrecer ferozmente tu corazón al mundo y desafiar la posibilidad —casi la certeza, incluso— del rechazo, el juicio, la hostilidad. En el momento más puro del aquí y el ahora, no existe la lucha. El equilibrio, la gracia y tener un corazón abierto, estas son las herramientas yóguicas del Guerrero. Con esta reflexión pude avanzar.

Pasé el siguiente verano completando un programa de entrenamiento para instructores de yoga cerca del lugar donde vivía. Hablé con los encargados del programa atlético de mi escuela y les pregunté si, además de mis tareas académicas, podía impartir una clase de educación física en el otoño. Llevé mi práctica al campus, y en el proceso comencé a humanizar mi lugar de trabajo, a establecer nuevos lazos con mis colegas y compañeros de trabajo, y a participar en una forma diferente de conexión con mis estudiantes.

Diez años después de incorporar el yoga a mi ambiente académico, ya no me tensaba cuando caminaba por el campus. En lugar de ello, enderezaba los hombros, levantaba la cabeza y ofrecía mi corazón. En este sentido, no existe separación alguna entre lo que hago en el tapete y mi orientación en el salón de clases, en una reunión contenciosa del profesorado o en un viaje a la playa. En cada instancia, trato de centrar mi conciencia y de abrazar la vulnerabilidad.

Ser abiertamente gay es tan solo una versión de ser auténtico y fiel a uno mismo en un ambiente que podría no aceptar tu verdad. Lo que ha mostrado la historia de los derechos de las personas homosexuales es que estar dentro del clóset −ocultar tu yo auténtico− no va a protegerte. Cuando me expresé y pedí a mis colegas que se conectaran conmigo, yo estaba, en efecto, impartiendo mi primera clase de yoga en mi universidad. La contraofensiva lésbica −cualquier cosa que eso haya sido− se disolvió, y si continuó, lo hizo en secreto y en silencio público.

Mis colegas me dijeron que abrí el camino para cambios positivos adicionales; algunos dicen, incluso, que me ven como un modelo a seguir. Sé que cambiar de postura desde una luchadora defensiva y aguerrida hasta una guerrera yóguica con el corazón abierto hizo la vida académica mejor para mí, y me produce un gran gozo pensar que ayudo a hacer que esta vida sea mejor para otras personas.

Actualmente mido mis logros en términos de conexiones. Combato la tendencia muy común en el ámbito académico de siempre estar haciendo comparaciones y emitiendo críticas. Las líneas de batalla pueden ser barreras para el autodescubrimiento, y en mi sendero siempre en constante evolución me esfuerzo por verme a mí misma en aquellos que podrían considerarme su enemiga.

La **Dra. Audrey Bilger** es directora docente del Center For Writing and Public Discourse y profesora de Literatura y Estudios de Género en el Claremont McKenna College. Su libro más reciente, que coeditó con Michele Kort, es *Here Come the Brides! Reflections on Lesbian Love and Marriage.* Es autora de *Laughing Feminism: Subversive Comedy in Frances Burney, Maria Edgeworth, and Jane Austen,* y editora de *An Essay on the Art of Ingeniously Tormenting* (1753), de Jane Collier, para Broadview Literary Texts. Su obra ha aparecido en las revistas *Ms., Bitch,* así como en *Los Angeles Times.* Es editora de género y sexualidad en *Los Angeles Review of Books.*

Foto de la autora por Greg Allen.

Anna Guest-Jelley

Hacia dónde vamos después de aquí

Como una verdadera guerrera, doy un paso al frente, encuentro el equilibrio y abro mi corazón.

¡Vaya! ¿No es cierto?

Si eres como nosotros, tu cabeza está girando con reflexiones, conexiones y formas de avanzar a partir de este punto. Nos sentimos muy agradecidas con cada uno de nuestros increíbles escritores por compartir sus historias con semejante valor, vulnerabilidad y sabiduría.

Sabemos que este es el momento de ampliar esta conversación. Tenemos la esperanza de que este libro sea un trampolín para tener otras conversaciones en las comunidades locales sobre cómo el yoga puede ser una herramienta para apoyar la imagen corporal, y cómo los actuales estudiantes e instructores de yoga pueden desafiarse entre sí en formas útiles para hacer que sus espacios de yoga sean lugares donde todo mundo sea bienvenido tal como es.

Esto no significa, como vimos en los ensayos, que vayamos a pedirles a las personas que están actualmente en los márgenes del yoga, o que incluso ni siquiera lo están practicando, que "encajen" en la cultura habitual del yoga. Más bien, es un llamado a cambiar la cultura habitual del yoga.

Afortunadamente, tenemos un modelo para esto: la práctica del yoga, que nos lleva a una conexión más profunda con nuestro cuerpo y nuestra sabiduría, así como con el *sangha* o comunidad. Los preceptos éticos del yoga, los *yamas* y *niyamas*, tienen mucho que enseñarnos acerca de cómo empedrar el camino que tenemos por delante. De la compasión del *ahimsa* al autoestudio del *svadhyaya*, la práctica nos desafía a trabajar para lograr mayor unión con la mente, con el cuerpo, y unos con otros.

Cómo trabajar con tu imagen corporal por medio del yoga

Como han mostrado estos ensayos, aunque la relación entre el yoga y la imagen corporal es compleja, es posible trabajar con tu propia imagen practicándolo.

Creemos que esto se hace de mejor manera con ayuda de un instructor de yoga sabio y considerado, así como con cualquier otro apoyo que te resulte útil, incluyendo tal vez a un doctor, un terapeuta o un nutriólogo. Es importante saber que aunque el yoga puede ser una herramienta increíble para sanar tu imagen corporal, no existe en medio de un vacío y debe considerarse una más en una caja de herramientas compuesta por diversos tipos de apoyo.

Creemos, según han mostrado nuestros ensayos y las investigaciones al respecto, que la forma en que el yoga ayuda a las personas con su imagen corporal es conectándolas con su cuerpo. Después de todo, es difícil mejorar la manera en que te sientes en relación con tu cuerpo cuando, de hecho, no sabes cómo te sientes *en* tu cuerpo.

Cuando los instructores de yoga te piden que hagas algo como "Siente tu pierna trasera en Guerrero I", eso puede parecerle un tanto esotérico a quien tiene un historial de desconexión con su cuerpo. Sin embargo, con el tiempo, esa instrucción se vuelve menos metafórica y más concreta.

Esto ocurre especialmente cuando se dirige de forma específica, ya sea en una clase grupal o en tu práctica en casa. Por ejemplo, así es como podrías experimentar con esto por tu propia cuenta:

1. Haz la postura del Perro Boca Abajo (en la versión tradicional sobre el piso, o en una versión modificada con las manos sobre el respaldo de una silla estable).

2. Haz cinco respiraciones profundas y observa cómo te sientes en este momento; particularmente, verifica cómo se sienten tus caderas y tus hombros, haciendo una anotación mental de dónde se sienten menos abiertos de lo que te gustaría. Archiva esta información porque regresarás a ella.

3. Haz tres de tus posturas favoritas que abren suavemente las caderas. Algunos podrían considerar incluir una postura de estocada (de pie o de rodillas), la postura de la Paloma (con o sin el apoyo de una manta) y una flexión hacia el frente, de pie, con las piernas bien abiertas.

4. Regresa a la postura del Perro Boca Abajo, haciéndola de la misma forma como la hiciste la primera vez. Una vez más, haz cinco respiraciones profundas y observa cómo te sientes. Verifica cómo sientes tus caderas y tus hombros, anotando cualquier diferencia que haya ocurrido en comparación con la primera vez que hiciste la postura.

5. Haz tres de tus posturas favoritas suaves de apertura de hombros. Entre las que podrías considerar están la postura de la Vaca (con una correa), la de giros lentos con los hombros y la postura del Reloj de Pared.

6. Regresa a la postura del Perro Boca Abajo, haciéndolo del mismo modo en que lo hiciste las primeras dos veces. Por última vez en esta posición, haz cinco respiraciones profundas. Mientras estás en esa posición, verifica cómo te sientes y anota cualquier diferencia que haya en tus caderas y en tus hombros.

7. Regresa a la posición de pie y continúa con tu rutina. Siempre puedes añadir más elementos a la práctica de arriba o puedes probar con una postura diferente. Hagas lo que hagas, la intención sigue siendo la misma: regresar a la misma postura varias veces a lo largo de una práctica con el fin de observar los cambios que puedan surgir en tu cuerpo mientras lo haces.

Prácticas como estas pueden ser clave para ayudarte a reconstruir una conexión clara entre la mente y el cuerpo, y crean la capacidad de saber y observar lo que está ocurriendo en tu cuerpo.

Recomendaciones para instructores

Aunque los practicantes de yoga pueden emplearlo como una herramienta para mejorar su imagen corporal por su propia cuenta, también necesitan el apoyo de instructores considerados y hábiles, en especial cuando practican en clases grupales. Cuando los instructores crean un ambiente positivo para el cuerpo en sus clases, crean un espacio para que las personas practiquen lo que, pensamos, constituye la base del yoga: conectarte con tu propia mente y tu propio cuerpo, exactamente en el estado en el que se encuentran en este momento.

Hay quienes argumentan que crear un ambiente positivo para el cuerpo propicia que las personas no se involucren en cuidar de sí mismas. Sin embargo, nosotros pensamos que ocurre precisamente lo contrario: es solo cuando te aceptas a ti mismo como eres cuando puedes emprender una acción cimentada en el amor para sentirte lo mejor posible.

Estas son algunas formas en las que los instructores de yoga pueden llevar a sus clases una actitud más positiva en relación con el cuerpo:

Acomodo de la habitación

Cuando te sea posible, considera pedir a los estudiantes que se acomoden con la parte angosta de su tapete contra la pared. Esto no solo da a las personas un fácil acceso a la pared para las posturas (saludo, posturas de equilibrio, ¡y pararse y acostarse en el piso con un poco más de gracia!), sino que también permite que todos vean y escuchen un poco mejor porque no tienen los pies de sus compañeros de clase (en un buen día) pegados al rostro.

Haz preguntas abiertas

¿Quieres apoyar a tus estudiantes de manera que funcione? Antes que nada, tienes que conocerlos. En lugar de hacerles una pregunta que se responda con un sí o con un no ("¿Tienes alguna lesión?"), piensa en una opción abierta ("Cuéntame qué está pasando con tu cuerpo"). Este enfoque te brinda, además de una mayor cantidad de información, un momento para crear una conexión y una compenetración con el estudiante.

Trabaja de lo más apoyado a lo menos apoyado

Muchas clases de yoga comienzan enseñando la versión menos apoyada de la postura (por ejemplo, la *trikonasana*, la postura del triángulo con una mano sobre el piso) y luego ofrecen opciones "en caso de que no puedas hacerla" (por ejemplo, un bloque debajo de la mano que se encuentra abajo). Para que tus clases sean más motivantes para todos, considera hacer lo contrario. Que todo mundo comience con un bloque debajo de la mano y vaya construyendo confianza y fortaleza. Luego, si los estudiantes se sienten estables, ofréceles sugerencias para bajar la altura del bloque o para eliminarlo, ofreciéndoles plenamente la posibilidad de que no la hagan.

Habla al respecto

Ten conversaciones regulares con tus estudiantes, tanto durante la clase como antes y después, y háblales de que tu clase es un espacio para darle la bienvenida a su cuerpo exactamente como es. También puedes entretejer en tus clases temas positivos sobre el cuerpo para profundizar la experiencia.

Otra cosa que pueden hacer los instructores es considerar cómo su propia imagen corporal está afectando su enseñanza.

Por ejemplo, si un instructor no se siente bien con su cuerpo, eso a menudo se proyectará en la clase con comentarios sobre "reducir ese busto de *muffin*" u otros parecidos.

Como instructor no debes tener una imagen corporal perfecta para crear un ambiente de apoyo para los estudiantes. Ni siquiera algo que se le acerque (porque estamos bastante seguras de que, de cualquier manera, eso ni siquiera existe). Sin embargo, lo que sí puedes hacer es trabajar con tu propia imagen corporal, tal y como estás invitando a tus estudiantes a que lo hagan. Cuando elevas tu conciencia en relación con el lenguaje que utilizas para hacer referencia a tu propio cuerpo, eso eleva tu conciencia sobre lo que podrías estar compartiendo con tus estudiantes.

Mejorar la imagen corporal es un proceso continuo para todos nosotros, y la mejor forma en que los instructores pueden asistir a sus estudiantes es ser honestos en ese sentido y estar dispuestos a recorrer el camino con ellos.

Reconocimientos

Nos gustaría agradecer a todos nuestros colaboradores por compartir valientemente sus historias con tanta honestidad, vulnerabilidad y belleza. Nos han conmovido profundamente y nos han inspirado con su valor y sabiduría. Estamos profundamente agradecidas con cada uno.

Queremos dar un reconocimiento especial a Vytas Baskauskas, a Ruby Corley, a Seane Corn, a Angela Wix y al equipo de Llewellyn, Elyse Tanzillo y Frank Weiman. Sin ustedes, este libro no sería la colección especial de voces que es.

También queremos agradecer a los instructores que nos han enseñado e inspirado a lo largo de los años. Además, queremos hacer un reconocimiento a nuestros maravillosos estudiantes que nos impulsan a seguir realizando este trabajo. También son nuestros maestros y son un rayo de luz.

Finalmente, deseamos expresar nuestro amor y gratitud a nuestra familia y amigos, quienes nos alientan todos los días. Ustedes hacen que nuestros esfuerzos valgan la pena. Los amamos.

Recursos

¿Necesitas apoyo para saber cómo navegar por el yoga y la imagen corporal o para saber cómo se entrelazan? Puedes acudir a estas extraordinarias organizaciones:

National Eating Disorders Association
> Recursos y apoyo local en el tema de desórdenes alimenticios (solo en Estados Unidos).
>
> www.nationaleatingdisorders.org

The Art of Yoga Project
> Yoga y arte para chicas adolescentes recluidas.
>
> www.theartofyogaproject.org

Adios Barbie
> Imagen corporal y recursos positivos para el cuerpo.
>
> www.adiosbarbie.com

Proud2BMe
> Imagen corporal para adolescentes.
>
> www.proud2bme.org

Y por supuesto, echa un vistazo a las biografías de los autores que se encuentran después de cada ensayo para visitar sus sitios web. Cada uno está trabajando con este tema a su manera, ¡y tienen muchos recursos útiles que ofrecer!